取り扱い注意

佐藤正午

取り扱い注意

装丁／鳥井和昌

1996　夏

「ご静粛に」

「ねえ、鮎川《あゆかわ》さんはお母さんと二人暮らしなんですって？」

「会場のみなさま、お静かに願います」

「誰に聞いた？」

「社内の噂《うわさ》」

「みなさまステージに御注目ください、ただいまよりアトラクションがはじまります」

「噂の鮮度は長持ちしないね、我が社の缶詰と違って」

「あら、どういう意味かしら」

「テーブルの上には七種類の缶詰が並んでおります、ご覧になれますでしょうか。みなさまもっとお近くへ、ご覧になれる位置にお立ちになりましたら、どうかしばらくの間お静かに願います、これより……」

「お母さんが家出？」

「家出じゃない、母は家を出たと言ったんだよ」

「お母さんが家を出た」

「そう」

「どう違うの？」

質問と同時に彼女は心もち首をかしげた。

ステージではテーブルの上に七種類の缶詰を並べてアトラクションが開始された模様だった。

給仕係がそばを通りかかったので二杯目のシャンパンをもらって二口で飲んだ。それから茹《ゆ》で卵のスライスの上にキャビアを添えたカナッペを一つつまんだ。その間、彼女は心もち首をかしげたまま答を待っていた。

「家出なら捜索願いを出す必要がある、家を出たといった場合にはその必要がない」

「それくらいわかってる、あたしが聞いてるのはね」

「家出の原因は謎《なぞ》につつまれたままかもしれない、家を出る場合には理由は比較的明らかにされる、というのはどうだろう」

「その理由の話よ」と彼女は続けた。「あなたのお母さんて、いったいお幾つ？」

「二人いるんだ、足すとおよそ百になる」

「もう酔ったの？　それともあたしをからかってるの？」

「今日は大いに飲んで食べて、我が社の発展を祝ってくれと社長は言ったぜ」

「からかってるのね」

「これは我が社がより発展するために輸入している缶詰のキャビアだ、そっちのイクラも、試してみろよ」

「あたしは茹ですぎた茹で卵は嫌いなの、匂《にお》いがね」

「確かに茹ですぎだな、黄身が灰色がかってる」

「お代わりはいかがですか？」と若い女の声が言った。

「ありがとう、でもこの人はもう十分飲んでるし、あたしもあんまりいただけないの」

「いただくよ」僕は空のグラスを盆に戻し、三杯目を取り上げて口をつけた。「創立五十周年だからね」

「おめでとうございます」愛嬌《あいきょう》たっぷりのパーティ・コンパニオンが芝居がかったお辞儀をしてみせた。白いシャツに黒の蝶《ちょう》ネクタイ、光沢のあるグレイのカマーバンドに黒のミニスカート。

「アトラクションといえば、社長の趣味の民謡が聞けると思って楽しみにしてたんだけどね、ビデオカメラとおひねりまで用意してたのに、あの振《ふ》り袖《そで》の歌手はどこに消えたんだろうね」

「気にしないで、この人は冗談を言ってるだけだから」

「振り袖の女のかたならあそこに」

「ああ、このあとで歌うつもりなんだな。そばに寄り添ってる二枚目は我が社の専務だよ、でもあれは彼女の電話番号を聞き出してるんじゃない、専務はああ見えてもホモセクシュアルだからね」

「ちょっと、よしなさいよ」

「社内の噂だろ？」

「気が変わったわ、やっぱりあたしにも一杯ちょうだい」

「今度まわって来るときにはウィスキーの水割りを頼むよ、濃いめにね」

「ハーフ・ロックでいいですか？」

「ハーフ……何？」

「ハーフ・ロック」

「うん、それでいい」

「すぐにお持ちします」

脇《わき》のあたりがくすぐったくなるような愛くるしい笑みを残して黒いミニスカートの女が去った。襟ぐりがバケツの形に大きく開いた空色のミニのワンピースを着た同僚がシャンパンを一口すすってから小声で話を戻した。

「お母さんが家を出られたということは、鮎川さんはいま持ち家に一人住まい？」

「もちいえ？」

「違うの？」

「父ともう一人の母が一緒だよ、他に姉が一人、妹も三人いる。きみはハーフ・ロックって何のことだか知ってるか？」

「知らないわ。お父さんは早くに亡くなったんでしょう、ずっとお母さんと二人暮らしだったはずよ」

「変だな」

「変、何が？」

「入社してもうじき半年になるけど、親身に話相手になってくれる同僚は一人もいなかった、それがとつぜん母のことを聞きたがったり、どうして急に僕に関心を持つんだ？」

「急に、というわけじゃないけれど」

彼女はパーティ会場をざっと見渡して、遠くにいる誰かに焦点をしぼるように目を狭《せば》めた。それから向き直ると、ひょいと顎《あご》をしゃくり、人のいない隅のほうへ僕をいざなった。

「会社の男の人たちが、あなたのことをどんな目で見てるか知ってる？」

「どんな目でだろうと、僕のことを気にかける社員がいたとは光栄だね」

「あたしは親身に話してるのよ」

「教えてくれよ」

「専務のペット」

「なるほどね」

「専務のペットよ、侮辱的でしょ？　悔しくないの？」

「僕は専務のひきで入社したんだ」

「それは知ってるわ、でもあたしは他の社員が知らないことも幾つか知ってる、だから、専務のペットなんて陰口がぜんぜん的外れだということも分かってる」

　ステージのまわりで拍手が起こった。感度の悪いマイクロフォンを通して文字どおり雨あられのように音が鳴り響いた。どうやら七種類の缶詰を使ったアトラクションは好評のうちに終了した模様だった。

「たとえば」と僕は尋ねた。

「鮎川《あゆかわ》さんの亡くなったお父さんはプロ野球の選手だった、西武ライオンズでピッチャーをやってた、そうでしょ？」

「それで？」

「体格も野球の才能も遺伝しなかったかわりに、お父さんのある一部分だけは完璧《かんぺき》にコピイされた。だからあなたはベッドの上での試合には負けたことがない。飴《あめ》細工の飴みたいに女のからだをぐにゃぐにゃに蕩《とろ》かしてしまう」

「その比喩《ひゆ》はきみが考えたのか？」

「聞いた通りに喋《しゃべ》ってるの。おたくの会社が作ってる缶詰に譬《たと》えれば、サバの水煮みたいに骨まで柔らかくしてくれる、とも言ってた」

「誰が」

「さあ、誰でしょうね」

「お代わりはいかがですか？」

と若い女の声が言った。白いシャツに黒の蝶ネクタイ、グレイのカマーバンドに黒のパンツ。差し出された盆の上にシャンパンのグラスが一つだけ載っていたので、空のグラスと取り替えて一息に飲んだ。

「今度まわって来るときにはウィスキーを頼むよ、ハーフ・ロックで」

「ハーフ……何ですか？」

「いや、いいんだ、水割りでいい、濃いめにね」

「すぐにお持ちします」

「誰だか知りたい？　知りたければ今夜あたしと」

「よく分からないな、きみは僕に何が言いたいんだ？」

「わからない？　あなたを口説いてるんじゃない」

「僕を、口説いてる」

「われわれ女子社員はね、本当はみんな新しい物好きなの、鮎川さんのことも入社した日から気になって気になって仕方がなかったの、でも噂《うわさ》が噂でしょ？　さっき言った専務のペット説が一つの大きな壁になってたわけ、その壁に最初にひび割れを見つけたのがあたしね、早い者勝ち、新しい噂が広がらないうちに、今夜、あたしを飴みたいに蕩かしてみて」

「からかってるんだろ？」

「本気よ、先に帰っちゃだめよ、二次会が終わったあとで」

「二次会にまで出るつもりはないよ」

「そんなこと、専務が許してくれないわよ」

「水割りをどうぞ」

とまた新しい声が言った。振り向くと白っぽいグレイのスーツ姿の女が立っている。髪をきっちり後ろで結って、こぢんまりした顔には縁なしの眼鏡。紙ナプキンで底を包んだグラスを手渡しされたので一口すすった。酔いざましのおひやと言っても通るほどのごく淡い水割りだった。

「今度まわってくるときにはウィスキーのボトルも一緒に頼むよ」

「はい？」

「冗談なんです、さっきからこの人あんなことばっかり言ってるの」

「いったい民謡はいつになったら始まるんだろうね」

「もうじきだと思いますけど」

「聴くつもりもないくせに」

「専務が、営業部の二次会にぜひ出席なさるようにとのことです」

「僕にですか」

「他に誰がいるのよ」

「ええ、何か御都合が悪ければそうお伝えしますが」

「いえ、別に何も」

「よかった、終わったら飴よ」

「はい？」

「ううん、何でもないの、気にしないで」

ただの一度も笑顔を見せずに縁なし眼鏡の女が歩き去った。その後姿をじゅうぶんに見送ってから同僚が――バケツ型に大きく開いた襟ぐりの、胸のふくらみとふくらみの隙間《すきま》に銀の十字架のペンダントの先がいまにも滑りこみそうだ――耳元で言った。

「専務の新しい秘書」

「知ってる」

「カムフラージュだって説があるのは知ってる？　鮎川ペット説と組になってるの。前の秘書なんて地味なおばさんだったのに、春からいきなりあれでしょ、あなたが入社して二カ月もしないうちに、これみよがしに秘書を取っかえるんだもの、噂が立って当然といえば当然よね」

「彼女だってかなり地味に見える」と僕は言った。「あのスカートにカーディガンでもおれば図書館のレファレンス係に推薦できる」

「でも若いのよ、あたしより二つも」

「パンティストッキングを冷蔵庫で冷やせば伝線しないというのは本当かな」

「何よそれ」

「新聞で読んだんだ」

「地味なわりにきれいな脚をしてるって、思ったのなら正直にそう言いなさいよ。ほら、お待ちかねの民謡が始まるみたいよ」

「終わるまで外でタバコでも喫《す》ってこよう」

「ふたりでトイレにでも隠れる？」

「ふたりでトイレに隠れてどうするんだい」

「わかってるくせに。ねえ、こうしましょう、あたしは貿易と経理の合同二次会にちょっとだけ顔を出して、それからあなたのところへ飛んで戻って来るから、待ってて、絶対にすっぽかしちゃいやよ」

「ところで、きみの名前を教えてくれないかな」

「洗礼名はテレジア」彼女は十字架のペンダントの先っぽをいじってみせた。「堅信名はアンナ、戸籍名はあとで、これをはずしてから教えてあげる」

「みなさま、再びステージに御注目ください」

「いま気づいたけど、きみもきれいな脚をしてるね」

「見ないで。見られただけで濡《ぬ》れちゃいそう」

「ハーフ・ロックをお持ちしました」

「ありがとう」

「テレビの民謡番組でもすでにおなじみ、民謡界の次代をになう若きスター」
「見ないでって言ってるのに、いじわる」
「いまさらそう言われてもね」
「御紹介します、みなさま盛大な拍手でお迎えください」
「お待たせいたしました、濃いめの水割りです」
「ありがとう」
「それでは歌っていただきましょう、一曲目はみなさま御存知」
「ああ、あたし、サバの水煮になっちゃうわ、今夜」

そして物語りはその夜、八月の終わりにしては奇妙に肌寒い夜、ほの白いポールの先端がぐにゃりと前のめりに垂れた形の街灯の（曲り角ごとに）設置された住宅街を、右へ左へとまるで迷路の出口を求めて試行錯誤するように走り続ける中型タクシーの車中から始まる。

乗客は僕をふくめて四人いた。

左のドア側に貿易業務課の男性社員、運転手の真後ろに僕、間にはさまれて経理課の洗礼名テレジア、後部座席にすわっていたのはその三人で、前の助手席にもう一人、所属不明の髪の長い女の頭だけ見えた。

正直にいうと僕は若干、酔っていた。若干酔っていたので、どういった経緯でその四人が一台のタクシーに乗り合わせたのか、そのときにはぜんぜん気にもしなかったし、いま説明しろと言われてもよく思い出せない。

たぶん二次会もしくは三次会がひけたあとで、誰かが、一緒に南のほうへ帰る人は？と尋ねたとき、他の三人がタイミングを逃さず手を挙げたんじゃないかと思う。JRの駅を境界線にして市を南北に区切ると、南のはずれ、正式名称『フルールの丘ニュータウン』という土地に僕の家はある。

ちなみに貿易業務課の男は僕を敵視していた。

それは薄暗いタクシーの後部座席で、これみよがしに隣のテレジアに誘いをかける声のトーンからも推察できた。いつだったか創価学会に入会している別の女子社員から、昼休みの社員食堂の片隅で聖教新聞の購読を勧められたとき、話のついでに、

「そういえば、貿易の男の人たちが鮎川《あゆかわ》さんのことをほめてました、お尻の形が自分たちとは違って男らしいって。鮎川さんは何かスポーツをやってるの？」

と実直な質問を受けたことがあるけれど、そのことからも十分に推測はついていた。

事実その晩、男は最初から最後まで僕と一言も口をきこうとしなかった。タクシーに乗り込むやいなや隣のテレジアの手を握り、まるで車内にふたりきりでいるかのように、僕にはわからない仕事上のつきあいの話をして、その合間に彼女に誘いをかけた。

時刻はすでに十二時をまわっていた。彼が運転手に言いつけた目印の幼稚園を通り過ぎたのでタクシーが速度をゆるめた。

「このへんじゃなかった？」と経理課のテレジアが言った。

「行き過ぎた」と男が舌打ちをした。「いまの街灯のところを右だ」

タクシーがおもむろに停車した。

「ここでいいじゃない、ここで降りて酔いざましにすこし歩いたら？　今夜は涼しいし」

「一緒に歩こう」

「ごめんなさい」

とテレジアは謝った。それから彼の手を自分の手から引きはがすようにして、言い訳をした。

「今夜はうちにいとこが泊まりに来てるの、帰って夜食をつくってあげないと」

ほんの一秒ほど車内が静まりかえった。前で運転手が身じろぎをした。見るからに居心地が悪そうだった。

「夜食って？」往生際の悪い男が尋ねた。「そのいとこは受験生なの？」

「そうよ」

「ふうん。でもいまは夏休みだろ」

「夏休みだから泊まりに来てるんじゃない」

「どんないとこ？」

「いとこはいとこよ、何を言ってるの」彼女は堂々と、正統的な言い訳をつらぬいた。

「運転手さん、ドアを開けてあげて」

タクシーの後部座席の左側のドアが開いた。貿易業務課の男はすなおに降りかけて、とつぜん僕に対する敵意をよみがえらせたようだった。

「おい、気をつけろよ」男は車内に顔をさしいれて運転席に怒鳴った。「油断してると真後ろからオカマほられるぞ、車だけじゃなくて夜道はいろいろと物騒だからな」

男が顔を引っこめるとじきにドアが閉まった。テレジアと僕はすわる位置を少しずつ左へ移動した。ルームミラーでちらりと真後ろの席を気にしてから運転手は再びタクシーを走らせた。

「あんな男、気にしないで」テレジアが運転手へとも僕へともつかず呟《つぶや》いた。そして僕の手を握った。「脳みそにカビがはえてるのよ」

「次はどこへ」と運転手が聞いた。

「まっすぐにお願いします」助手席の女が初めて口をきいた。「次の信号を左へ」

「どっち？」テレジアが僕にもたれかかって囁《ささや》いた。「あたしのマンションに来る？　それとも」

「いとこに紹介してくれるのかい」

「いじわる、もうはんぶん蕩《とろ》けてるのよ」

「うちは遠いからな」

「じゃああたしの部屋に来て」テレジアの爪が僕のてのひらを引っ掻《か》いた。「建ったばかりのマンションで隣はまだ空き部屋なの、いまならうんと声をあげられるわ、……ああ、ほんとにもう蕩けるチーズみたいに蕩けてきてる、この手で触れてみて」

「その比喩《ひゆ》はきみのアドリブだね？」

「そんなこと、いいから……」

「この信号を左？」と運転手が聞き返した。

「ええ、その先でもういちど左折してください、コンビニの向かいに新しい大きなマンションが」

「あら」テレジアがいきなり身体を起こした。「三《み》ッ森《もり》さん、先にあなたを送るつもりだったのに」

「いいんです、先に送っていただくと遠回りになりますから」

「でも、それじゃ気の毒だわ、このタクシーの料金はどうすればいいのかしら、確かいちばん遠いのは鮎川さんよね？」

「御心配なく」三ッ森さんと呼ばれた女が答えた。「タクシー券をあずかってますから、これを鮎川さんに」

三ッ森さんの手からテレジアの手に、テレジアの手から僕の上着のポケットに、タクシー券がリレーされた。テレジアが座席に身体を沈みこませて僕の耳に息を吹きかけた。

「ねえ、この融通のきかない女を送り届けたら戻ってきて」

「簡単にそう言われてもね、部屋が何階にあるのかも知らない」

「表札が出てるわ、下の郵便受けに」

「洗礼名で？」

タクシーが再び停車した。

テレジアがあわててバッグの中を探り、親指でボールペンの頭を押して手帳にメモを書きつけると、ページを一枚破り取ってふたつ折りにして僕の上着のポケットに押しこんだ。

「かならず来てね、あたし今夜あなたにすっぽかされたりしたら、あの脳みそにカビのはえた男だって呼びつけちゃうかもよ」

テレジアが僕の耳たぶを一咬《か》みして離れた。運転手が間合いをはかってドアを開け閉めした。僕たちは窓越しにてのひらを向けあって短い別れの挨拶《あいさつ》をかわした。

そしてタクシーが三たび走りだした。

曲り角ごとに、先端がぐにゃりとお辞儀をした街灯の立ちならぶ寝静まった住宅街を、右へ左へまた右へと、まるで迷路にチャレンジするかのように運転手は何度もハンドルを切り続けた。

後部座席の左のドア側に僕は位置を移していた。窓に鼻先をくっつけて様子をうかがっても、目に止まるのは同じ形の街灯ばかりでいったいどこをどう走っているのか見当もつかなかった。『フルールの丘ニュータウン』の登り口まで一本道のはずの大通りを、かなり逸《そ》れて遠回りしていることだけは事実のようだった。

やがてタクシーはなだらかな坂道を上りはじめた。このなだらかに右へカーブしている坂道をどこまでもどこまでも延々と上りつめれば、ひとつ山を越えて夜明け頃にはわが家が見えてくるかもしれない、と僕は気長なことを思った。そう思いたくなるくらいなだらかな坂道だった。タクシーはその坂道の途中で最終的に停車した。

左手に勾配《こうばい》のゆるやかな幅の広い石段が見えた。さらに窓越しに首を捩《ねじ》って眺めると、石段の上のほうに白っぽい建物の側面を視界に入れることができた。ちょっと先に空地があるのでそこでUターンできる、と助手席の女が説明した。

僕は彼女が「さよなら」または「おやすみなさい」と挨拶してタクシーを降りるのを待った。そのあとで、もう一回（もし道を憶《おぼ》えていれば）とにかくさっきの女の新築マンションまで戻ってくれ、と運転手に言ってみるつもりだった。あるいは、ひょっとしたら運転手は僕が何も言わなくても、事情を察してまた迷路のような道をたどり直してくれるかもしれない、とも期待をかけていた。

「鮎川《あゆかわ》さん」

と助手席から女の声が言った。僕は窓際に寄りかかった姿勢のまま、腕組をほどいて、右手のてのひらを相手に向ける挨拶の準備をした。彼女の声が続けた。

「よかったらこれから一緒にコーヒーを飲みませんか」

しばし空白があって、僕は身体をまっすぐに起こした。車のエンジンのアイドリングの音を意識できたほどだったので、その空白はしばしではなくしばらくだったのかもしれない。

「もしよかったら、あたしの部屋に寄ってコーヒーを飲んでゆきませんか」

「どうして？」と間のぬけた返事をしたあとで、ルームミラーでこちらを見つめている運転手の目に気づいた。

「すこしお話がしたいんです」

「それは……」と僕は口ごもった。

「ほんの三十分でもいいんです」

「それは、そんなことは、ぜんぜんかまわないけど、でも、やっぱり今夜はまずい」

これを聞いて運転手は運転席側の窓へ顔をそむけた。僕はポケットのタバコをさぐりながらなんとか口実を考えた。

「初めて会った人の部屋にいきなり上がりこむのもね、どうかと思うし、それに実は、母が風邪を、……夏風邪をひいて寝込んでるものだから、早く帰って夜食を作ってやらないと、明日の晩じゃだめかな？」

「でもチャンスは今夜しかないんです」

「チャンス、何の？」

「よく知り合うチャンスです。きっと明日の晩じゃ手遅れだわ」

この奇妙な言葉にどう答えるべきか僕が迷っている間に、彼女は一か八かの賭《か》けに出る決心を固めたようだった。助手席側のドアが控えめな音とともに開き、しかるのちに控えめな音とともに閉じた。

　彼女は（あきらかに意識的に）振り返らずに石段を上りはじめた。タクシーの窓から見守っていると、途中でふいに上るのをやめて、幅の広い石段の中央にたたずみ、手提げ鞄《かばん》を足元に置いた。それからこちらに背中を向けたまま、両手を使って長い髪をまとめるとうなじのあたりに重ねた。その後姿は追ってくる男の気配に耳をすましているようにも、早くタクシーを降りて追ってこいと念じているようにも見える。ふくらはぎのほっそりとした、脚のきれいな女だった。

「次は？」と事務的な口調で運転手が行先を確認した。

「どうしよう」

「えっ？」

「運転手さんならどうする？」

「おれ？」運転手はルームミラーの中で僕の視線を捕らえた。「別にどうだっていいけど、おれなら、そのタバコはコーヒーを飲みながら喫《す》うかな」

　僕は片手に持っていた一本のタバコを箱に戻し、上着のポケットにしまって、代わりに折りたたんだ紙切れとタクシー券を取り出した。ふたつ折りのメモを開くと横書きにTheresaというアルファベットと電話番号が走り書きしてあった。もう三十分だけ、あのテレジアは半分とろけたチーズの処置のために他の男を呼びつけるのを我慢できるだろうか。

「ここで降ります」

「お疲れ」と運転手が言って後部座席のドアが開いた。

石段の途中にたたずんでいた彼女は足音に気づいて振り返り、そう、それでいいのと言いたそうに一度うなずいてみせた。僕がひとつ下の段に立つと、彼女のうなじのあたりでパチッと小気味いい音が響いて髪が結い上がった。次に足元に置いた鞄を拾いあげて中から眼鏡をつまみ出した。その縁なし眼鏡を彼女がかけおわると、ようやく『あかつき缶詰株式会社』(略称・ABC)の専務秘書の顔が完成した。

「決して、あたしたちは初めて会ったわけじゃないわ」

と彼女が口元をほころばせて念を押した。

専務の秘書の笑った顔を間近に見るのは初めてだった。

「三ッ森さん?」と僕は言った。

「はい」

「下の名前は?」


♪

三ッ森小夜子《さよこ》の部屋は1DKの間取りで、DKは畳に換算すれば八畳ぶんほどの広さがあった。

奥の一部屋は仕切りの戸が閉めきってあったので覗《のぞ》くことができなかったし、彼女じしんもそちらへは目もくれず、玄関をはいるなり早速（白っぽいグレイのスーツ姿のまま）、何よりもさきにコーヒーを沸かしにかかった。一緒にコーヒーを飲む約束と、自分で区切った三十分の制限時間を実践するつもりだったのだろう。率直な女のようだった。

DKには冷蔵庫と水屋と電子レンジの載った棚のほかに円卓が据えてあり、そのまわりに同じ材質の椅子《いす》が三脚、ほぼ等間隔に配置されていた。天板は分厚かったがそれほど大きなテーブルではなかった。三人でモノポリーをやるには多少不便がある、でも二人でバックギャモンをやるには手頃だ、といった程度の大きさだった。

僕は仕切りの戸を背にして椅子にすわり、テーブルの上で両手を組んだ姿勢でコーヒーがサービスされるのを待った。彼女は一杯分の豆を電動式のコーヒー・ミルで挽《ひ》き、一人用の漉《こ》し器と一人用の濾紙《ろし》を用いてまず一人分のコーヒーをいれた。それから濾紙を取りかえて、同じ要領でもう一人分にかかった。

白っぽいグレイのスカートからのぞく脚は近くで見ても美しかった。これ以上1gも余分な肉を削《そ》ぎおとす必要はないし、ただの1gも余分な脂肪のないふくらはぎ、という表現を思いついたくらいだった。コーヒーをいれる手順が二度繰り返されたので、表現を思いつく時間には不自由しなかった。

「パンティストッキングを冷蔵庫で冷やせば伝線しないというのは本当かな」

とこれはまあ話のとっかかりにするために尋ねたのだが、

「どうしてそんなことを知ってるの？」

　と三ッ森小夜子は振り向かずに聞き返した。

「知ってるんじゃない、聞いてるんだ」

「さあ、あたしは試したことがないけど」

「いつもそうやって二人分のコーヒーをいれるのかい」

「はい？」

「コーヒー・サーバーを使えば時間が半分に節約できる」

「そうね」

「なかには焦《じ》れて、後ろから抱きしめてきた男もいただろう？」

「部屋に男のひとをあげたのは初めてだから」

　この殺し文句とともにコーヒーが出来あがった。

　あとからいれた方のコーヒー・カップを受皿ごと僕の前に置くと、三ッ森小夜子は椅子をすこし動かして正面の位置に腰をおろした。ちなみに目の前に置かれたカップは白地にごく淡いピンクの花柄だった。左手の親指と人差し指でふちを押さえて、右手でつまみに力をこめればパチンと折ってしまえそうな華奢《きゃしゃ》な磁器のカップだった。

　テーブルをはさんで向かい合うとカップとカップの間の距離はけっこう離れていた。二人用のたいていのボードゲームならやれそうな空間が広がっていた。でもやはり三人でモノポリーは無理だろう。僕は別に飲みたくもないコーヒーを礼儀として一口飲んでから、腕時計を見る仕草をした。

「さて、約束の時間はもう二十一分しか残されていない」

「ブラックでよかったのかしら」と彼女が言った。「ミルクは冷蔵庫の牛乳しかないけれど、グラニュー糖なら」

「いや、これでいい、じゅうぶんだよ」行きがかり上、僕はもう一口飲むことにした。

「何から話せばいいのか」彼女も一口飲んだ。「うまく考えがまとまらないんだけれど」

「事の始まりから話せばいい」

「事の始まり？」

「まかせるよ」僕は指先でこめかみを押さえて冷蔵庫に磁石でとめてあるゴミの収集日のカレンダーに目をこらした。「なんだか今日は奇妙な夜だし、何を聞かされても驚きそうにない、もしここで、きみが僕に結婚を申し込んだとしても考える余地はある」

「率直に言えば」と彼女は切り出した。「あたしの話したいことはそれなんだけど」

「それって？」

「結婚」

「結婚、誰と誰の」

「鮎川《あゆかわ》さんと、国松《くにまつ》さんとの」

「国松さんて誰」

「ポケットの中に電話番号のメモが入ってるでしょう？」

僕は指先で反対側のこめかみを揉《も》みながら正面の女に目をこらした。彼女は部屋に入る前にかけてみせた眼鏡をまだはずしてはいなかった。

「きみは酔ってる?」

「いいえ、キュウリのように冷静よ、いまは」

僕は熱いのを我慢してコーヒーの残りをいっぺんに飲んだ。

「ごちそうさま、僕は少し酔ったようだ、悪いけどタクシーを呼んでくれないか」

「まだ三十分経っていないわ」

「いとこがうちに泊まりに来てるんだ、早く帰って布団を敷いてやらないと」

「いとこにお母さんの夜食を作ってもらって、お母さんにいとこの布団を敷いてもらったらいい」

「何だって?」僕はどこかに電話が置いてないかと見回しながら椅子を引いた。「何の話をしてるんだ、頭がおかしいんじゃないのか」

「夏風邪で母が寝込んでると言ったでしょ?」

「母は家を出たんだよ」

「お母さんが家出を?」

「家出じゃない、家を出たと言ったんだ、とにかくタクシーを呼ばないと、電話はどこにある?」

「すわって、鮎川さん」すわって、の語尾が微妙に跳ねあがって、犬や猫を飼い馴《な》らすように聞き取れた。「もうすこしあたしの話を聞いて」

「率直に言うと」僕は腰を浮かしたままテーブルに両手をついた。「ほかに行くところがあるんだ」

「あなたがどこへ行きたがってるかはわかってるわ、彼女のほうも鮎川さんが来るのをきっと待っている、今夜、ふたりはむすばれて、そして遠からず結婚することになる」

「いったい何の話だ？」

「あなたの未来の話よ」

「あり得ないね」

「そうなるわ、あたしにはわかるの」

「どうしてわかる、あっちの部屋に水晶玉でも隠してるのか、きみは、僕の未来が読めるのか？」

「ええ」

僕は鼻を鳴らして玄関へ歩いてゆき、革靴を履きなおすために上がり口にしゃがみこんだ。背後に三ッ森小夜子の立つ気配があった。

「結婚式には鮎川さんの二人のお母さんと、お姉さんと妹さんたちがぜんぶで四人、弟さんが一人、それに叔父《おじ》さんと叔父さんのとても若い奥さんが出席する、みんな陽気にお酒を飲んで、あなたたちの結婚を祝福してくれる」

「くだらない」靴べらがないので紐《ひも》付きの革靴と悪戦苦闘しながら僕は言った。「そんなくだらない話のためにわざわざ部屋に呼んだのか」

「あたしはただ、あなたが彼女と今夜そうなる前に、こうして一緒にコーヒーを飲みながら話をしてみたかったの、本当は、もう少しお互いを知り合うつもりでいたんだけれど……ねえ、鮎川さんにはどうしてお母さんが二人いるの？」

僕は振り向いて間近に彼女の膝小僧《ひざ》を見てから立ちあがった。

「きみにそんな話をするつもりはないよ、だいいち」

「でも彼女には話しておかないとね、披露宴にいきなり二人のお母さんが現れたら、どっちに感謝の花束を渡していいか混乱するから」

「だいいち、いいか、僕は彼女と結婚をするんじゃない、今夜セックスをするんだ」

「そういうことは明日の朝、考え直してから言ったほうがいいわ、運命にはもっと柔順にしたがうべきだと思うわ」

僕は踵《きびす》をかえしてドアを開けた。

ドアを閉める直前、お幸せに、と彼女の声が言った。


それからおよそ二十分後、ここで当たり前のように告白するのも気がひけるけれど、僕はふたたび三ッ森小夜子の部屋の前に立ってドア・チャイムを押していた。

およそ二十分の内訳は、なだらかな坂道を下るのに要した五分、下りきった角に建つ例のお辞儀をした街灯のそばの電話ボックスで考えたのが十分、そしてまたなだらかな坂道を上るのに五分、ということで説明はつくと思う。三ッ森小夜子の「お幸せに」の声が耳についていて行きは何度か立ちどまりもしたし、帰りは目的をもって途中から早足になったので、坂道の下りと上りの所要時間にはほとんど誤差がなかったはずである。

電話ボックスに入る前に、運命という言葉について再考した。坂道を下りてゆきながら一度ならず、なにが運命だ、と呟《つぶや》いてはみたのだが、果たしてあの女は、まったくの素面《しらふ》で、本気でその言葉を使ったのだろうか。

曲り角に建つ例の街灯は、まるでクエスチョンマークの書き出し部分が発光しているようなシルエットをえがいて目に映った。上着のポケットの中で指先は洗礼名テレジアの電話番号のメモに触れていた。その番号にかけさえすれば、今夜彼女と寝ることになる。疑いなく彼女は僕を迎え入れてくれるだろう。たぶん結婚のけの字も口に出さずに。そして明日の朝……。

僕は迷いを振りきって電話ボックスの中に入り、カードを滑りこませてメモの番号を押した。そして明日の朝……。呼び出しのコール音がたったの三度鳴り終えるまでの時間がこんなにも長く感じられたのは初めてだった。そして明日の朝には、二人の新しい関係が生まれているはずだ、いちど寝たうえで、いちど寝た男と女としての、通りいっぺんの関係がまた始まり――僕は彼女の戸籍名を教えられ、彼女は僕の二人いる母のことを聞きたがるだろう――またいつか終わることになる。気がつくと受話器がフックに戻され、耳障りな発信音とともにカードが吐き出された。

これは何だ、と僕は受話器を握ったまま思った。もう一回だけ、ほんの二秒コール音を鳴らすだけで彼女は電話に出たかもしれないのに。それで通りいっぺんの男女の関係がまた始まりまたいつか終わる、そのことを怖がる理由などどこにもないのに。いったい僕は何をためらっているのだ。

それから電話ボックスを出て、夜空とついでにクエスチョンマーク型の街灯をふり仰ぎ、三ッ森小夜子が予言してみせた僕の未来の、結婚披露宴の顔触れについて再考した。

気になる点は一つ二つあった。たとえば叔父とそのひどく年若い妻の話。叔父はいまのところ独身（のはず）だが、この組み合わせは未来形としてはまったくあり得ないことではない。少なくとも、叔父が年相応の妻を連れて甥《おい》っ子の結婚披露宴に出席するという予言よりはあり得ないことではない。ただ、三ッ森小夜子がどこかで、僕と僕の叔父にまつわる事件の噂《うわさ》を聞きつけて、その噂話からの発想で潤色した嘘《うそ》の予言をしてみせた、という可能性ならある。いやむしろ、まともに考えればその可能性のほうが高い。

だが何のために、と考え直しながら僕は坂道を戻りはじめた。何のためにわざわざそんな嘘の予言をしてみせる必要がある？　その点をぜひとも確かめてみなければなるまい。謎《なぞ》の解明。これはつまり好奇心だ、知的好奇心から僕は今夜ふたたび三ッ森小夜子の部屋を訪れる、と適切な表現を思いついた。暗いなだらかな坂道を五分も上るうちには、適切な表現の一つくらいは思いつける。

三ッ森小夜子の部屋の前に立ったとき、またしても運命というせつない響きの言葉がよみがえった。もし今夜、経理課のテレジアと関係を持ち、あげくに結婚するはめになるのが僕の運命ならば、ここに舞い戻った僕の行動はいったい何なのだ。三ッ森小夜子の水晶玉は、この再訪をどんなふうに解釈するのだろうか。謎の解明。知的好奇心。美しいふくらはぎ。

チャイムの音に応えてドアはまもなく開いた。

その夜の残りの出来事を先に話しておけば、結局、僕は朝まで三ッ森小夜子の部屋で過ごすことになった。

彼女の部屋のDKで再び丸テーブルをはさんで向かい合い、最初のうちは知的好奇心を満足させるために主に相手の話に耳を傾け、そのあと二時間ほど二人でボードゲームに熱中した。全部で3ゲームやって僕の2勝1敗でかたがつくと、彼女がコーヒーを新しく入れ直してくれて（ついでにトーストに缶詰のポテトサラダをはさんだサンドイッチを作ってくれて）、今度は僕の話す番がまわってきた。

サンドイッチを齧《かじ》りコーヒーを飲みながら僕は話した。空の皿と空のカップを重ねてテーブルの脇《わき》に退《ど》かし、タバコに火をつけて話し続けた。彼女の時折はさむ質問にうながされるようにして、窓の外が白むまで。そうやって身内の話を誰かに長々と語ったのは初めてのことだった。

しかし物語りは順番に進めよう。

その夜、二度目にテーブルをはさんで向かい合ったとき、三ッ森小夜子は依然として夕方のパーティに出席した服装のままだった。つまり僕が二十分かけて坂を往復する間、彼女はあの白っぽいグレイのスーツを着替えもせずに、ただ椅子《いす》に腰かけて一杯のコーヒーをじっくり味わっていたというわけだった。

僕がまず確認したのは叔父《おじ》の一件である。具体的にいうと将来の僕の結婚披露宴に出席する叔父の、年若い妻についてより細かい情報を彼女に要求した。

「少女よ」彼女はきっぱりと答えた。「ベレー帽を被《かぶ》った女の子、若いというよりもまるで小学生か、せいぜい中学生くらい。眉《まゆ》がきりっとしてて、意志の強そうな、きれいなお相撲さんみたいな顔立ちの」

「なるほど」

「心当たりがある?」

「日本の法律じゃ、叔父は小学生や中学生を妻には持てないんじゃないか?」

「戸籍上はね」

「叔父の年齢は」

「四十代、彼も若く見えるけれど四十二、三くらい?」

「なぜ彼が叔父だとわかる」

「だって、あなたが叔父さんと呼ぶのを聞いたもの、ヨースケ叔父さん？」

「どこで」

「あなたの結婚披露宴でよ」

「だからその結婚披露宴をどこでどうやって見たんだ」

「水晶玉」と彼女は穏やかな声で言った。それから右手の人差し指をたてて、こめかみのあたりを示した。「あなたに言わせれば水晶玉が、あたしのここに埋ってるの」

「僕には弟はいないぜ」

「そう？」

「きみがさっき言った通り、確かに姉と妹たちはぜんぶで四人いる、でも弟は一人もいない」

「あたしが見たのは鮎川さんの未来なのよ、弟はいまは一人もいないかもしれないけれど先でできるかもしれない、たとえば三人いる妹さんのひとりが誰かと」

「その男が僕をお兄さんと呼ぶのを聞いたのかい」

「そうよ。あたしはべつに鮎川《あゆかわ》さんの未来を占っているわけじゃないのよ、ただ水晶玉の中でおこった出来事を、見たまま聞いたままに伝えているだけ」

「水晶玉の話はひとまず置こう」と僕は言った。「ちょっと聞くけど、きみは、僕が今夜あのテレジアの、経理課の国松さんのマンションを訪れて、それがもとで彼女と結婚する運命だと言ったね、でも僕は今夜そこを訪れるつもりはない、いったいどうなるんだ？」

「そんなことを言った覚えはないわ」

「何だって？」

「あなたがあのひとと結婚する運命だなんて言った覚えはないわ」

「言ったよ」

「もし今夜あなたがあのひとの部屋に行けば、あのひとといつか結婚することになるだろうと予測しただけよ」

「予測！」

「ええ、だって、あたしは鮎川さんの奥さんの顔を見たとは一言も言ってないもの」

「ということは、きみは僕が誰と結婚するのかまだ知らないのか」

「でも鮎川さんが結婚するのは間違いない、披露宴を見たんだから」

「だったら今夜、彼女のマンションに行かなかったことで、僕の運命はどうなるんだ？」

「さあ」三ッ森小夜子は小首をかしげて、テーブルの幅を測るように両腕を広げて見せた。「こうなるんじゃない？」

僕はそこに二十分前から置かれたままの空のコーヒーカップを見つめて押し黙った。彼女がひとつ小さな吐息をもらした。

「何度も言うようだけどあたしは占い師じゃないんだし、あなたの運命までは」

「わかった、運命の話はひとまず置こう」僕は首を振り振り言った。「きみの頭の中に埋っている水晶玉の話だ。きみはそれに映る僕の未来を見た、そのことを仮に信じるとして、でもなぜ僕なんだろう？　よりによってなぜ僕の未来がきみの水晶玉に映る？　それも僕の結婚披露宴だなんて、僕の結婚ときみの水晶玉とはどこでどう繋《つな》がってる？　おたがい今日まで知りもしなかったのに」

「その話ね」

「この話をしに戻って来たんだ」

「結婚の話はひとまず置きましょう」

「キーワードだよ」

「わかってる」彼女は落ち着きはらった笑みを浮かべた。「K・E・Y・W・O・R・D、7文字」

「何？」

「キーワードだよ、……あたしはあなたのその台詞《せりふ》を聞いたことがあるわ、あたしはこのシーンを見たことがある。それから、あたしたちはこのテーブルをはさんでゲームをするの」

「ゲーム？」

「そう、スクラブル。あなたのよく知ってるゲーム」

「きみは誰なんだ？」

「その話は今度ゆっくり。ねえ、秋になったらお弁当を作ってピクニックに行かない？

坂道をずっと上ったところにコスモスの花が一面に咲きそろう丘があるの」

「趣味じゃないね」僕がそう言いかけると間髪をいれず彼女がおなじ言葉を重ねた。「趣味じゃないね」

束《つか》の間《ま》、静かさがDKを支配した。

ほらね？　という感じの会心の笑みとともに三ッ森小夜子は椅子を立った。僕の背後へまわって戸を開けると、初めて奥の部屋へと入って行った。

椅子に腰掛けたまま僕は首を捩《ねじ》って様子をうかがってみた。奥の部屋の照明は消えたままだった。ほの暗いなかに洋服簞笥《だんす》らしい黒い影とベッドの脚の部分が見てとれた。どうやらごく普通の寝室のようだったし、探し物は照明なしでも見つけられる場所にしまってあるらしかった。

やがて彼女は平たい箱に大判の本を一冊かさねて、それらを両手に抱えて戻って来た。本はテーブルの端に、箱は空いた椅子の上に置かれた。箱の中から最初につかみ出されたのは裏面がモスグリーンの長方形のボードだった。彼女はそれをテーブルの中央に広げた。

折り畳み式の長方形のボードは開くと短い辺がちょうど倍の長さに広がり、正方形のゲーム盤になった。表面には盤全体よりも一回り小さな明るい緑色の正方形が描かれ、正方形は黒い線で15×15のマスに仕切ってある。全部で二二五あるマスの真ん中の一マスには星型のマークが入っていて、最初のプレイヤーがそこに必ず一文字がかかるようにしてアルファベットの駒《こま》を並べて単語を作ることからこのゲームは開始される。スクラブルだ。

　三ッ森小夜子が正面の椅子にすわり直した。続いて箱の中から、ボードと同じ色の□を白い紐《ひも》でしぼった巾着《きんちゃく》袋を取り出してゲーム盤の上に置いた。

「どう？」

「どう、と尋ねられてもね」僕はタバコを口にくわえた。「僕がどう答えるかはどうせ分かってるんだろ？」

「まったく奇妙な晩だよ」と彼女が言った。

「まったくその通りだ」と僕は心から認めた。

　それから彼女は駒袋の口を開いてアルファベットの駒を一枚つまみ出した。それはRの駒で、僕がつまみ出したのは〇の駒だった。アルファベットの若い駒を引いたほうが先手というルールなので、僕の先手でゲームは始まるべきだった。

　彼女が二つの駒を袋の中に戻し、やはり緑色のラック（駒立て）を僕の前に置いて、さあ、と顎《あご》をしゃくった。僕は袋から七つの駒を取ってラックに立てた。待ちかねたように彼女がその袋を手もとに引き寄せた。

「それで？」と僕はタバコに火をつけた。

「スコアはあたしが付けるわ」と彼女が言った。「先に2ゲーム取ったほうの勝ち、というルールでどうかしら」

「どうかしらって、どうせ勝敗も分かってるんだろ？」

「ううん」彼女は首を振った。「まさか、そこまでは分からないわよ」

「もし、ここで僕が席を立って帰ったらどうなる?」

「またその話? ねえ、勝ったほうが何か賞品を貰《もら》えることにしましょう」

賞品、P・R・I・Z・E、5文字。いいだろう。なりゆきにまかせて真ん中のマスにCの駒を置くことにした。続けて右横へAとTの駒を並べてまずは無難な単語を作った。

「猫」

と僕は言って駒袋から三つの駒を補充し、ラックに立てた。僕が使ったCとAとTの駒のそれぞれ右下隅に記してある数字を合計し、その合計点を彼女がスコアブックに記入した。それから彼女はすぐさま自分のラックから四つ駒を取り、盤上のTの右横に並べて7文字の単語を作った。7文字分の数字の合計点と、おまけにIの文字が得点の2倍になるマスにかかっているのでその分も加算される。

「キャット・フィッシュ」と鉛筆でスコアを付けながら彼女が言った。「なまず」

左の眉《まゆ》と目尻《めじり》の間がぴくりと引きつるのが自分でもわかった。そのことを気取られないようにラックに視線を落とし、いったん、

「灰皿を」

と言いつけて、彼女が席を立ったすきに傍らの大判の本を手に取った。スクラブル用の辞書だ。カバーにはスクラブルのゲーム盤の写真に被《かぶ》せて“The Official SCRABBLE Players Dictionary Third Edition”とタイトルがある。僕がかつて愛用した同じ辞書の

最新版に違いなかった。

　僕は辞書のなかほどを開いた。Nの項の末尾を指でたどり、綴《つづ》りの確認をしたうえで、ラックに立っている七つの駒のうちの四つに焦点をしぼり、幸運に感謝しながら辞書を閉じた。そのときごとんと鈍い物音がした。灰皿が床に落下した音だった。彼女がそれを拾いあげて具合を見た。

　落ちても割れなかった灰皿がテーブルの空いた場所に置かれた。茄子紺《なす》という比喩《ひゆ》を使いたくなるような濃い紺色の焼き物である。灰皿の代用に小鉢を勧めてくれたのかと思ったが、よく見るとふちに三カ所凹《へこ》んだ部分があるので灰皿に間違いなかった。僕はその凹みにタバコを置いて、ラックから四つの駒を取ってボードに並べた。

「ニンフ。妖精《ようせい》のように美しい女」

　そう言って、駒袋の中から新しい駒を四つ補充しているあいだに彼女の声が追い打ちをかけた。

「ニンフェット、ヨースケ叔父《おじ》さんのロリータ」

　盤上には彼女のEとTの駒がつけ足されて、また新たに7文字の単語が完成していた。

NYMPH・ET CAT・FISH

ベレー帽を被った美少女。ニンフェット。スクラブルの辞書にはa young nymphとあっさりした記述がなされているはずだった。かつて僕は、スクラブルの盤上にこの単語を出現させることを（場合によっては順番を一回パスしてまで）、ゲームに勝つためのささやかな秘術として好んでもいたし、実を言えばそのときも、ラックの端にすでにEとTの駒を準備して、次の順番を待ちかねていたのだ。

「なかなかでしょ」と三ッ森小夜子が僕の目をとらえて言った。

「いつもは誰とやってる？」

「誰とも」彼女はさらっと答えた。「スクラブルを誰かとやるのは実は初めてなの。初めてで鮎川《あゆかわ》さんを負かせるかと思うとわくわくするわ」

もういちど盤上に目を戻した。自分の作った単語の尻に文字をつけ足すかたちで相手が別の単語を作る。文字数が多いぶんだけ当然相手の得点が高くなる。最悪の展開と言うべきだろう。このままでは勝敗のゆくえは火を見るより明らかだった。

灰皿でくすぶっているタバコに気づいてまずそれを消した。夏物のスーツの上着を脱いで椅子《いす》の背にかけた。それから自分に、相手の挑発に乗るな、と言い聞かせてワイシャツの袖《そで》を左右二折りずつ捲《まく》りあげた。次にラックからUとNとTの駒を取って、多少は動揺を誘えるかとの下心から、反則すれすれの行為にでた。

盤上のCの駒を頭に出来あがった4文字言葉をまじまじと見て、三ッ森小夜子は眼鏡をはずし、レンズのくもりを気にするような仕草をしてまたかけ直した。

「カント」と僕は言った。「決して哲学者の名前ではない」

こうして僕は久々のスクラブルにはまりこんだ。

ここでひとつ自慢させてもらえば、今から十八年前、中学校の入学祝いに初めて父親からアメリカ製のスクラブルを贈られて以来、僕はこのゲームには（継続的ではないにしても）長年親しんでいる。しかも初心者であった最初の数年間を除けば、ほぼ無敗のプレイヤーとしての誇りを持っている。高校を卒業してからの記憶で言うと、相手が女性の場合にかぎり、故意に負けに通じるような駒の置き方をしたことならある。しかし本気でこのゲームをやって負けたおぼえは一度としてない。

その夜の戦いは二時間におよんだ。結果ははじめに言ったように僕の二勝一敗でかたがついた。最初のゲームを彼女が取り、あとの2ゲームを僕が連取して何とか面目を保つことができた。

勝敗を決する三つめのゲームが終わったとき、僕は思わず背伸びをしたほど身体がこわばっていた。彼女は率直に負けを認め、さっそく賞品をこしらえにかかった。缶詰のポテトサラダをはさんだサンドイッチと二杯目の熱いコーヒー。そんな物でごまかすつもりかい？ と軽口を思いつかぬわけでもなかったのだが、彼女の率直さに免じてその台詞《せりふ》は控えた。

僕たちはスクラブルの開いたままのボードの上で夜食をとった。彼女が台所に立った間に（なにしろ例のコーヒーの入れ方なので）箱にしまう暇はじゅうぶんにあったのだが、僕は勝利のタバコに火をつけただけで他にはいっさい手を触れなかった。万が一、彼女のほうから「もう1ゲーム」の要求があれば、僕としては即座に受けて立つ用意があったからである。

しかし彼女にはその気がまったくないようだった。ふたりで夜食を食べ終わったとき、そのことがよく分かった。

ゲーム盤の中央に寄せ集められた百個近い駒《こま》の山をより高くするために、彼女の右手の指はただ裾野《すその》から駒を一つまた一つとつまんでは頂上に載せることを繰り返していた。そしてその合間には左手で、二杯目のコーヒーが底にほんの少量しか残っていないカップを持ち上げて、鳥が水を飲むような具合に一口また一口とすすっては唇を湿らせることを繰り返した。三ッ森小夜子がスクラブル以外のことを考えはじめているのは明らかだった。

時刻は午前三時を三十分ほど過ぎていた。朝でもなく夜でもない中途半端な時間帯だった。では楽しいウィークエンドを、と挨拶《あいさつ》してこのまま席を立つか、駒を駒袋に戻してスコアシートを新たに一枚破り取って徹夜でゲームを続行する意志をしめすか、それとも三ッ森小夜子の水晶玉にもう一度うかがいをたてるか、選択肢は三つあるようだった。

「さて」と僕は言った。「ゲームは終わった。このあと僕はどうする？」

「どうって？」

「僕はどうすることになってる？　きみの水晶玉では」

「このあとのことはあたしにもわからないわ」彼女はカップを受皿にもどして眼鏡をはずした。2ゲーム目が終わったあとで僕同様に椅子の背にかけておいた上着からハンカチを取り出すと、レンズのくもりを拭《ぬぐ》ってまたかけ直した。「でも、よかったらもう少し話がしたいの。こんな夜は、こうやって鮎川さんと二人きりで話せるチャンスはめったにないと思うし」

「話をね」

と相槌《あいづち》を打ちながら僕は思った、チャンスという言葉を使うなら、僕があの経理課のテレジアのマンションを訪れるチャンスはもう二度とないんじゃないだろうか。

「鮎川さんのいちばん大切な人の話を」と彼女が言った。

「いいよ」と僕は答えた。「それはきみの上司だ。俵ケ浦《たわらがうら》専務は高校の先輩にあたる、面倒見が良くて、失業中の僕を『あかつき缶詰株式会社』の営業に拾ってくれた、心から感謝している、とりあえずいま僕のいちばんたいせつな人だ」

「そうじゃなくて、あなたの叔父さんの話を」

「身内の話はしたくない、きみがよく当たる占い師だというのなら別だけど。実を言えば叔父《おじ》は去年から行方知れずなんだ」

「戻って来るわ」

「そう」

「近いうちに、そしてあなたの周囲が急にあわただしくなる」

「そういうことか」

「ちっとも驚かないのね」

「叔父は生きてさえいればいつかは僕に連絡してくるはずなんだ、それに叔父がそばにいればいつも僕の周囲はあわただしくなる。別に驚くほどのことじゃない。正直に言えよ、きみは僕と叔父の話を専務から聞いてるんだろ?」

「いいえ。専務とは、仕事の話以外は何も」

僕は冷めたコーヒーで喉《のど》をうるおすためにカップを口元へ運び、傾けたところで中身が空だということを思い出した。三ッ森小夜子がまた一つスクラブルの駒を山の頂きに積み上げ、自分のカップに残った少量のコーヒーを揺すってみせた。

「じゃあ、教えてくれ」僕はカップの底に付着した模様を見て言った。「もっと具体的に、叔父がいつ僕のまえに現れて、どんなふうに僕の周囲があわただしくなるのか詳しく話してみてくれ」

「それがよくわからないの、水晶玉に映ったことは幾つか憶《おぼ》えてるんだけど、あたしにはその意味が捕らえきれないの」

「その水晶玉というのは正確には何なんだ、きみの見た夢のことか？」

「正確には何であるかはあたしにも言えない、水晶玉という比喩《ひゆ》を先に使ったのは鮎川《あゆかわ》さんのほうでしょう？」

「叔父は何のためにこの街に戻って来る？」

「それも鮎川さんの話を聞いてみないとわからない、あなたの叔父さんがどんな男の人で、あなたたちがこれまでどんなふうにつきあってきたのか、聞かせてもらえないうちはあたしにはわからない、だから、まず話すのはあなたよ」

僕は空のカップを受皿に置いた。すでに緩めていたネクタイを抜き取り、ワイシャツのボタンを上からもう一つはずした。

「換気扇をまわしてくれないか」

「まわってるわ」

「何か質問してみてくれ」

「その叔父さんは父方の？　それとも」

「母の弟だ」

「お母さんは二人いるんでしょう？」

僕はうなずいてタバコに火をつけた。しばらく先っぽで灰皿にたまった吸殻をつついているとその火は消えてしまった。

「どう言えばいいのかしら、お母さんというのはつまり鮎川さんの生物学上の母親の……」

「叔父は昨年、ある事件を起こした」

「事件？」と三ッ森小夜子は聞き返した。

そのとき好奇心に輝いた彼女の顔つきから判断して、僕はかなりのところまで信じる気になった。彼女は本当に俵ヶ浦専務からは何も聞かされていないのかもしれない。

「少女誘拐未遂」

と言って僕はタバコに火をつけ直した。

1973〜1988　酔助《ヨウスケ》

僕の生物学上の母親の弟にあたる叔父、西丸陽助《にしまるようすけ》は一九五五年に東京都足立《あだち》区千住《せんじゅ》という町で生まれた。五人兄弟（姉妹）の五番目の子供だった。

それから十年後に僕がこの世に生をうけたとき、叔父は知能指数が並の大人の数値をはるかに超える天才少年として親戚《しんせき》内だけではなく都内にまで名を馳《は》せ、ちょうどその年ノーベル物理学賞を受賞した朝永振一郎《ともながしんいちろう》博士にあやかって、小学校の校長までが「博士」と呼んで一目置く存在だった。

もっともこれは母から伝え聞いた話で、僕の生物学上の母親はすべての蛇をニシキヘビ、ちょっと太った猫ならジャングルのトラと表現したがるたちの女性なので、割り引くところはとうぜん割り引かなければならない。僕の言葉で推測するとこうなる。そのころ叔父は、日本中のどこの小学校にもたいてい一人か二人はいる、通信簿の成績がパーフェクトでなかでも算数の得意な、後に記憶に色をつけたがる人々の間で「あの人もいまはああだけど、むかしは神童と呼ばれていた」と囁《ささや》かれる運命を背負った少年だった。

僕の記憶の中では、叔父は最初に高校生として登場する。一九七〇年代の初めのことだ。当時、僕の両親は福岡県福岡市南区野間という住所に借家住まいをしていた。父は仕事柄、家を空ける期間が長かったので実質的には母と僕との二人暮らしも同然だった。さらに言えば、母は家計のやりくりと将来に備えての貯蓄のために朝から深夜まで働きづめだったので、情緒的には小学生の僕は「孤児」という言葉の響きにかなりのシンパシーを感じていた。そこへある日突然、まったく見知らぬ若い身内が（本人に言わせれば『都落ち』して）転がり込んだ。

初めて見たとき、その都落ちした高校生はアパートのドアの前にすわりこんで煙草を喫《す》っていた。階段を駆けあがってきた僕を認めるなり、

「やあ、きみが英雄くんか」

と名前をわざと音読みにして呼びかけ、喫いかけの煙草を二階の廊下の手摺《す》り越しに外へ放り投げた。僕は廊下の端にしばらく立ちつくした。

「怪しい者じゃない、おれはきみの叔父さんだよ。叔父さんて言葉くらい知ってるだろ、きみの、ママの、弟なんだ、おれは。わかるか？」

「はい」と礼儀正しく僕は答えた。

「じゃあそのボールをこっちに投げてみろ」

言われるままに僕はグラブにはさんだ軟式用のボールをつかみ、アンダースローで叔父に放った。叔父はそのボールを受けそこねた。

すわりこんだ叔父の膝《ひざ》の間で一度、二度、三度と小さくバウンドしたボールは傍らに置かれた真新しい旅行鞄《かばん》を戯れるように小突いてから、ごくゆっくりと手摺りのほうへ転がっていった。ドアと手摺りとの間、つまりセメントで塗り固めた微《かす》かにでこぼこのある廊下の幅は2メートル足らずだ。落ちるな、と僕は心の中で念じた。

「止まれ」と叔父が叫んだ。

その瞬間に呪文《じゅもん》が働いたかのように、ボールは手摺りの枠と枠の隙間《すきま》から下へ落ちる寸前できわどく止まった。

実を言えばこのときの、まるでバック・スピンがかかったように逆向きに4分の1回転ほどしてぴたりと静止したボールの様子を、僕はいまだに（なおかつ鮮明に）スローモーションの映像として記憶によみがえらせることができる。そして奇妙なことに、小学校から中学・高校・大学の二年間と都合十四年間も野球に親しんだ者として、断言してもいいが、いちばん強く印象にとどめているのはどの時代のどんなプレイ中のボールでもなく実にこのときのボールの動きなのだ。

「一時間半も待ったんだぞ」

と叔父はジーパンの尻《しり》をはたいて背伸びをして、無造作にそのボールを拾いあげた。

「きみが野球をやってるなんて知らなかったからな。蛙《かえる》の子は蛙ってわけか？　やっぱりセンターとかレフトとかやってるのか」

「いいえ、内野です」

「そうか内野か。うん、内野のほうがいい」

しかし野球の話題はそこまでだった。叔父は僕のグラブの中にボールを戻し、僕の目をのぞきこんで、ちょっと照れたような笑い顔になった。

「おい、きみは色男だな。大人になったらきっと女を泣かせるぞ。意味がわかるか？」

「いいえ」

「あとで教えてやるよ、とにかく鍵《かぎ》を開けてくれ。鍵はどこだ、このランドセルの中か？」

僕はかぶりを振って半ズボンのポケットから鈴のついたキイホルダーを引っぱり出した。そのとき背後に聞き慣れた足音がした。昼間のパート勤めを終えて帰って来る母の足音だった。母の声が言った。

「どなた？」

「ヨースケだよ、雅子《まさこ》姉さん」と叔父《おじ》が答えた。

「ヨースケ？」

「おれだよ、雅子姉さん、自分の弟の顔を忘れたのかよ」

「あら、ほんとにヨースケだわ」母が弟の顔を見分けた。「すっかり見違えちゃって。あんたそんなとこで何してるの」

「見りゃわかるだろ」叔父が投げやりに答えた。「かわいい甥《おい》っ子と遊んでやってるのさ」

「ほら、英雄」

と母があわてて説明した。

「叔父さんだよ、この人はね、ママが十年前に生き別れになったきりのママの弟、だから英雄にとっては叔父さんよ。でもあんた大きくなったねえ、もう中学は卒業したの？　本当に、十年前には背がいまの半分くらいしかなかったのにね」

「それを言うなら七年前だよ、雅子姉さんが家を出たのは正確に言えば七年前、そのときからしたら、たぶん雅子姉さんだって背が伸びたはずだよ」

「何言ってるの、あのヨースケが高校生になるんだもの、あたしはもうお婆ちゃんよ」

「あいかわらずだな、きみのママは」

と叔父が僕を振り返った。ちなみに僕の母はこのときまだ二十四歳だった。

「三年だろ、雅子姉さん、最後に会ったのは三年前、おやじが胃潰瘍《いかいよう》の手術をしたとき、こっそり上京して来て兄弟で揉《も》めただろ、遺産の話で。そのとき会ってるよ」

「そうだったっけ」

「だいいち『生き別れ』なんて大げさな言葉をよく使うよ、自分が好きで妊娠して駆け落ちしたくせに」

「英雄」母が近寄って僕の手からキイホルダーをつかみ取った。「晩ご飯にはギョウザを焼いてあげるからね。ヨースケ、あんたも食べてけば？」

「ギョウザもいいけど、おれは別に散歩の途中で寄ってみたわけじゃなくて、実の姉を頼って東京からはるばる訪ねて来たんだよ」

「だから何よ?」

「だから、ちょっとこれには事情があって『都落ち』というわけだよ、二三日でいいから、かくまってくれ」

「かくまってくれって、あんたまさか、警察沙汰《ざた》でも起こしたの?」

「そういうんじゃなくてさ、これの問題でしくじっちゃって高校は停学になるし、うちじゃおやじが雅子姉さんのときと同じで『勘当だ』って頭に血がのぼってるし、行き場所がないんだ、頼むよ」

僕は叔父の小指の動きに注目してから母のほうへ目をやった。

母は自分の弟と息子の顔を見比べるようにして、

「しょうがないわねえ、もう」

と言っただけだった。

その日からしばらくの間、叔父と僕はおなじ部屋で寝起きするようになった。

当時叔父と一緒に過ごした時間は、小学校時代の僕の記憶の中では、具体性にはぜんぜん欠けるがほのかに浮かれ気分だけはいまだに残る、言ってみれば六つの「夏休み」と同列に分類される。

その叔父と一緒の「夏休み」がいつまで続いたのか、正確にどれだけの日にちだったのかは定かではなく、しばらくの間、とやはり時間の経過をあらわす曖昧《あいまい》な言葉を使っておくしかない。学校と父親の両方に追放されて東京で新幹線にとびのり博多駅にふらりと降り立ってから、後に、何百人もの従業員を抱える博多のマンモス・キャバレーに姉の口入れでアルバイトのボーイとして潜り込み、それからその店の新入りのホステスを数人引き連れてまたある日突然ゆくえをくらますまで、一九七三年当時の叔父はいったいどれくらいの時間を要したのだろうか。

曖昧さを補強する一つの手掛かりは、僕の父親の不在である。

父はその年、西鉄ライオンズが消滅して新たに生まれたプロ野球チーム・太平洋クラブ・ライオンズの一員だった。その父が、母と僕と叔父と三人で過ごした「夏休み」の期間中にはどんなかたちでもいっさい登場しない。ふた間しかないアパートの一つの部屋に叔父と僕は布団を並べて寝た。朝は僕が真っ先に目をさまし、冷蔵庫の牛乳を飲むために襖《ふすま》一枚で仕切られた隣の部屋を横切った。そこには常に枕に鼻先をこすりつけるような感じでうつ伏せになった母の寝姿があった。母の両腕は折りたたまれて枕の下敷きになっていたけれど、その見ようによっては一晩じゅう母に愛撫《あいぶ》され続けたような枕にはピンクのカバーが被《かぶ》せてあった。そしてもう一つ、ブルーのカバーの同型の枕は母の隣にではなく、僕の隣で眠る叔父に貸しだされていた。

とすると叔父は父がパシフィック・リーグのロードに出ている間にうちに転がり込み、父がロードから戻る前に姿を消したという話になる。つまりその期間はライオンズが本拠地・平和台を留守にしている間、常識的に考えて長くとも二週間程度ではなかったかと想定できる。

もっとも、時が経って二人の母から聞かされた話によると、

「別にのろけるわけじゃないけど、ひと晩に十回やったって平気な人だったし」

「自分が若死にすることが分かってて、その埋め合わせをしたがってるみたいに」

プロ野球選手時代の父の女出入りは相当激しかった様子なので、はたしてその期間の父の不在とライオンズの遠征とがどこまで直接の関係があったかは不明である。なにしろ僕は父と叔父が同時に存在する場面を、その期間に（もっと言えばその期間・その年に限らずただの一度も）目撃した覚えがないという点は動かないのだが。

まあ、いずれにしても叔父と初めて過ごした時間の長さはそれほど——叔父の運動神経がからっきしで、小学生相手のキャッチボールすら満足にできなかったことと同程度に——重要ではない。重要なのは叔父が僕のまえに現れ、そして去ったことだ。退屈な一学期と二学期の間に夏休みが来るように、かわりばえのしない僕らの人生の途中にも時としてそれは来る。ある日ひょっこりと登場し、ほのかな浮かれ気分だけをあとに残して、またふいに姿を消してしまう人間がそれを運んで来る。そのまぎれもない真実の種を僕が子供心に植えつけたことだ。

その日の夕方、野球の練習から帰ってみるとアパートの鍵はあいていた。すでに叔父の存在を匂《にお》わす空気は消失していて、母がたったひとり台所のテーブルのそばに立ってカル

ピスを飲みながら――すでに飲みほして、残った氷をかじりながら――手紙のようなものを読んでいた。

母の顔つきはいつになく険悪だった。なにか起こってはならない出来事が起こった模様だった。テーブルの上には数枚の一万円札がはだかのまま重ねてあったのだが、僕がそれに気づくと同時に母は息子の帰宅に気づいた。

「手を洗いなさい」と母は僕に命じ、テーブルの上のお金をつかみとった。「晩ご飯にはコロッケを揚げてあげるからね」

「叔父さんのぶんは？」

不意を打たれたように僕を見て母は答えた。

「あんたが食べなさい」

それから母は何事もなかったかのように親子ふたり分の米を研ぎ、三人分のコロッケを揚げてキャベツをきざんだ。母はとても勘のいい女なので、たぶん異変を察していつもより早めにパートを切りあげて戻っていたのだと思う。その点をまったく考慮に入れなかったらしい叔父の置手紙を、僕は母が夜の勤め（例のマンモス・キャバレー）に出かけたあとで、鏡台のわきの屑籠《くずかご》の中から拾いあげて読んだ。

新聞の折り込みの裏に鉛筆で書かれた、たった二行の文面と叔父の署名だけのごく短い手紙だった。しかもそのうちの一行は上から細かいジグザグの線をほどこして思い直したように消してあった。消されたほうの文字は『あたらしいグワブでも……』とかろうじて

読めたが、残された一行は、

『いざというときのために。　　　酔助』

という小学二年生にはニュアンスのよく伝わりにくい文句で、署名に用いられた見慣れぬ漢字とともに僕は解読に苦しんだ。実名の陽助と音が通じるせいで、叔父《おじ》が自らを好んで酔助と称する趣味をもつことを知ったのは、もっとずっと先の話である。

ともかく現れたときと同じく叔父は忽然《こつぜん》と消え、僕らの「出会い」の章はあっけなく幕をとじた。この世界には野球にまったく縁のない男がいるという素朴な事実と、『勘当』や『都落ち』や『居候《いそうろう》』や、『女を泣かせる』といった一世代まえの大人たちが好んで使う日本語を僕に学ばせて、叔父は去った。

＊

叔父と僕の第二章「再会」はそれから十三年もの歳月をへだてて書きだされることになる。

その頃、僕は東京の私立大学に籍をおく学生として杉並区阿佐谷《あさがや》の老朽アパートに間借りしていた。そこへ叔父が何の前触れもなく（どこでどう住所を調べたのか）ひょっこり訪ねてきた。

一九八六年、初夏。叔父が現れたのはやはり夕暮れ時だった。

大学の授業を終えて、いつものように中央線の阿佐ケ谷駅で降りて徒歩十分たらずの道程をぶらぶら一時間もかけて戻ってみると、アパートの門柱のそばにほっそりした若い男と小学生の女の子が立っていた。女の子のほうはアパートの大家のこまっしゃくれた孫娘だったが、紺色の上下に身をかためた男の顔には見覚えがなかった。かつて短い「夏休み」を一緒に過ごした間柄とはいっても十三年前の話だ。叔父の顔を遠くから一目で見分けられるわけがない。

角のラインがすでに何カ所も剝《は》がれ落ちている古い石造りの門柱に、ふたりはそれぞれ背中をあずけて棒つきのキャンディを嘗《な》めていた。そのふたりの間をとぼとぼと行来しているのは大家の雑種の飼犬だった。ブルドッグの血がいくらか混ざっているような体型のがに股《また》のぶち犬は、女の子に顔を足蹴《あしげ》にされては反対側の門柱へ向きを変え、気分転換に男の靴を咬《か》んでみせると、また女の子のほうへ戻るという芸のない往復運動を繰り返していた。もう何時間も前からそれが延々と続いているように犬は肩で息をしていたし、うなだれた男の表情も女の子の足の動きもけだるそうだった。

ちょっと離れたところからその様子を見守っていると、男が僕に気づいて、おもむろに顎《あご》をしゃくる合図を送った。それをうけて女の子がいったん僕を振り返り、次に男にむかって大きく一度うなずいてみせた。そして飼犬の顔を靴の裏でまた蹴った。

「よう、野球少年」と男が言った。「でかくなったたな」

「ヨースケ叔父さん」と僕は一拍おいて言った。

その一拍は叔父の顔を思い出すために手間取った時間ではなく、偶然の一致という意味をあらわす英単語を咄嗟《とっさ》に頭の中でさがしたせいだった。実を言えばこの再会は、叔父のことを道々考えながら歩いてきた矢先に起こったのである。

実際そばに立ってみると叔父の身長は僕よりも（そして僕の記憶している叔父よりも）かなり低かった。紺の上下と見えたのは紺色の薄手のジャンパーと紺色のスラックスで、ジャンパーの左胸にはラルフ・ローレンのおなじみの商標が縫いつけてあった。目の前にとつぜん出現したこの色白で小柄な三十男と、十三年前の記憶の中の颯爽《さっそう》とした高校生とを重ね合わせるうちに、僕は多少複雑な思いに捕らえられた。叔父の焦茶色の革靴に飽きたぶち犬が、こんどは僕のスニーカーに狙《ねら》いを定めたのを追い払いながら（人間の靴を咬むのが何より好きな犬なのだ）、

「ひさしぶりですね。生きていたんですね」

と月並みな文句を二つも続けて口にしたのは、そんな複雑な思いを払いのけるような気持からだった。

「ボールとグラブはどうした」

と叔父は尋ねて、嘗めかけのキャンディを大家の孫娘に勧めた。いつになく大人のいうことを素直に聞いた女の子は二つの棒つきキャンディを両手に持ってかわりばんこに嘗めはじめた。

「おぼえてますか、叔父さん」と僕は言った。「昔、博多で映画に連れてってくれたでし

ょう？」

「よくキャッチボールもしたっけな」

「ええ、まあ」僕はあえて叔父の記憶違いを正すことは控えた。「それで、昔見た映画の話なんですけどね、ひょっとしたらあれは『ジャッカルの日』というタイトルの映画じゃなかったのかな、フレデリック・フォーサイスの原作の」

「そうだったかもな」叔父はジャンパーの内懐をさぐり、缶詰のブリキのような光沢の平たいフラスコを取りだしてひとくち飲んだ。

「ほら、暗号名がジャッカルという殺し屋が、ドゴール大統領の暗殺計画を請けおって……」

「なんなの、それ」と女の子が叔父に尋ねた。

「しゃきっとする薬だ」口をすすぐようにウィスキーを飲みくだして叔父が答えた。「ためしてみるか？」

「子供心にぼんやり憶《おぼ》えてるんですよ、ドゴール大統領が道ばたに落ちてるコインに気づいて、それを拾おうと身をかがめたときにジャッカルが……、おい、子供がそんなもの飲むんじゃない、この男の人はきみをからかってるんだ」

「別にからかってやしないさ」

「叔父さん」

「ぼんくら」と女の子が言った。

「みそっぱ」と言い返して僕は叔父に向き直った。

「ねえ叔父さん、思い出せませんか」

「いったい何の話をしてるんだ、おまえは」

「だから十三年前に一緒に見た映画の話ですよ」

「そんなことより、飯は食ってるのか?」

僕は左手で抱えたハンバーガーの紙包みを持ち直した。

「部屋にあがって話しませんか、実はその問題の『ジャッカルの日』のビデオを借りてきてるんです、一緒に見て記憶を確かめてみませんか」

叔父は僕の左肩からさがったショルダーバッグと、僕が右手に抱えている貸しビデオ屋のビニールのケースを交互に見て、またウィスキーを口にふくんだ。ぶち犬が僕の右足のスニーカーをしっかりと口にくわえこんだ。

「ハンバーガーを食って、ただ映画を見るのか」と叔父が言った。

「冷蔵庫にたしか缶ビールが入ってたと思いますよ」

「ひと晩に映画を何本見るつもりなんだ?」

「ぼんくら大学生」と女の子が言った。「悔しかったら東大に受かってみろ」

「ぺちゃぱい」僕は右手の荷物を叔父に示した。「きょう借りてきたのは五本ですけど」

「大学でいったい何をやってるんだ、英雄。ボールとグラブはそのショルダーバッグの中か?」

「野球はもうやめたんですよ、叔父さん」

僕は右足を揺すぶって犬の歯からスニーカーを解放し、アパートの門を通りぬけた。ぶち犬、叔父、女の子の順番であとを追ってきた。

玄関の戸を開ける前に、僕はいちばん後ろの女の子に警告を与えた。玄関の上がり口には簀《す》の子《こ》が二枚敷かれ、そこには常時アパートの住人の脱ぎ捨てた靴が散らばっていて、もしその様子を見たら大家の飼犬は発狂しかねないので、絶対に中には入れないのが暗黙のルールだった。女の子は僕の警告に対して、二本の棒つきキャンディを歯医者の検視鏡のように用い、口を左右いっぱいに押し広げてみせた。それから犬の鼻先にこつんとトーキックを入れて、注意を引きつけると門のほうへ駆け戻った。

「いろいろとがたのきてるアパートですけどね」僕は三十センチほど開いたきり動かなくなった戸の溝に近いあたりを蹴りながら言った。「二階の僕の部屋は小ぎれいにしてますよ、テレビとビデオデッキは冬休みのバイトで買ったばかりの新品だし」

「野球はいつやめたんだ？」

「去年のシーズンかぎりで引退したんです」

「きっと『草葉の陰』でおやじが泣いてるぞ」と叔父が懐かしい日本語を使った。「あねきは知ってるのか？」

「さあ、もうずいぶん会ってないから」と答えてどうやら横向きでなく通れる程度に戸を押し開けた。「あの人たちの離婚のこととかは聞いてますよね？」

「ああ聞いてる」叔父《おじ》はウィスキーを口にふくんでフラスコのキャップを閉めた。「風の便りで」

「あれから三年して博多をひきはらったんです、父のふるさとに家を建てることになって。離婚はその二年後、……まあ、僕の知ってることでよかったらおいおい話しますよ、とにかく上がって下さい、靴はそこに脱ぎ捨てても誰も見向きもしませんから、あのろくでもない犬は別として」

「それより、そのろくでもないバッグとハンバーガーとビデオを上に置いてこい。これかららちょっと千葉までくりだそうぜ」

「ちば？」

「千葉の栄町ってとこで小ぎれいな店をやってるんだ、ろくでもない野球をやめた御褒美にな、生きたまま昇天させてやるよ」

叔父の肩越しに門のそばで犬の顔を蹴って遊んでいる大家の孫娘が見えた。僕の視線をうけとめると、彼女はまた棒つきキャンディで口を左右にひろげてみせた。

「英雄」と叔父がまともな読みで名前を呼びかけた。「おまえがろくでもない野球に青春を無駄遣いしている間にな、世間にはソープって新しい言葉が生まれたんだ、知らないだろ」

「ソープ」と僕は言った。「S・O・A・P、石鹸《せっけん》でしょ？　知ってますよ、近所の銭湯にだって売ってる」

「往年の野球少年にしては」叔父はにこりともしなかった。「なかなかのユーモアのセンスだな」

「東京暮らしには誘惑が多いからくれぐれも気をつけなさい、新しい母からそう言われてきてるんです」

「でも実際に暮らしてみると誘惑らしい誘惑にはいままで一つも出会わなかった、違うか？」

「まあ、そういうことなんですよね」

「行こうぜ」

「荷物を置いてきます」


その日をきっかけにして叔父は僕をちょくちょく呼び出すようになった。そして呼び出しをうけるたびに僕は叔父の待つ場所まで電車を乗り継いで出向き、金のかかった飯をおごってもらい、金のかかる遊びを教示された。

いま思えば一九八六年という時代が時代だったし、叔父のふところは景気の追い風をうけた見本のように膨らんでいた。叔父の顔のきく店は千葉だけではなく都内にも神奈川県にもいくらでもあった。叔父がそれらの店と具体的にどんなふうに係わっているのか、何本の金のなる木をどこでどう育《はぐく》んでいるのか、僕には想像もつかなかったけれど、なにしろ叔父のポケットには二つ折りにしたむきだしの札束が常にふくらなっていた。たぶん当時は日本全国に、僕にとっての叔父みたいな景気のいい身内の話がごろごろしていたんじゃないかと思う。

一方、僕は僕でその年には時間にめぐまれていた。暇な時間なら腐るほどあった。大学二年のシーズンで野球の才能に見切りをつけて、三年の秋から地方公務員試験の勉強にとりかかるまでの期間、そのほぼ一年間を僕はアパートの大家が陰で噂《うわさ》していた通り、つまり大家の孫娘が好んでその口まねをした通りに『ぼんくら』な大学生として暮らした。後に県庁勤めで経験することになる、分刻みの時間に追われるのとはまったく逆の生活だった。時間は言ってみれば缶詰工場のいつはてるともない製造工程のように僕のまわりを巡っていた。どこかにあるOFFのスイッチを見つける気力もなく、ただ時間のベルトコンベアの中心でじっとしているような無為な生活だった。

野球をはなれてみると大学には(東京には、と言ったほうが早いかもしれない)、親しい人間は一人もいなかった。親兄弟の七光はグラウンドでは通用しない、というのが口癖の監督と、下級生の言葉づかいや目つきに敏感で酒の強いのが自慢の先輩と、それから誰が見ても抜きんでた才能を持つひとにぎりの選手を別にして、熾烈《しれつ》なポジション争いをする二流のライバルたちの思い出が残っただけだった。神宮球場でプレイする野球選手なら誰でもいいといった感じの、とりまきの女子学生との縁もふっつり切れて、大学の授業をうける雛壇式《ひなだんしき》の机の並んだ教室では、僕の右隣の席はどんなときにも空席だった。左隣はきまって通路と窓だった。

結局、野球をやめて僕が最初にしたのは時間つぶしに大学の掲示板で見つけたアルバイトに精を出すことだったが、二番目の母からの仕送りは入学以来じゅうぶんすぎるほど続いていたので、ほんのひと月働いて得た賃金を合わせるとテレビやビデオデッキを買っても使い切れなかった。その気になれば車を用意してアメリカ合衆国横断の旅に出発できそうなくらい有り余っていた。だが到底そんな気にはなれなかったのでそれ以上働く意味もなく、毎日せっせとレンタルビデオ屋に通いつめてアメリカ映画を借りだしてくること、それ以外にはこれといって時間つぶしの芸当は思いつかなかった。

だから叔父が現れたタイミングは絶好だった。叔父との二度目の「夏休み」を迎えるべく、僕のほうの態勢は（季節がらから言っても）申し分なく整っていたというわけだった。

その年の夏いっぱい、叔父とは頻繁《ひんぱん》に会った。叔父と頻繁に会うことは、同時に、女と頻繁に寝ることを意味した。あるいは叔父は僕が子供のころから野球しか知らない根っからの童貞だと（それは大いなる間違いだったのだが）、勝手に思いこんでいたのかもしれない。見知らぬ男と寝るのを商売にしている女たちの他にも、叔父の言葉を真にうけるなら金に不自由している銀座のクラブのホステスや、大学病院の看護婦と薬剤師のコンビや、「アンアン」の元モデルや、都立中学の現役英語教師や、農林省の役人の婚約者や、原宿でスカウトされたばかりのアイドル歌手の卵といった得体の知れぬ女たちが僕のために『調達』された。スクラブルで頭にQのつく単語を完成させるためにはかならずUの文字が必要なように、僕という男の人格を完成させるにはどうしても大勢の匿名の女が必要なのだと、叔父はまるでそんなふうに考えているようだった。

「簡単なことなんだ」

と叔父はときどきリフレッシュのために二人で行ったサウナ風呂の中で語った。

「女と寝るのはこんなふうに簡単なことなんだ。女のあそこを大げさに考えるのがトラブルのもとなんだ。あんなもの、髭《ひげ》のはえた口みたいなもんだ」

この女性の生殖器官をさす暗喩《あんゆ》を叔父は誰彼とかまわず好んで用いた。とくに女性のいるまえで用いるのを好んだ。それを聞かされた気の毒な女たちは、そばで微笑をうかべている僕を見て、例外なく居心地のわるそうな表情になり、もぞもぞと脚を組みかえたりした。

叔父の女に関する話題はXではじまる単語のように数が限られていた。おそらく叔父は、当時僕にあてがった女たち、そして自らもつきあいで寝た女たちを本気で物扱いしていたと思う。もっと推測すれば、叔父は世の中の髭のはえた口を持つ女全般を軽蔑《けいべつ》していたふしがある。

「鎮静剤だよ」

とも叔父は語った。

「欲情という『煩悩《ぼんのう》』をおさえるためのな。女なら口に棒でも突っ込んどきゃいい、男だって自分の手で『スペルマ』を飛ばせばすむけど、それじゃあこの退屈な人生があまりにも退屈すぎる、だいいちおれは金を何に使えばいいんだ？　英雄、わかるな、女は単なる鎮静剤だよ」

もっとも、僕は叔父のこういった啓蒙《けいもう》思想の信奉者、実践家というわけではなかった。僕には僕なりの言葉遣いの趣味があったし、女に対するマナーもあった。もし女と寝ることで男の人格が形成されるのだとすれば、僕の人格は十代のなかばにはすでに決定していたからである。

僕は叔父からあてがわれた女たちを叔父ほど徹底的に物扱いにはできなかったし、そのかわり彼女たちの誰かと深い恋に落ちるようにナイーブな面も持ちあわせてはいなかった。もちろんこの時期が、これまでの三十年の人生にとって昔の日本語で言う『こやし』になったなんて言うつもりもない。ただ一つ簡単で明快な事実を述べれば、二年後に僕が県庁の役人としてネクタイをしめ背広を着るきっかけなら作ってくれた。

九月のある朝、千葉県の浦安駅から始発電車に乗った。自称アイドル歌手の卵が一緒だった。前の晩に泊まった叔父の遊び仲間の家から、夜明けに二人で抜けだしたのは別にたいした理由からではなかった。僕にとっては大学の夏休みが終わって新しい学期が始まる一日目にあたっていたのだが、アイドル歌手のほうには理由らしい理由があったのかどうかすら分からない。ボイス・トレーニングとか、ダンスのステップの練習とか、そういったスケジュールが彼女の頭の隅にあるいはあったのかもしれない。

東西線を大手町駅で降りて、彼女とはそこで別れたのだが、別れぎわにホームの壁にはられたポスターの前で少し立話をした。それは県職員の採用試験を来年度から東京会場でも実施するとうたったポスターだった。絵にかいたような青空と一面に咲き乱れるコスモスを背景に三世代の夫婦六人の笑った顔があり、いちばん若い世代の夫の腕にはまるまると太った赤ん坊が抱かれていた。その実になごやかな家族写真の片隅に東京会場での実施要領が細かく記してあった。

「良さそうなところね」とアイドル歌手の卵が言った。「このポスターを見てホームシックにかかった誰かが一人ふるさとに戻るわけね、そのかわりに将来はこの赤ちゃんが東京に出てくるわけね」

「僕の父のふるさとなんだ」

アイドル歌手の卵は帽子を脱ぎ、前髪をかきあげてからまた被《かぶ》り直した。そのビニールの帽子の色は真紅だった。髪はヒマワリの黄色に染められていて、帽子と同色のミニ・ドレスには金の菱形《ひしがた》模様が入っていた。

「てことは英雄くんのふるさとでもあるわけでしょ?」

「まあね、実家は確かにある、五年前に父は亡くなってるけど、最初の母も二番目の母も同じ市内に住んでる」

「良さそうなところだものね」と彼女はうなずいてみせた。「受けてみれば、暇なら。英雄くんはかちっとしたグレイのスーツが似合いそうだし」

「そう思う?」

「うん、そのラルフ・ローレンのポロシャツもいいけどさ」

「叔父《おじ》が色違いを七枚も買ってくれてね」

「勘弁してよ」と彼女は言った。「ねえ、あなたがいくら年とってもあなたの素敵な叔父さんみたいになれないことだけは確かだと思うよ。一緒に遊んででも電車に乗ってても、ほのかな『愛』が伝わってくるし、英雄くんからは」

「大学がはじまって当分会えなくなるのが残念だな」

「あたしも同感、でもお互いにお互いの歩いてゆく道があるんだから、ここが『潮時』よ」

「さよなら。試験のことは考えてみるよ」

「じゃあね」

十月に入ってぼちぼち公務員試験の参考書を読みはじめた頃には、自然と叔父と会う機会も減っていた。それはおもに僕の都合からではなくて、むしろ叔父の側に、そうそう甥《おい》っ子の遊び相手ばかりはしていられないという事情があったのだろうと思う。べつに僕は叔父にむかって今後は試験勉強にとりくむと宣言したわけでもなかったので、やはり僕たちの関係は自然と「お互いの歩いてゆく道」なりに間遠になったと言うべきだろう。

それでも平均すればふた月に一度くらいは会い続けた。会えばお決まりのはめをはずした夜が再現されたし、相変わらず叔父のポケットには大金がうなっていた。その大金を得るために叔父がどのような危ない橋を渡っているのか、あるいは危ない橋など渡る必要もないのか僕には皆目見当がつかなかった。なにしろ叔父の話題はXではじまる単語のように限られていて、例の暗喩（あんゆ）も飽きずに繰り返され、そのたびに女たちが憮然（ぶぜん）として脚を組みかえるのも同じだった。そして女たちが脚を組みかえるたびに、僕の頭の隅にほんの一瞬だが、スカートの陰で髭のはえた口が不機嫌にゆがむイメージが焼き付けられた。

東京でいちばん最後に叔父に会ったのは一九八八年のことだ。三月の初旬の夕暮れ時に、叔父がまたひょっこりとアパートを訪ねてきて、そのとき初めて二階の部屋まで上がった。

県庁の職員として青い空とコスモスのふるさとへ戻るべく、僕はあらかた引っ越しの準備を終えていた。六畳間の片隅にぽっかり空いた畳の白っぽい部分を指して、ここに自慢のテレビとビデオデッキが置いてあったわけかと叔父が言ったのを憶《おぼ》えている。荷物はぜんぶ実家へ送るなり処分するなりして部屋の掃除も済ませ、あとは翌朝布団を布団袋につめればきれいさっぱり『都落ち』できる状態だった。

ストーブもなくただでさえ肌寒い部屋の窓を開け放ち、叔父は窓敷居に腰をおろした。その日叔父の頭には額から両側のこめかみにかけて真っ白な包帯が巻かれていた。だが包帯のせいで痛々しいムードをかもしだすわけでもなく叔父はすこぶる元気だった。

「先ゆきが楽しみだな」と叔父は窓敷居に腰かけて言った。「なにしろあの親父の息子だからな。おまえが年金を貰《もら》うようになるまでに、県庁勤めのお堅い女を何百人泣かせることになるか」

「気に入らないんでしょう、本当は」

「気に入るもなにも、小難しい試験に一発で受かったんだろう、めでたいさ。まあ、おまえの取り柄は野球しかなかったんだからな、野球で飯が食えないなら他に飯の種を見つけるしかない、順当な選択ってとこだ、ほめてやるよ」

「言えば反対されると思ったんですけどね」

「反対なんかしない」叔父はジャンパーの内懐から(それはラルノ・ローレンの紺色の冬物のジャンパーだった)、愛用のフラスコを取り出して一杯ひっかけた。「田舎者は田舎に帰るのが本当だとおれは思うよ」

そのとき窓の外から甲高い叫び声があがった。叔父が声の飛んできたほうへ手のひらを向けて合図した。僕が窓辺に立つのを待ちかまえたように、学校帰りの大家の孫娘が人差指を一本立てて見せた。

「こっぱ役人って叫んでるぞ」と叔父が教えた。

「ソバカス」僕は叫び返した。

「色の白い娘だな」と叔父が呟《つぶや》いてまたフラスコを傾けた。「ありゃ普通じゃない」

「ええ、あれでけっこうソバカスのことを気にしてるんですよ」と相槌《あいづち》を打ったところで僕は思い出した。「そういえばあの子、ほんとにデビューしましたね。ほら、おととしの夏、一緒にディズニーランドにくりだして、夜は夜で浦安の叔父さんの知り合いの家で大騒ぎしたでしょう」

「そんなこともあったっけな」

「何回かテレビで見たんです、あの子の色の白さも普通じゃなかった、まさかほんとにアイドル歌手になるとは思わなかったけど」

「東京に住んでれば、そのまさかって思うことがいくらでも起こるんだよ」

「頭の包帯はどうしたんですか、叔父さん」

「気にするな」という答を叔父は用意していた。「ただのターバンだ、イスラム教徒が日本に持ち込んで新宿あたりでいま流行《はや》ってるんだ、そんなことより」

叔父の手がジャンパーのポケットから紙包みを引っぱりだしてそれを僕の手に握らせた。たっぷりと持ち重りのする紙包みだった。

「布団袋の中にでも押し込んどけ、これから飯を食って久しぶりに栄町でも覗《のぞ》いてみようぜ」

「何ですか」

「餞別《せんべつ》だよ、『いざというときのために』取っとけ」

いざというときのために——もちろん僕は十五年も前の叔父の置手紙の文句をちらりと思い出した。そして今回は叔父の言わんとする意味がじゅうぶんに理解できた。頭の中で適当な訳語を探して、E・M・E・R・G・E・N・C・Y、エマージェンシイという単語を思い浮かべる余裕すらあった。すぐに叔父が言葉を続けた。水晶玉で未来を占う気分からはほど遠い、多少照れかくしのまじった思いつきで、誰もが口にするようなありきたりの予言の文句を唱えてみせた。

「まあ、そうは言っても、県庁勤めの役人にいざというときがあるとは思えないけどな」

同感だった。

1995 春

県庁舎の五階の窓際に立って外をながめていると、すぐに門のそばに叔父《おじ》の姿が現れた。時刻は五時を少しまわったところだった。

右手の門から真下の車寄せまでつづく緩やかなスロープを、叔父はズボンのポケットに両手を入れたやや前かがみの姿勢でのぼってきた。風のせいでジャンパーの背中がリュックサックでも背負ったようにふくらんで見えた。

そのジャンパーもズボンもあいかわらずの紺色だった。途中で一度だけ、突風に顔をしかめるようにして叔父は建物を振りあおいだのだが、はめ殺しの窓の内側で片手をあげてみせた僕に気づくはずもなかった。

一九九五年、四月の第一週。

十二階建ての庁舎の五階にある僕の仕事場へ、叔父からの電話は直接かかってきた。もちろん前触れもなく突然に。

　僕はパソコンに向かって広報誌の原稿書きに追われていた。今回は予感もしなかったし、暗合と呼ぶべき出来事も起こらなかった。電話が鳴ったときにも僕がまず思いうかべたのは別の人間の顔だった。

「会えるか？」と叔父は尋ねた。

「会えますよ」

　と僕は答えた。

「すぐには無理ですけど、三十分後に、一階のロビイで」

それからほぼ三十分かかって原稿を仕上げると、僕は窓際に立って外をながめたのだ。叔父の姿が車寄せの屋根の下に消えたあとで腕時計を見ると五時十分をさしていた。

広報室の電話が立てつづけに鳴った。

「鮎川《あゆかわ》さん」背後から同僚の声が言った。「美術館のパンフレットの件ですが、ゲラは十日の月曜でぎりぎり間に合いますよね」

「鮎川くん」と先輩の女性の声が言った。「交通安全評議会の会長さんからよ、『県庁便り』に載せる写真だけでもあらかじめ自分の眼で見ておきたいって」

　僕は机に戻りカレンダーを確認してむかいの席の同僚にうなずいてみせた。

「どうせ暇なんだから自分で見にこい、とは言えないでしょ？」と送話口を手でふさいだ先輩が隣で笑顔をつくった。

「頼まれてくれませんか、帰り道にでも」

「あたしはだめよ、今日はコーラスの練習日だから」

「わたしはまだインフォメーションのページをやり残してるし」むかいの席で印刷所とのやりとりを終えた同僚が言った。「それに帰る方向だってぜんぜん反対ですよ」

「ほら、会長さんは鮎川くん御指名なのよ」

先輩から差し出された受話器をとり、スケジュール表を指でたどりながら、今夜七時半に掲載写真を持ってうかがいます、と告げて電話を切った。

「おーい、広報さん」ついたて一枚で仕切られた秘書室から声があがった。「記者会の『定例』には誰が出てくれるの?」

「鮎川くんよ」先輩が叫びかえした。「決まってるじゃない」

「OK」とついたてのむこう側で誰かが答えた。

定例記者懇談会の予定時刻(17:45)をスケジュール表で確認してからドアの方へむかいかけた。

「鮎川さん」と同僚が呼びかけた。「来月の県民講座の講師の名前ですが、これは振り仮名をふったほうがよくないですか、常用漢字外だし、わたしだって読めないですよ」

「文化課に電話して聞いてみなさい」と先輩がかわりに答えた。「鮎川くん、『定例』の前にはちゃんと無精髭《ひげ》をそらなきゃだめよ、それから漁協の前理事長の慰労会に行くときには、そのネクタイも取り替えたほうがいい、ほら知事からプレゼントされたのをロッカーにしまってるでしょ？」

「ロッカー？」と同僚が言った。「いつロッカーの中をのぞいたんですか」

「あなたのロッカーなんかのぞかないわよ」

また電話が鳴りだした。僕はネクタイをほどいて上着のポケットにしまい、廊下へ出るためにドアを開けた。

「鮎川くん」と先輩が呼んだ。

「宝くじの御購入は県内で、のあとに付ける感嘆符は一つですか二つですか」と同僚が聞いた。

「宝くじのお求めは県内で」と先輩が訂正した。「感嘆符なんていくつでもいい。鮎川くんに電話よ、平野財閥のお嬢様から、仕事場には二度とかけるなってかわりに言ってあげようか？」

「あとでかけなおすと言ってください」

「あとでかけなおせと言ったほうがよくない？」

「ノーネクタイで歩いてるとまたうるさいですよ、鮎川さん、新聞記者にでもなりたいのかってまた皮肉を言われますよ」

「どっちにするの？」

「あとでかけなおします」

一階のロビイに降りて叔父の姿を見つけたときには、時刻はもう五時半近かった。

叔父は「県北都市開発事業計画・完成予定図」の模型の入ったショウケースに背中で寄りかかるようにして立っていた。

その強化プラスチックに被《おお》われた大きな箱は、庁舎の玄関から入って十メートルほど右奥に引っ込んだあたりに展示してあった。そこに立つと勤め帰りの職員たちの流れがちょうど真横からながめられた。四基のエレベーターから吐き出された職員たちは列をつくり一斉に出口をめざした。何百もの靴音が引きも切らずフロアに響いたが騒々しい行進では決してなかった。まるで有力者の通夜につめかけた客のようにどこか控えめで、慎ましやかな人の流れだった。

傍らに立った僕に気づくと、叔父は職員たちの列にむかって顎《あご》をしゃくり、同意を求めるような苦笑いの顔になった。続いて、「まるで……みたいだ」と言ったのだが、僕はすでに腕時計に注意をむけていたので、靴音にまぎれてその比喩《ひゆ》を聞き逃した。

「ずいぶん早かったな」と叔父が言った。「ネクタイをしめる暇もないくらい急いだのか？」

「久しぶりですね、酔助叔父さん」と僕が言った。「また昔みたいに『都落ち』ですか？」

叔父はふところから愛用のフラスコを取りだして答えた。

「たまには『風光明媚《めいび》な』田舎の空気をすうのも体のためになると思ってな」

「今度の日曜に魚釣りにでも行きましょうか」

「ほう」叔父はフラスコの中身を口にふくんだ。「ユーモアのセンスもすっかり役人らしくなったじゃないか」

　魚釣りの話がまるっきりの冗談ではないことを知らせるために、僕は腹をくくって言い訳にとりかかった。叔父は昔みたいに夜の街にくりだすつもりでわざわざ甥《おい》っ子の勤め先まで迎えに来てくれたのだ。帰宅する職員たちの列は途絶えていた。騒々しい靴音がふっと消えてしまった。

「そうか」と叔父は言った。「仕事の邪魔をして悪かったな」

「すみません、前もって電話をもらえればよかったんですけど、今夜はどうしても時間が取れないんです」

「わかってる。おまえには役人としてのこの街での大切な生活があるからな、懐かしい叔父さんがひょっこり現れても、さあ行きましょうってわけにはいかない、昔の学生のころみたいに、こっちの都合ばかり聞いてはいられない、きょう訪ねてきたのはタイミングが悪かった。そうだな？」

「ええ」と僕はつぶやいてみせた。

「ええ、か」叔父はもう一度フラスコの中身を口にふくんだ。「あねきの店はなんていった？」

「はい？」

「おまえの『産みの』母親が飲み屋をやってるだろ、『屋号』はなんていうんだ？」

　僕は一瞬口ごもり、背広の内ポケットの手帳に手をのばした。

「まあいい」フラスコのキャップをつまんだ手を横に振って叔父《おじ》が言った。「ホテルに戻ればどっかにメモがあるはずだ」

「ホテルはどこですか」

キャップを閉めてフラスコを内懐にしまってから、叔父は両手でジャンパーとズボンのポケットを探りはじめた。

「いいんです、また金曜日にでも電話してください」

そうする、とうなずいて叔父は背中をむけた。庁舎の玄関口のほうへ何歩か遠ざかったところで振り返り、

「今日は何曜日だ？」

と尋ねた。

「火曜日です」

と答えて僕はエレベーターのほうへ踵を返した。

《お客さまへ
ただいまパーティに出かけています
御近所なので呼び出してください

ここにいます》

と黒のマジックで、ボール紙の切れ端に走り書きされたものがカウンターの上に置いてある。《ここにいます》の後に電話番号が記され、十円玉が三枚かさねて載せてあるところをみると、それで連絡を取れということなのだろう。

円周の三分の一ほどを切り取った形のカウンター、背もたれのスチールの部分に錆《さび》のめだつ丸椅子《いす》が六脚。ほかにテーブル席はない、というよりもそもそもテーブルを運び入れるスペースがない、ほんの何坪かのこぢんまりした店だ。

こぢんまりはしているが小ぎれいとはとても言えない。隅の壁にとりつけられた換気扇のブルーの羽の黒ずみ具合でもそれはわかる。天井から四つ吊《つ》りさがったランプ型の照明も一つ切れている。それでもカウンターの一方の端にはレーザーディスクのカラオケセットが置かれ、いまどき珍しい肌色がかったピンクの公衆電話はその反対側の端、入口の扉のすぐそばだ。つまり扉を開けて入ってきた客は、一目で無人の店内を見わたし、店のマはどこへ行ったんだろう？　と椅子に腰かけて首をひねる前に、公衆電話の横の《お客さまへ》の走り書きに気づくことになる。

それがここでの自然のなりゆきである。おそらくそういうことなのだろう。なりゆきに従って十円玉を使い、電話がつながる間にボール紙を裏返して見てみると、宅配便の配達伝票を引き剝《は》がした跡があった。

「はい、コイズミです」と雑音にまじって電話の声が言った。誰かがどこかで聴いたことのある曲を歌っている。カラオケの音量に負けじとマイクを握って女が声をふりしぼり、周りが囃《はや》し立てている、そんな様子が推察できる雑音だった。

「小泉さん？」と僕は確認をとった。あるいは聞きまちがいかもしれない。

「イエス、ポイズンです」と相手が答えた。

「ポイズン？」

「もしもし、プワゾンですけど」と別の誰かが電話口で叫んだ。「ごめんなさい、アメリカ人のお客さんが電話を取っちゃったの」

「プワゾン？」

「シノハラちゃん？」相手が続けた。「いまどこにいるの？」

どうやら近所にあるプワゾンという酒場は日米入り交じって大繁盛し、僕はそこの常連のシノハラという客に取り違えられている模様だった。あらかじめカウンターの上に準備しておいた手帳の、この店の屋号をメモした頁を開いて指でたどり、ママを電話に出してくれと頼んだ。

「誰？」と相手が聞き返した。

「ミロワールのママを」

「ママ！」と相手の女がまた叫んだ。「ちょっと、ミネラルウォーターのママ、お客さんみたいよ」

そして電話がぷつりと切れた。

僕は手帳を上着の内ポケットにしまい、カウンター席の公衆電話のそばの椅子に腰かけて五分待った。それから自分で灰皿をさがしてタバコを一本喫《す》いおわり、もう五分待って誰も現れなければあらためて出直そうと決心をつけた。腕時計は九時五分前をしめしていた。

四月二十九日、みどりの日。ゴールデン・ウィークの第一番目の夜のことである。

カウンターの内側で木戸が開いたのは九時二分頃で、僕は今夜のスケジュールの変更を知らせるために知人の電話番号をダイヤルしている最中だった。外の通路との仕切りの板壁が、一メートル程度の高さで割れて、まるで隠し扉のように静かに開いた。そこから腰をかがめたミロワールのママが中に入ってくると、カウンターをはさんで僕と向かいあい、明らかに芝居がかった表情で目をみはり、両手を顔のあたりまで上げてぱっと開いてみせた。

「まあ驚いた、英雄じゃないの」

僕は電話番号の最後の一桁《けた》をまわす前に受話器を戻して、椅子にすわり直した。産みの母が皮肉によりをかけた。

「生きてるうちにまたあんたに会えるなんて思いもしなかったよ、ほんとに、涙がこみあげてくるよ」

「久しぶりですね」

「百年ぶりくらいかね」

「東京から戻った年にいちど会いましたよ、就職祝いに焼肉をごちそうになりました」

「いいんだよ、そんなことといつまでも恩にきなくても、どうせあたしはね、あんたのおふくろさんみたいに子供に車なんか買ってやれる身分じゃないんだから」

「それは僕じゃなくて妹の就職祝いの話でしょう、誰から聞いたのかしらないけど。そういえば、そっちの妹たちは元気ですか」

「そういえば」

とオウム返しに呟《つぶや》きながら母は冷蔵庫からビールを取り出して力まかせに栓を抜いた。

「血をわけた妹たちの話をするのに、そういえばって、あんたはダイアナ妃の子供の話でもするみたいに言うんだね。愛も華も元気だよ、いまは青森の三沢ってとこで戦闘機の操縦を習ってる、双子の自衛隊ってどこに行っても評判でね、防衛庁の偉い人も目をかけてくれてるんだよ。毎月いろんな土地から手紙が届くし、仕送りもいっぺんだってかかしたことがない。やっぱり人間は、血なんだねえ。あんたもビールでいい?」

差し出されたグラスを黙ってうけた。八つ違いの妹たちが高校卒業後自衛隊に入隊したところまでは確かなのだが、それ以上の話はとうぜん眉唾《まゆつば》である。

「それで、英雄」と母が自分で注いだビールをひとくち飲んで尋ねた。「きょうはどういう『風の吹きまわし』なの、Jリーグの追っかけやってるあんたのおふくろさんの相談にでも寄ったのかい?」

「どっからそんな話を仕入れてくるんですか」

「あら、Jリーグの話ならここいらじゃ有名だよ、鮎川《あゆかわ》さんの奥さんは野球に死なれてJリーグに乗り換えたってみんな注目してるんだよ」

「本当はJリーグじゃなくて、その下部リーグのチームのコーチなんですけどね」

「何がさ」

「母の恋愛の相手」

「そんなこと聞いちゃいないよ」

母はビールの残りを飲みほして自分でもう一杯注いだ。それに口をつける前に例のボール紙をカウンターの陰にしまい、かわりにマッチを二つ取り出してみせた。そしてTシャツのうえからはおった派手な（深紅の地に花柄の）アロハシャツの襟もとを意味もなく寄せてみせた。

「何ですか」

「あんたの大好きな叔父さんの連絡先だよ」

と母が説明した。

「そっちが今月の初め、東京から着いたばかりのときに泊まってたホテルのマッチ。それからそっちは一週間くらい経って移ったホテルのマッチ。おれに用のあるときはここに連絡してくれって、わざわざ置いてってたんだよ、二度も」

しかしその二度目から数えても、すでにもう二週間ほど経過している。

「あたしは別に、あんたの叔父さんに用なんかないから、そのままほっといたんだけどね」

「勤め先に連絡してくれる約束だったんですよ」

と言って僕は二つ目のホテルのマッチブックをつまんだ。表紙に印刷してあるホテルの名前は聞いたこともなかったが、所番地から夜の繁華街のブロック内にあるホテルだということがわかった。このミロワールからだってそう遠くない。

「あたしは言ったんだよ、英雄には英雄の選びとった人生があるんだから、年金つきの地道な人生を英雄は選んだんだから、いくら血がつながってるからって、こんな商売やってるあたしが母親づらしてしゃしゃりでるわけにはゆかない、だからあたしは、ただのいっぺんだってあんたの勤め先に電話したことなんかないだろ?」

僕はマッチブックを開いて一本ちぎり、火をともした。母がカウンター越しに身をのりだすようにして、くわえたタバコの先端をその火にあてた。

「酔助叔父さんはもう東京へ戻ったんですか、それともまだこのホテルにいるんですか」

「そんなわけないだろ」と母が横をむいてタバコの煙を吐いた。「あんたもやっぱり世間知らずのお役人だねえ、そのマッチを持って酔助がここに来たのはもう一ヵ月も前の話だよ、それからずーっと居つづけたらホテル代がいくらかかると思ってるの、この不景気に、そんな呑気《のんき》な人間がいるもんか」

「二週間くらい前でしょう」

「何が」

「酔助叔父さんが二度目にここに来たのは一ヵ月も前じゃなくて……」

「あんたもこまかいねえ、そういうとこは父親似だよ、二週間くらい前と一ヵ月前とどれだけ差があるの」

「まあ、いいですけど。じゃあもう東京へ戻ったんですね？」

「それが、ゆうべまたひょっこりと現れてね」

　と言いながら母は突然開いた扉のほうを振り返った。母が振り返り、つづいて僕が振り返ったとたんに扉が閉まった。外の通路を笑い声とともに複数の靴音が遠ざかった。

　母が舌打ちをして水道の蛇口をひねり、タバコを消した。僕はグラスを口へ運び、ビールを飲みほしたあとでウィスキーのオン・ザ・ロックを母に頼んだ。

「あたしは忠告したんだよ」と母がアイスピックを使いながら言った。「当分この街で暮らすことにしたって簡単にあんたは言うけど、当分この街で暮らしたところで何もいいことなんてないんだよ、あんたみたいな『風来坊』は東京じゃ珍しくないかもしれないけどね、このあたりじゃ目について仕方ない、そのうちきっと評判がたつよ、別にあたしはどんな身内がそばにいようと『人様に後ろ指』さされるおぼえはないけどさ、でも英雄が迷惑するかもしれない、なんたって英雄は県庁のお役人なんだから、県庁のお役人には県庁のお役人なりのつきあう相手ってもんがあるはずだよ、現に、このあたしを見てごらん、血はつながってるけど、あたしは母親づらして英雄の前にしゃしゃりでたことなんていっぺんもないよ、英雄の勤め先に電話したことだってただのいっぺんもないんだよ、英雄だって、だれに遠慮してかこの店には寄りつきもしないしね」

新しいグラスに氷が放りこまれ、そのうえをウィスキーが伝わり落ちた。そのグラスが僕の前に置かれた。僕はそのグラスをつかんでしばらく揺すり、結局口をつけずにもとに戻した。

「酒はあまり飲まないんですよ、仕事上のつきあいであちこち『お供』するだけで、自分ではほとんど飲まないんです」

「だからそれでいいって言ってるだろ、あたしが。このあたりは県庁のお役人が出入りする場所じゃないしね、明日になればきっとあんたのことが噂《うわさ》になってるよ」

「叔父《おじ》さんはいまどこにいるんです?」

母の手がオン・ザ・ロックのグラスのそばへのびた。指先でカウンターの上のマッチブックをくるりと裏返しにしてまた離れた。ホテルのマッチブックの裏にボールペンで細く書かれた文字に僕は目をこらした。長ったらしい片仮名のマンションの名前と、502号という数字が読めた。女文字だった。叔父の伝言を母が書き取ったのだろう。

「ここで叔父さんは何をしてるんですか」

「女に貢がせてるに決まってるだろ、あの酔助はね、あんたには大切な叔父さんかもしれないけど、女にとっちゃ害虫みたいな男だよ、女に『悪さ』することにかけちゃあんたの想像を超えてるよ、あんたは覚えてないだろうけどね、むかし博多にひょっこりやってきたときだって、みんなが油断してるすきに、キャバレーの若い女の子たちをいっぺんに何十人も『かどわかして』、まるで集団就職みたいに新幹線に乗せてね」

「三人ですよ」

「何が」

「叔父さんが家出の手助けをした女の子の数」

「あんたのそういうとこはほんとに父親似だよ、こういうときはね、数なんか気にしないで話の筋だけ聞いてりゃいいんだよ、博多にいた頃はあんたはまだ『乳飲み子』だったんだから、三人だろうが何十人だろうが区別もつかない年だったんだから、あたしがあの酔助の不始末でどれだけ迷惑したか、なんにもおぼえちゃいないだろ」

「前に一度、焼肉をごちそうになったときもこの話題で揉《も》めたんですけどね」と僕は言って財布を取り出した。「勘定してください。これからちょっと叔父さんのマンションを訪ねてみます」

「いくら学生時代に女を世話してもらったからってね、こっちであんたが酔助の心配をする『いわれ』はこれっぽっちもないんだよ、見ててごらん、あのこはきっとまた騒ぎを起こすから、そうなっていちばん迷惑するのは、こんどはあんたなんだよ」

「この手の店のことはよく知らないんです、いくらになりますか」

「気を引きしめるところは引きしめないと、英雄、命の次にだいじな年金を棒にふることになるよ」

「いくらなんですか」

「八万円だね」

カウンターをはさんで母と僕はしばし互いの目を見つめ合った。

「冗談だよ」と母が言った。「この手の冗談が通じにくいってのは、いったい誰に似たんだろうね」

「一万円置きます」僕はホテルのマッチブックを上着のポケットに入れて椅子《いす》を立った。

「釣りは要りません」

「おおきに」

と母が残りのビールをグラスに注《つ》ぎ足しながら答えた。


マンションの玄関口にほろ酔い加減で立ったのは午前一時頃で、それがその晩三度目のことだった。

母の店まで数にいれると僕はその晩都合三軒のバーを『一見《いちげん》』の客として『はしご』していた。その合間に二度、叔父が住んでいるはずのマンションを訪ねてみたわけだが、玄関口の横の壁に埋め込まれた集中ロック方式のインターフォンを通しても応答はなかった。

その白いマンションは夜の繁華街から歩いても十数分の距離の国道ぎわに（こぢんまりした駐車場のスペースの分だけ奥へ引っこんで）建っていた。だから最初に母の店から直接訪ねてみたときも二度目のときも十数分かけてぶらぶら歩いた。最初のときは英語の直訳風に言えば「夜はまだ若く」別に急ぐ理由もなかったし、近ごろの運動不足を思えば歩くのにちょうどよい距離だった。二度目のときは二軒目のバーで水割りを何杯か飲んだあとだったので酔い醒《ざ》ましにちょうどよかった。三度目のときは三軒目のバーでオン・ザ・ロックを何杯か飲んだあとだったので、さすがに歩くのが億劫《おっくう》になりタクシーを拾った。

そういうわけで三度目にそのマンションの玄関口に立ったとき僕はほろ酔いかげんだった。その晩の出来事をぜんぜん憶《おぼ》えていられないほど酔っていたわけではなかった。たとえば三軒目の店の払いを一万円札で済ませて、何百円かのお釣りを要らないと鷹揚《おうよう》に断ったことも僕は憶えていた。

三軒目の店から知人に電話をかけたこともまだ記憶していたし、相手が誰で用件が何であったかも忘れていなかった。だがその三軒目に入った店の名前はもう思い出せなかった。二軒目の店についてもそれは同様だったが、なにしろ『振り』の客として、三軒ものバーを『はしご』したのは県庁の役人になって以来初めての経験だという点は確かだった。

それに母の店の『屋号』だけはもう手帳を開いて確認するまでもなく記憶していた。夜の繁華街のいちばん端のブロック、そのまた片隅に磨き残した古い油染みのように寄り集まっている場末のバー街。いずれ近いうちに「県北都市開発事業構想」の名目で取り壊しが決定している一角。いまだに共同トイレを利用している何十軒かのバーのうちの一つ。ミロワール。

ミロワールで貰《もら》ったホテルの紙マッチの裏で部屋の番号「502」を確認してインターフォンのボタンを押すと、しばらくして男の声が応えた。身体のどこかの痛みをこらえているような、不機嫌そうな一声だったが、叔父の声にまちがいなかった。

「酔助叔父さん」と呼びかけて僕はインターフォンに顔を近づけた。「英雄です、鮎川《あゆかわ》英雄です」

「おう」と叔父の声が答えた。

「魚釣りの約束はどうなったんですか」

「いま開けてやる」

「それより降りてきませんか、いまから夜の街にくりだしましょう」

「パチンコやって一杯ひっかけて帰ってきたとこなんだ、ちょっと上がってこい」

僕は右手の駐車場のほうへ一度目をやって、またインターフォンに顔を近づけた。

「叔父さん、タイミングの話ですけどね、それほど悪くなかったですよ、本当のところは」

「何だ?」

「叔父さんが現れるタイミングはいつも悪くないです。今度も絶好といっていいですよ、むかし神宮球場の新人戦で、いちどだけピンチランナーに出て盗塁したことがあるんですけど、そのときのスタートのタイミングに匹敵しますね、ただ相手のキャッチャーの肩も送球も信じられないくらいに良くて、その盗塁はアウトでしたけど」

「何の話だ」

「役人の仕事の話ですよ、叔父さん、実はそろそろうんざりしてたとこなんです、紋切り型の文章で毎月毎月広報誌を『でっちあげる』のが仕事なんです、一頁目からおしまいの頁までことごとく、徹頭徹尾、紋切り型です。ケーキの一切れみたいに『お茶の子さいさい』っていうあれですよ、その仕事を秘書課の課長が絶賛してくれて、知事は御褒美にネクタイまでくれるんです、まったく、NECのパソコンも一太郎も泣いてますよ、紋切り型、紋切り型、紋切り型で毎日決まったキイしか叩《たた》かないんですからね」

「酔ってるのか、玄関を開けてやるから上がってこい」

「叔父さん」と僕は言った。「もし金に困ってるのなら、言ってくれれば用立てますよ」

「金？」と叔父が言った。

「こんなところまではるばる『都落ち』して来て、お金に困ってるんじゃないんですか、いまは非常事態じゃないんですか」

「うん」とうなずく気配をみせて叔父は少し黙った。「そのことでおまえの意見を聞いてみたいと思ってたとこなんだ、きょう現れたのはタイミングがいい、ちょっと上がってこい」

「どのくらい必要なんです？」

「ありったけだ」と叔父の声が答えた。「銀行の金庫に眠ってる金を全部だ、英雄、銀行の金庫にはいったいいくらくらい金があると思う」

僕はもういちど右横を振り返って、それからインターフォンに向き直って尋ねた。

「銀行の金庫？」

「ああ、昨日も今日もパチンコしながら考えてみたんだ、もし英雄がその気になればの話だがな、ふたりで銀行の金庫を襲ってみないか？」

「すいません、僕は県庁の役人なものでその手の冗談は苦手なんです」

「この話が冗談に聞こえるところがおまえの役人根性なんだよ」

「そうなんですか」

「考えてみろ、県庁の役人が、それも将来を嘱望《しょくぼう》された若手のエリート役人が銀行を襲うなんて誰が思う？　な？　アイデアとして意表をついてるだろ。事実は小説より奇なりって言うだろ、金づまりの中小企業の経営者が郵便局を襲うよりずっとリアルだろ？」

「それはまあ」僕はまた右横をちらりと見た。「アイデアとしては面白いですけど、でも」

「無理強いはしない」と叔父《おじ》の声が言った。「とにかく上がってこい、この手の話はふつう部屋の中でふたりきりでするもんだ、いまロックを解除してやるから、そこのドアを開けてエレベーターで上ってこい」

だが502号室から玄関のドアのロックを解除する遠隔操作は必要なかった。そのとき僕の左横で別の人間が鍵《かぎ》を使ってすでにそのドアを開けていたからである。

それは小学生くらいの娘を連れた若い母親だった。一目で、つまりほろ酔い加減の『一《いち》瞥《べつ》』でそう見当をつけたのだが、先に娘を中に通して、半開きのドアを片手で押さえたままこちらへ人懐こく微笑《ほほえ》んでみせた女は、小学生の母親としては少々若すぎる年齢のようにも思えた。薄い茶色に染まった髪は両耳まですっかりのぞく形のショートヘアで、ボタンダウンの青いシャツの裾《すそ》をジーンズの上に垂らした恰好《かっこう》は、近くの短大に通う学生だと紹介されても納得できそうだった。ドアを押さえているほうとは反対側の肩にナップサックがぶらさがっているのを見てその印象を強めた。笑顔を返してドアに手をかけながら、僕はほろ酔い加減で見当をつけ直した。この二人連れはたぶん、人見知りをしない短大生と、その姪《めい》っ子といった組合せだろう。

玄関のドアを通り抜けて、狭い廊下を五六メートル進んだところに一基だけエレベーターがあった。一階に止まっていたので一秒も待たずに乗り込むことができた。LA・ドジャーズのウインドブレーカーを着た小学生が5のボタンを押して、きみは何階？　と言わんばかりに僕を見上げた。明らかに借り物とわかる丸いレンズのサングラスをかけているので、短大生と同じく色白というだけで顔つきまで似ているかどうかは判然としない。きみと同じ階だ、という意味をこめて僕は笑顔でうなずき、そばの短大生に目をうつした。彼女がまた人懐こい笑みを返した。

エレベーターの床にはチャコール・グレイの毛先のざらついた感触のカーペットが敷かれ、三方の側面にも落書き防止のためか床と同じ色同じ生地に見える布が張りつけてあった。そのせいで、ただでさえ小さなエレベーターの箱がいっそう狭苦しく感じられた。ドアの上の黄色いランプが2から3に移動する前に、僕はふたたび気になってそばの短大生に目をやった。ふたたび人懐こい笑みが返ってきた。

　その三度目の笑顔を見た瞬間に、僕は彼女の顔に見覚えがあるような気がした。親しく口をきいたことのある相手ではない。たびたびどこかですれ違っている顔でもないが、確かにどこかで一度、会ったことのあるような親しみの感情に捕らえられた。いつか結ばれる相手は世界中にただ一人で、彼女とは赤い糸で結ばれている。もし僕がそんなふうに考えるたちの男であれば、これが、このエレベーターの箱の中での三度目の笑みが運命的な出会いの瞬間だと信じたかもしれない。ほろ酔い加減でそう思いながら、視線を戻して3に灯《とも》ったランプが4に移るまで僕は心のなかで五つ数をかぞえた。そしてまた堪えきれずに彼女の顔を振り返った。彼女の唇がうごいて、ぼんくら、と言った。低くつぶやくような声だったので僕は聞き返す表情になった。

「ぼんくら」とすぐに彼女が繰り返した。「ぼんくら大学生」

「みそっぱ？」

　と僕は尻上《しり》がりに言い返して、相手の顔を遠慮なしでまじまじと見た。ボタンダウンのシャツにナップサックの恰好は学生風だが、化粧をほどこした顔はそれとは不釣合いだった。ソバカスの跡形も見つけられない。彼女の唇が横におおきく広がって整った白い歯がのぞいた。

「叔父さんの部屋に行くんでしょう？　あたしたちもよ」

「驚いたな」と僕は言った。それだけ言うのがやっとだった。

エレベーターが五階に着いた。軽やかなチャイムの音がひびいてドアが開いた。

　　　＊

　というわけでその晩（真夜中の一時過ぎに）、叔父が借りていたマンションの一室で僕たちは一堂に会することになった。

　そのときがきっかけで、それから先の約四ヵ月のあいだに起こった出来事――一言で悪い夢あるいは『どたばた』喜劇と評したくなるような一連の出来事については、気をもたせるようだがいまここで物語るのは控えておこう。

　実は例のスクラブルの三番勝負のあとで、明け方までかかって三ッ森小夜子に語って聞かせたのもこのあたりまでだった。要するにあの晩、マンションの五階へむかうエレベーターの箱のなかで物語りの主要な登場人物は出揃《でそろ》ったのだ。

　ちなみに三ッ森小夜子は僕の話し疲れた様子を見てとると、最後にそのエレベーターに同乗した女たちのうち小学生のほうに関心を示してこう尋ねた。

「その女の子が問題の事件の、つまり叔父さんのロリータなのね？　何か特別な魅力のある子だった？」

　質問の前半に対してはYES、後半に対してはNOだった。

　四ヵ月後、叔父がその女の子を（世間一般の常識から解釈すれば）誘拐しようと企てて失敗したことは事実である。だが正直に言って、僕はその女の子と初めて出会った晩にも、後に叔父をまじえて何度か会うようになってからも、はっとするような何か特別な魅力を感じたことはなかったような気がする。

出会いの晩、エレベーターの箱のなかで視線をかわしたときには、相手がサングラスをかけていたせいもあって何だか小生意気そうな小学生だと意識した程度だった。叔父の部屋でサングラスをはずした顔を見せてくれたときも、可愛いというよりむしろ美しい顔立ちの小学生、といった感想以上のものは持たなかった。長椅子《いす》の上であぐらをかいた叔父の、その股《また》の間にちょこんと尻《しり》をのせてすわっている彼女の様子は、僕の目にはただの甘えたがりの子供に映った。むかいのソファに腰かけた僕に時折ちらりちらりと投げかけられる彼女の視線は、好戦的、と表現してみたくなるほど鋭かったけれど、それも初対面の大人に対する、子供にありがちな好奇心ないしは単なる人見知りと考えれば別に気にもならなかった。

僕にとっての鈴村綾《すずむらあや》は（それが彼女の名前なのだ）、少なくとも当時はごくあたりまえの小学六年生の女の子にすぎなかった。「運動会では赤組と白組とどっちが勝ったの？」と聞きたくなるほど幼い子供でもなかったけれど、やはり小学生には違いなかった。日本中のどこにでもいる顔立ちのきれいな、たぶんまだ生理がはじまる前のどちらかと言えば小柄な小学生の一人、と言って間違いではなかった。

だがもちろん、僕には見えないだけで鈴村綾には何か特別な魅力がそなわっていたはずなのだ。それからまもなく人に勧められて読み、再読することになった小説、ウラジミール・ナボコフの古典的名作『ロリータ』のなかで、犯罪者ハンバート・ハンバートはこんなふうに提案している。

——少女は九歳から十四歳までのあいだに、自分よりも何倍も年上のある種の魅《み》せられた旅人に対して、人間らしからぬ、ニンフのような（つまり悪魔的な）本性をあらわすことがある。この選ばれたものたちを「ニンフェット」と呼ぶことにしよう。

僕にはこの一節が謎《なぞ》である。『ロリータ』を読み、再読したあとでもここで立ち止まり途方にくれるしかない。たぶんそれは男としての僕の趣味、といって悪ければ能力の問題だろう。資質、素地、傾向、思想、主義、何と呼んでもかまわないけれど、僕にはその選ばれたものたちを見抜くために必須《ひっす》の何かが欠けているのだ。美しい小学生が、ただ美しい小学生としてしか目に映らない僕のような男には「ニンフェット」について語る資格はない。

そのときむかいの長椅子の端には、鈴村綾を抱きこむようにしてあぐらをかいた叔父から何十センチかの間隔をあけて、二十歳の短大生（僕にとっての東京時代の大家の孫娘）がジーンズにつつまれた脚を組んだ姿勢で腰かけていて、僕の注意はむしろそちらへ引きつけられていた。男がそうするように一方の足首を一方の膝《ひざ》のうえにのせる脚の組み方だったけれど、彼女の女としての魅力なら僕にもあっさり見抜くことができた。ボタンダウンのシャツにジーンズという中性的な服装と、行儀のわるい脚の組み方を差し引いても、かなりのお釣りがくるほどだった。彼女の美しさは万人むけだった。彼女の美しさについてなら、誰が何と呼ぼうと提案しようと素直に従えそうだった。

その晩の伊和丸久美子《いわまるくみこ》は（それが彼女の名前である）、多少アルコールのはいった二十歳の女子大生らしく陽気に喋《しゃべ》った。隣で重なり合ってすわっている叔父《おじ》と鈴村綾には目もくれず、僕にむかって十年前の思い出話を語り、この街での近況を語った。ただし、叔父との関係については直接的にはいっさい触れなかった。僕の記憶では彼女じしんが小学生のとき、阿佐谷の下宿屋の門のそばで棒つきキャンディをなめていた日が叔父との初対面だったはずだが、それから先の（つまり僕が帰郷してからの）空白の期間については何も省かれたままだった。『都落ち』する叔父の『お供』で春休みの旅行に出て、この街にたどりつき、結局そのまま叔父と一緒に居ついてしまった、という成り行きの説明はあったがそれ以上の詳細は語られなかった。

近況について一つ言えば、伊和丸久美子は二週間前から繁華街のクラブにホステスとして勤めていた。そして鈴村綾の母親もまた同じクラブの古株のホステスだった。

「綾ちゃんのママは指名ナンバーワンなのよ、ねえ？」

と確か伊和丸久美子が言って一度だけ隣へ目をやり、するとその台詞《せりふ》を受けて鈴村綾が、つやのある栗色《くりいろ》の、小学生にしてはいささか長すぎる髪を叔父に撫《な》でられながら、あぐらをかいた叔父の片方の腿《もも》にしなだれかかるようにして、何度目かに僕に好戦的な鋭い目をむけたのだった。

だが、その晩の出来事についてはこの辺で切りあげておこう。

ハンバート・ハンバート流の表記で記憶を確認すれば、当時身長およそ五十五インチ、体重六十五ポンド程度だった小学生の女の子には、また物語りの後半であらためて登場してもらうことになる。

いまは話を三ッ森小夜子のほうへ、つまり叔父の事件をふくめてすべてが終わってしまったあとの、現在の時制へ戻そう。

中央にかなり大きめの円形の花壇が設けられ、周囲をアスファルトの狭い通路が一巡している。通路をへだてて外側には中央の円形花壇をすっぽり嵌《は》め込んだ形で幅が数メートルあるドーナツ状の花壇。その外側がまたアスファルトの狭い通路。そしてまたより大きなドーナツ状の花壇。すべての花壇を埋めつくしているのは何万本かのコスモスだ。ドーナツ状のコスモスの群生が裾《すそ》広がりに四層あって全体としては巨大な同心円の花壇を形づくっている。

1996　秋

秋になった。

一九九六年の十月初旬の午後、三ッ森小夜子とふたりで僕は何万本かのコスモスを見おろせる台地に腰をおろしている。

巨大な円形花壇（というよりも花畑）はまるで散らし寿司の上の着色でんぶ、あれを隅から隅まで満遍なくふり撒《ま》いたように淡いピンク色に煙って見える。

淡いピンク色にこんもり盛り上がった花畑の細い切れ込みのように見える通路は、いちばん内側から四方向へ放射状にも走っていて、それぞれの出口を経て駐車場のスペースに繋《つな》がっている。ウィークデイの午後なので駐車場に止まっている見物客の車の台数もかぞえるほどだ。

放射状の直線の道と、同心円を描くカーブした道のあちらにひとかたまり、こちらにひとかたまりと、のろのろうごく見物人の上半身が目にはいる程度。僕たちのいる所まで誰も上っては来ないし、注意をはらう気配すらない。いまここで、僕たちが何を始めようと誰一人気づく者はいないだろう。

くすんだ白から灰色までグラデーションの混じり合った、角のまるっこい岩々に覆われた高台に、一ヵ所だけまばらな雑草の生えた赤い土の広がりがあり、そこにピクニック用のビニール・シートを敷いて僕たちは昼食のツナサンドを食べた。ツナサンドのあとはスクラブルだった。

「なぜABCなのか疑問に思ったことがある？」

「ABC？」

「あたしたちが勤めている会社の略称。『あかつき缶詰株式会社』、Aはあかつきの A、Cはコーポレーションの C、じゃあ B は何の略？」

たとえいまここで僕が三ッ森小夜子に言い寄っても、それを受けて彼女がその気になったとしても、とりあえず邪魔になるのは二人の間に置いてあるバスケット——蓋《ふた》が半分開いて、中からコーヒーの入った水筒がはみだしている——とポータブルのスクラブルのゲーム盤とそれから彼女のかけているメガネくらいのものだ。この岩の高台に他の人影は皆無だし、ビニール・シートに這《は》いあがってくる蟻《あり》もいない。バスケットとゲーム盤を脇《わき》によけ、彼女の服（地味な色のパンツに地味な色のシャツに地味な色のカーディガン）を英語のイディオム風に言えば「グリーンのガウンで覆う」ついでにメガネをはずしてやり、あとは互いに全裸で秋の午後の日差しを浴びながら抱きあったとしても、抱きあいながらその辺を転げ回ったとしても下から見とがめる者は誰もいないだろう。

「さあ、知らないな」

「疑問に思ったこともないの？」

「疑問に思ったこともないな。E・A・R、イア、言うまでもなく耳」

「変な人ね」

三ッ森小夜子は手もとの持駒《もちごま》にしばらく目を落として、僕が先手で作った単語のRの下にOとWの駒をつなげて置いた。

「ロウ、オールを漕《こ》ぐ。自分が勤めてる会社の名前なのよ、営業先で略称のことを質問されたらどうするの」

「質問されたこともないな。会社の略称のことと、きみの水晶玉占いのことと何か関係があるのかい？」

僕はROWのWを頭にして右横にEとTの駒をつなげWETという単語を作った。

「ウェット、湿っぽい、ドライじゃない、何があってもラクショーの一言でかたづけられない」

「何？」

「楽勝、らくらくと勝つこと、転じて、人生をらくらくと乗りきること。ラクショー！ってね、例の鈴村綾《あや》がおまじないみたいに使ってた、たぶんホステスをしてる母親の口癖が子供に移ったんだと思うけど」

「それが今度はあなたの叔父さんに移ったわけね、酔助叔父さんも真似して使ったんでしょう？　おまじないみたいに」

「まあね、こことというときにね。きみの番だよ」

「打検という言葉は聞いたことがある？」

「ダケン？」

「出来上がった缶詰の検査法のこと。打検棒を用いて軽く缶の蓋をたたき、発する音と手に感じる振動によって良否を見分ける、すなわち真空度の低いもの、詰め過ぎや軽量のもの、巻締めの悪いもの、凹《へこ》んだものなどの不良缶を選別する方法。『缶詰入門』という本に書いてあるから今度貸してあげる、社員の必読書よ」

「その本なら入社祝いに俵ケ浦専務から貰《もら》ったよ」

「でも読まなかったのね」

「ラクショーだよ、って鈴村綾ならこういうときに言うだろうな。きみの番だよ」

「入社してもう何カ月になるの？」

「まだ読んでない」


三ッ森小夜子はWETのTの下にOの駒を一枚だけ置いて、あとはバスケットから水筒を取り出してコーヒーを飲み始めた。彼女が作った単語は前置詞のTOだ。今回のこのゲームにやる気をみせていないのは明らかだった。

僕はOの下にYの駒をつなげてTOYという単語を作った。それからピクニック・シートの上で横向きに寝そべって左手で顎《あご》をささえる姿勢をとった。その姿勢で、眼下に全体が淡いピンクに煙ったコスモス畑の中から濃いピンクと、やや濃いピンクと、薄いピンクと、白の花弁をつけた一本一本を見分けるために目をこらした。


「創立記念のパーティのとき打検のアトラクションをやったでしょう、憶《おぼ》えてる？」

「またきみの番だよ。我が社の缶詰の不良品を選別してみせるのがアトラクションになるのかい？」

「そうじゃなくて、缶詰の種類を当てるの。目隠しをしてね、缶詰のラベルを見ないようにして蓋をたたいただけで中身が何か当ててみせたの。ぜんぜん見てなかったの？」

「気づかなかったな」

「打検をする人のことを打検師と呼ぶの、熟練の打検師はたとえラベルを見なくても、缶の蓋をたたいたときの感触でこれはサバの水煮だとか、サケ缶だとかカニ缶だとかツナ缶だとか完璧《かんぺき》に選別できるの、何百万回、何千万回って毎日まいにち缶の蓋をたたき続けてるとそんな芸当もできるようになるわけ、打検師というのはそれくらいプロフェッショナルな仕事なの。イヤーズ、何年も何十年も」

ゲーム盤に目をやると、僕が最初に作ったEARの頭と尻《しり》にそれぞれYとSの駒が置かれてYEARSという複数形の単語が完成していた。それで彼女に8点が加わった。僕はまた起き上がって水筒の内蓋を取り、自分の分のコーヒーを注いだ。

「スコアの確認を」

「いまので19対16、あたしの3点リード」

「最後の一枚のYをね、ここで使ったのがきみの敗因になると思うよ」

僕はAとCとHとTの駒を彼女のYの下につなげてみせた。

「ヨット、アトランタではこの競技で日本人女性の二人組が銀メダルを取った」

```
Y・EAR・S
・     ・
A      O
C      W・ET
H         ・
T         O
          ・
          Y
```

「Cの駒がTRIPLE・LETTER・SCOREのマスにかかるからそれだけで9点になる、念のため」そして僕はまた横向きに寝そべった。「ヨット」艇で19点加算。スコアシートに記入したら次はまたきみの番だ」

「亡くなった祖父が打検の仕事をしてたの」

と三ッ森小夜子は言って、いつもの飲み方でコーヒーをほんのひとくち啜《すす》った。

「祖父は『あかつき缶詰株式会社』の創業に立ち会った主要メンバーの一人でもあったの、現在の社長、つまり俵ヶ浦専務のお父さんと一緒に、第二次世界大『戦後』まもなくいまの会社を起こしたの。缶詰会社としてはイワシのトマト漬け缶詰の生産からスタートしたんだけれど、当時は缶詰だけではなくて、鮮魚も干物もカマボコも蜜柑《みかん》も、そういった様々な物産をあつかう会社でもあったの、だから創業当時の会社名は『あかつき物産株式会社』、ABCのBは物産のB、結局ね、社長の方針でいまでも会社名の略称には創業当時の名残《なごり》をとどめているわけ。理解できた？」

「きみの亡くなった祖父は打検師だった。ABCのBは物産のB。その亡くなった祖父はお父さんの側の？　お母さんの側の？」

「母方の祖父」

「きみの生物学上の両親はどこで何をしてるんだい？」

「うちは鮎川《あゆかわ》さんとこと同じなの、あたしが小学校二年生のときに両親が離婚して、それ以来、生物学上の父とは『音信不通』、母は二年後に再婚して男の子と女の子を一人ずつ産んだ、戸籍上の父も子連れで母と再婚したから、あたしにも鮎川さんと同じで弟が一人、妹が三人いるの」

「この話はここまでにしよう。またきみの番だよ」

三ッ森小夜子は僕のヨットのTの右横にHとEを並べ、水筒の蓋に入ったコーヒーでまた唇を湿らせた。T、H、E、ザ。言うまでもなく定冠詞のザ。

あまりの芸のなさに、虚をつかれた思いで様子をうかがってみると、三ッ森小夜子は頰《ほお》のあたりにうっすらと含み笑いのこわばりを見せてコスモス畑のはうへ顔を向けていた。縁なし眼鏡をかけたその横顔に数秒、見とれているうちに僕は久々にキュートという表現を思いついた。頭の中であちこち触れたり、つまんでみたくなったりするような顔のことだ。C、U、T、E、キュート。スクラブルの盤上と持駒を点検してみたが、残念ながらその単語を作る余地はなかった。

「勤めている会社にも缶詰にも関心が薄い、他人の身の上話にも関心がない」横顔を見せたまま三ッ森小夜子が言った。「関心があるのは自分の未来だけ？」

鉤型《かぎがた》にした人差指の腹と親指とでつまんでみたくなるような、細いけれどまるみのある彼女の顎の先端、喉《のど》もとからそのまるみに沿って空想の線を這わせ、唇の下の窪《くぼ》みに落ちる前に、顎の頂点からこぢんまりした上向きの鼻の頂点まで直線で結んでみた。コスモスのいちばん淡いピンクの花弁をもっと薄めたような色合いの彼女の唇は、その直線にほとんど接するようにして内側におさまっている。で、僕は空想の中でその接点のあたりに自分の唇をそっと押しあててみた。

「ねえ、関心があるのは自分の未来だけ？」

「そんなことはない」と僕は言った。「自分の未来にだけ関心があるのなら、今頃こんなところにはいない。コスモスを眺めながらツナサンドを食べて、水筒の内蓋《うちぶた》でコーヒーを飲みながらスクラブルなんかやってる場合じゃない。木曜の午後に仕事もしないでピクニックなんてね、県庁勤めの頃には考えもしなかったよ」

「それは他に何か関心事があるという意味？　それとも、関心事なんてそもそも何もないという意味？」

「まさかね」

「まさか、何」

「何も関心事がなくて人は生きていけるのかい？」

「缶詰会社に勤めてて『缶詰入門』も読んだことのない人の発言とは思えないわね」

「エビル、悪」僕は彼女のザのEから下へ三つの駒を並べてEVILという単語を作った。

「いまとりあえずの関心事はこのゲームに勝つこと。LがTRIPLE・WORD・SCOREにかかるから単語全体の点数が3倍になる、念のため」

「県庁勤めの頃に女の人がいたでしょう」とスコアをつけながら三ッ森小夜子が尋ねた。

「それは」と僕は答えかけて内蓋のぬるいコーヒーを飲んだ。「それは県庁勤めの頃に個人的に親しくしていた女の人がいたという意味？　それとも県庁勤めの頃に女性職員がいたという意味？」

「まさかねって、こういうときに使えばいいの？」

「女ならいたよ、地図を赤く塗り潰《つぶ》すほどそこらじゅうにいた」

「きっともてたんでしょうね」

「いまでももてるさ、二人きりでいてきみが僕を口説かないのが不思議なくらいだ」

「その台詞《せりふ》を聞いたら猫だって笑うでしょうね」

と言って、三ッ森小夜子はにこりともしなかった。

「平気でそんな喋《しゃべ》り方をするから男の人たちに嫌われるのよ。あの晩の国松さんのことを言ってるの？」

「あれ以来、廊下ですれ違っても口もきいてくれないよ。あの会社で僕に関心を持っている人間はもうきみだけだ、少なくとも、社内の電話でピクニックに誘ってくれる人間なんて他にはいないだろうな。あの電話は秘書室からかけたのかい？」

「うちの会社には秘書室なんてないわよ、あれは俵ケ浦専務のデスクの電話を借りてかけたの。ちょうど専務に呼ばれて、きみは入社以来働きづめだからいまのうちに少し休んでおいたほうがいい、そうしないと年末の忙しいときに有給休暇が余って余って帳尻《ちょうじり》があわせられなくなる、そういう話だったから、じゃあお言葉に甘えてって、その場で営業部に電話を入れてみたの」

「専務の目の前で」

「ええ」

「嘘《うそ》だろ？」

「バイ、これも前置詞」

彼女はさきほど僕が作ったTOYのYの左横にBの駒《こま》を置いた。B、Y、バイ、これも芸のない前置詞。

「Eをつなげろよ」

僕は横向きに寝そべって頬杖《ほおづえ》をついた姿勢のままいちど目を閉じた。

「そしたら点数が倍になって少しはゲームが面白くなるのに、Eの一枚くらい持ってるだろ？」

「ううん、持ってない、一枚もない、あたしの持駒は教会の鼠《ねずみ》みたいに貧しい」

「県庁勤めの頃の女の人がどうしたって？」僕は彼女のBYのYの右横にEの駒をつなげた。「これもバイ、さよなら」

「来るわよ」

「来る？」

「彼女があなたのそばに来る」

「見たのか？」僕は視線を上向きにして三ッ森小夜子の額を見つめた。彼女はうつむいてゲーム盤をにらんでいるところだった。「水晶玉にまた僕の未来が映ったのか？」

「そうよ。用心して、彼女はトラブルのもとよ」

「もっと具体的に頼む。彼女は何か、光るものか何か持って現れるのか？」

「光るもの……」

「刃物とか」

「光るものといえばピアスくらいかしら、プラチナの。彼女がそれをはずしてベッドの脇《わき》の小さなテーブルの上に置けば『やけぼっくい』ってやつね、あなたはまた彼女と寝ることになるわけね」

「ベッドの脇の小さなテーブル、そこまで見えたのか？」

　彼女は首を振って否定した。それから持駒を五枚まとめて盤上に取り出して縦に並べはじめた。

「叔父《おじ》さんより先に彼女が現れる？」

「先ね」

「いつだい？」

「そこまではわからない」彼女はさきほど自分で作ったROWのRの上に五つの文字をつなげた。T、O、M、O、R、そしてROW、トゥモロー、明日。「あたしはよく当たる占い師じゃないのよ」

「それは正確には何なんだい、きみの水晶玉は、夢を見ることなのか、きみの夢のなかに僕の未来が出てくるのか？」

「あたしの夢が正夢になるということ？」

「違うのか？」

「それに近い経験ならあるけれど、でも目覚めていてもふいにイメージが閃《ひらめ》くように浮かぶこともある、とくにあなたのそばにいると頻繁《ひんぱん》にそういうことが起こる」

「なぜ」

「なぜかしら」

「いまの会社に入る前に、きみと僕はどこかで会っている?」

「いいえ」

僕は頰杖をはずして起き上がり、痺《しび》れた左手の手首のあたりをしばらくマッサージした。

「ちょっとした質問だけど、きみと僕はいつか、近いうちにいつか寝ることになるんだろうか?」

TOMORROWのスコアをつけるための鉛筆を握ったまま三ッ森小夜子が顔を上げて、僕の顔を真正面から見すえた。

「いまのはあたしを口説いてるの?」

と聞き返し、そのあとで、もし眼鏡をはずしてみせれば男の欲情をそそるに十分な効果が得られるはずだったが、彼女はそうしなかった。僕が質問の切り返しにまごついているあいだに彼女は次のように言った。

「あたしが思うに、あたしたちはいつか、たぶん通じあえるようになるのよ。寝る相手ならあなたの周りにはいくらでもいるわね、地図を赤く塗り潰すほどそこらじゅうに女はいる、あたしはそのなかの一人にはならないような気がするの、なるつもりもないけれど。要約して言えば、あたしがあなたに対して望んでいるのはメイク・ラブじゃなくて、メイク・センスなの、S、E、N、S、E、センス、感覚、わかるでしょ？」

「僕は近いうちにプラチナのピアスをした女とメイク・ラブするかもしれない、でもきみとはメイク・センスするだろう」

「そう」

「わからないな」

「そのうちにね」と彼女は呟《つぶや》き、また頰に含み笑いのこわばりを浮かべてTOMORROWのスコアをつけた。

ちなみにこのときのゲームは僕の圧勝に終わった。

それから、これは物語りの成りゆきからして言うまでもないとは思うけれど、県庁勤めの頃にごく親しい交際をしていた女性、プラチナのピアスをした平野《ひらの》美雪《みゆき》が僕のまえに姿を現したのは、翌日の夕方のことだった、念のため。

1994〜1995　平野美雪

平野美雪は僕と出会うまでメイク・ラブの経験がなかった。

出会ってまるまる一年後にようやく大いなる瞬間を迎えたのだが、そのときになっても彼女の体がうぶそのものであることは間違いなかった。出血を見るとか、痛がるとか、ずりあがりすぎて頭をこつんと壁にぶつけるとか、そんな一般的に流布された見きわめ方を考慮にいれる必要すらなかった。彼女じしん「私は何もしたことがないから……」と事前に（まるで懺悔《ざんげ》するかのように）打ち明けていたのだ。「うまくゆかなくても、嫌いにならないでね」

彼女の懺悔は信用に値した。紋切り型で譬《たと》えれば、彼女の体は新雪の朝のようなものだった。どんな男の歩いた足跡も見つけることはできなかった。僕が最初の一歩をしるしたのが去年の春の出来事で、彼女は二十四歳になったばかりだった。それからおよそ五ヵ月後、秋が来るまえに彼女は果物ナイフで僕の腹を刺すことになる。

「いけない人ね」

もしくは、

「悪い人ね」

という台詞《せりふ》が平野美雪の『おはこ』だった。

いちいち例を挙げればきりがないが、たとえば僕が道端にタバコの吸殻を捨てたりでもすると、彼女は母親が子供を教育するような口調でその台詞を使った。禁煙の場所でタバコを取り出したときには、彼女は僕の腕をやんわり押さえたあとでその台詞を使った。それは『美女と野獣』というウォルト・ディズニーのアニメーションを上映している劇場の客席でのことだった。彼女が見たがったのだ。

黄色の信号で咄嗟《とっさ》にブレーキを踏むよりも突っ切るほうが正しい判断である場合にも、赤に変わった信号を無事に越えるとまもなく助手席から彼女のその台詞が飛んできた。一度真夜中に彼女を乗せて車を走らせていると、前方に若い娘が二人、横断歩道もないところを酔った足取りで渡ろうとしているので、むやみに悪戯《いたずら》心がわいて車の鼻先をセンターライン寄りに向けて衝突寸前でハンドルを戻し（と言っても2メートルくらいは余裕があったのだが）、娘二人を文字通り飛び上がらせたことがあったけれど、そのときには彼女は助手席でしばらく胸に手をあてて動悸《どうき》を静めたあとで「悪い人ね」と決めつけたきり不機嫌になった。

ネクタイの結び目を少しでも緩めていると、かならず「いけない人ね」と言いたそうな目付きを彼女はしたし、県庁の勤め帰りにネクタイとワイシャツの一番上のボタンまではずして待ち合わせの場所に行くときには、彼女が口を開くより先にこちらから「わかってる、きみの言いたいことはわかってるよ」とうなずいて微笑《ほほえ》んで見せなければならなかった。二人で入った店のカウンターでビールを飲みながら料理が出てくるのを待つ間に、すっかり気持のたがが緩んでしまったことがあって、そんなときにも彼女は結局『おはこ』の台詞を持ち出すことになった。

「何をぼんやり考えているの？」

「何も。ぼんやり考えてなんかいないよ」

「本当は叔父《おじ》さんのことでも考えていたんでしょう？」

「明日していくネクタイのことを考えていたような気がするな」

「お食事のあと、よかったら、私のお部屋でスクラブルをしませんか？」

「英和辞典は買ったかい？」

「ほら、さっきも誘ったのに、やっぱり聞いてなかったんでしょう、いちばん厚いのを買いました」

「あなたの考えてることを教えてくれたら1ペニーあげる、英語の表現ではそう言うんだよ、何をぼんやり考えてるの？　って聞くときにね、“A PENNY FOR YOUR

THOUGHT”」

「英雄さんは英和辞典を隅から隅まで読んでるの？　スクラブルのために？」

「英和辞典も読むけど、いまのは『ロリータ』という小説で読んだ、ウラジミール・ナボコフの。“A PENNY FOR YOUR THOUGHT”と言われた女の子がすぐに手のひらをさしだす場面があるんだよ、じゃあ1セントちょうだいって」

「ロリータって、あの『ロリータ』？」

「ほかに『ロリータ』があるのかい？」

「いけない人ね」


一昨年の春、初めて会ったとき平野美雪は大学のピアノ科を出たての二十三歳で、県庁の選挙管理委員会で臨時の職員として働きだしたところだった。

僕たちは庁舎一階のエレベーターの扉の前で出会った。先に断っておくが、それはほんの些細《ささい》なハプニングにすぎなかった。後にベッドの中で平野美雪がそのときのことを懐かしんで大げさな言葉で飾り立てたように、仮にそれを劇的な出会いと呼ぶならば、僕は一年三六五日どこかで劇的な出会いにぶつかっている。時刻はちょうど『おやつどき』だった。平野美雪は選挙管理委員会の仲間うちのくじ引きに負けて使い走りに出ていたので、片手に桜餅《さくらもち》の包みを持っていた。僕の方は、広報誌の仕事で地元在住の彫刻家を取材した帰りだったから、撮影用のニコンと、取材用ノートやテープレコーダーや広報誌のバックナンバーの入った鞄《かばん》を肩から提げていた。

エレベーターが一階に降りてきたので、僕は「あなたの後から」という意味をこめて目で横の女をうながした。たぶん微笑んでみせたのだと思う。彼女は微笑み返しただけで乗り込もうとはしなかった。それで僕は一歩踏み出した。同時に彼女が動いたので肩が触れ合った。僕たちは互いに一歩ずつ後ずさりした。僕はまた同じ意味をこめてうなずいてみせた。彼女が微笑み返した。そしてそのあとで再び肩と肩を触れ合わせ、一歩ずつ後ずさりした。都合三度それを繰り返して、僕は心の中で三度舌打ちをし、彼女のふっくらとした色白の顔に赤みがさすのを見た。空のエレベーターの扉が閉まり上昇していった。

起こったのはそれだけだ。英語の表現を借りれば実に些細な「一本の藁《わら》が揺れ動いただけのこと」。それがきっかけで僕は平野美雪の人生にとって重要な意味を持つ男になった。どんなに些細な出来事でも見逃さずに日記に書きとめる人間はいる。結局そのあと隣のエレベーターを一階に呼んで、僕が彼女の背中を押すかたちで一緒に乗り込むことになった。二人きりのエレベーターの箱の中で、彼女が（顔を赤らめたまま）「新聞社のかたですか？」と取材用のカメラに目をやって尋ね、僕は首を振った。

「五階には秘書課広報室という部署があるんだよ、知事室も記者室もあるけど」

「すみません、私まだ何も知らないんです、選管でアルバイトを始めたばかりで、どんな部署がどの階にあるのか何もわからなくて」

「そのうちいやでも覚えるよ」

「でも、私は選挙が終わるまでしかいないから」

「それは残念だね」

「はい？」

「せっかく知り合えたのにね」

「広報室って『県庁だより』の編集をやるところでしょう？」

「そう」

「クリエイティブな仕事ですね」

「そうだね」

「あの、こんど広報室を覗《のぞ》いてみてもいいですか？」

「暇なときにどうぞ」

「暇なんです、選挙人名簿とにらめっこしてるだけだから、今日だって暇の犠牲で私がお使いに出されてこれを……」

　と彼女が菓子屋の包みを持ちあげてみせたとき五階に着いた。僕は手のひらを向ける挨《あい》拶《さつ》をして先に降りた。エレベーターが十階まで上るのを見届けてから広報室に戻った。その日はそこまでだった。

　翌日の午後、平野美雪は差し入れの桜餅を持って広報室のクリエイティブな仕事を覗きにやってきた。ちなみに、その日も前日と似たようなワンピース姿だった。次の日も、その次に会ったときも、彼女は常にひらひらした感じのワンピースを身にまとっていた。色と柄が変わるだけだ。ある時期流行《はや》った『ボディコン』と比較すればムームーと言っても通る代物だった。裾《すそ》を広げると子供なら三人くらい捕獲できそうだった。

　平均的な身長とのバランスから言えばやや大きめの顔かたちからも、全体にまるっこい印象の体つきからも『純和風』という表現を思いつくほどだったので、彼女にそれらのワンピースがぜんぜん似合わないというわけではなかった。つまり（英語のことわざ風に言えば）時が白砂糖を食塩に変えたとしても、日曜が二つ揃《そろ》ってやってきたとしても、決してぴったりしたジーンズやタイトスカートが彼女に似合う頃合いが訪れるとは思えなかったし、その点は彼女じしん二十三年間の人生のなかで十分に検討済み、ないし計算済みのはずに違いなかった。だから何度も何度も会っているうちには、逆に、彼女のワンピースの着こなしが彼女の確固たる個性として新鮮な色気を発する場合もあった。

　新鮮と言えば、彼女の例の二つの口癖をはじめとして、「清潔なリネンでくるんだような」お嬢さま風の物の言い方も僕にとっては新鮮だった。それまでは性的な主題をふくめて率直な喋《しゃべ》り方をする女性ばかり僕のまわりには集まってきていたのだ。広報室を覗きにやってきた午後、パソコンにむかってお決まりの文章を打ち込んでいる僕の背後で、彼女はこんなふうに切りだした。

「鮎川《あゆかわ》さんのお父様は、とても有名な野球選手だったんですってね」

「嘘《うそ》だよ。選管の人間に吹き込まれたのかい？」

「おじにも確かめたら、本当だって言ってました」

「おじ？　おじって誰のこと」

彼女がフルネームを口にすると、それは聞き覚えのある名前だった。僕はキイボードを叩《たた》く手を休めて、むかいの机でマニキュアを塗り直していた広報課の先輩と顔を見合わせた。

「きみは知事の姪《めい》っ子なのか？」

「いいえ、私の父とおじは本当はいとこ同士なんです、でもおじさんと呼ぶほうが呼びなれてるから、つい。おじにはきつく言われてるんです、庁舎内ですれ違ってもお辞儀だけですませるようにって、くれぐれも、気安くおじさんなんて呼びかけないようにって」

むかいで先輩が短い吐息をついた。平野美雪が笑い声をつくった。

「鮎川さんは女性にとても人気があるって、そんなことも言ってましたよ」

「知事が？」

「ええ、選管の人達もみんな。エレベーターで広報課のとても素敵な男性と乗り合わせたと私が言ったら、それは鮎川さんのことだろうって、すぐに教えてくれたんです」

「エレベーターに二人きりで乗ったの？」先輩がとても我慢できないという感じで口を開いた。「あなた、よく無事でいられたわね」

「無事？」平野美雪が無邪気なのか『かまとと』なのか見分けがたい言い方をした。「もちろん無事でした。変なことをおっしゃるんですね」

「それで、あなたのお父様は何をなさってるの？」先輩が取り合わずに尋ねた。

平野美雪が礼儀正しく答えると、それは聞き覚えのある私営バスおよびホテルおよびゴルフ場の系列名だった。父親はそれらの事業の経営に参加している模様だった。先輩がマニキュアの瓶の蓋《ふた》を閉めて爪《つめ》に息を吹きかけた。

「おじ《ヽヽ》が意地悪を言うんですよ、美雪、たとえおまえが得意のピアノでモーツアルトを弾いてみせても、鮎川くんみたいな人気者を振り向かせるのは難しいだろうよって。どう思います？」

「お父様と一緒に連弾で弾けばいいのよ」先輩が意地悪を言った。「そしたら独身男はたいてい振り向くと思うわ」

「父はピアノは弾けないんですよ」平野美雪が冷静に答えた。「母となら、たまに一緒に遊びで弾いたりしますけど」

先輩が椅子《いす》を蹴《け》る勢いで広報室を出ていった。それで僕たちは二人だけになった。

「気にしなくていい」僕はなぐさめた。「同性に嫌われるのはそんなに悪いことじゃない」

「あら、私はいまの人に嫌われたのかしら」

「まちがいないと思うよ」

椅子の背もたれに添えられていた彼女の指先を僕はそっとつかんでやった。

「鮎川さんて……」彼女の声にはじめて分別の色がまじった。「誰にでもこんなふうに優しくするの？」

「きみがパイなら食べちゃいたいと言いたくなるような相手にはね、だから人気があるんだよ」

「いけない人なんですね」

「お嬢様をからかってると痛いめにあうわよ」

それからのち広報課の先輩は、忠告と唆《そそのか》しと、どちらともつかぬ微妙な目つきで僕を責めるようになった。

「色が白くってふかふかした餅《もち》みたいな女じゃない、抱き心地が良さそうよね、『肉布団』て言葉を思い出したりするよね、そういうのを試してみたいのはわかる、よくわかる、あたしが男だったらね、あんな娘、胡瓜《きゅうり》でいじめてひいひいゆわせちゃう、でも、やっちゃうには覚悟がいるでしょう？　なにしろ知事の縁戚《えんせき》だもの、考えどころね、下手にやっちゃうと『逆玉』おめでとう！　って祝電をもらうはめになるわね、そりゃ鮎川君が望んでそうなるならかまわないけどさ、あたしはぜんぜんかまわないけど、そのつもりならクリーンにすべきところはクリーンにしてからでないとね、あたしが知ってるだけでも二階の後家と、ミス・コスモスと、それからあれ、旦那《だんな》がインポテンツの短歌の先生とはまだ続いてたんだっけ？」

二階の後家というのは、胃癌《いがん》で夫に先立たれた庁舎二階・年金課に勤める子持ちの女性職員のことで、僕がまだ新人の頃、やはりエレベーターに二人で乗り合わせてその箱のなかで彼女のほうからにじり寄るようにアプローチされて、以来不定期にではあるが関係が続いているのだった。

ミス・コスモスというのは、県が主催する秋のコスモス・フェスティバルのパレードのために毎年三人のミスを選ぶコンテストで、離婚経験のあることが匿名電話の告げ口でばれて当選寸前で落とされた女性のことで、悔し涙にくれているのをなぐさめた晩にそんなふうになって、以来彼女の気まぐれ次第ではあるがもう四年くらい関係が続いているのだった。

それから旦那がインポテンツの短歌の先生というのは、まあ言葉通りの女性で、二年前彼女が『県庁だより』に毎号短歌の添削コーナーを持つようになって以来、これは定期的に月に一度原稿の受け渡しの日に関係が続いているのだった。

一つにはそういった複数の女性との性的な関係が、まるまる一年もの間平野美雪との『きよらかな交際』を維持していくための裏の力になってくれた。欲情のはけ口は、僕に対して欲情のはけ口を求める女たちに向ければすむことなのだ。

もちろん、平野美雪個人に対する性的関心もないではなかった。彼女が選挙管理委員会の仕事をやめて『家事手伝い』の日常に戻ったあとも、平均すれば週に一度は広報室に電話がかかってきて、そのうち二回に一回くらいは特に断る理由もないので会っていたのだが、会えば会ったでふいに、例のワンピースの裾をたぐりあげて『つきたての餅』みたいに柔らかな弾力のある太い脚をあらわにしてみたいというような、彼女の体に対する『お医者さんごっこ』的な好奇心ともにわかに区別のつけにくい欲情が、重たい灰色の霧のように垂れこめることもあった。

そんなときは彼女の手を盗み見ることで危機をしのぐことにしていた。彼女の手は大人の女性にしては小さめで、肉厚で、当然手の甲の面積は狭く、指はどれも短かった。もし頭の中で余分な肉をそぎ落とした彼女の手をイメージできれば、つまりあくまでも好意的に見れば、それはまるで紅葉《もみじ》のようなという形容で愛《め》でられる可能性を秘めていた。だがその可能性は「聖母マリアが次男を産む」可能性といい勝負だったし、いずれにしてもピアノを弾くために有利な手とはとても思えないのだった。

音楽大学のピアノ科を卒業して、その特技を生かすでもなくいきなりおじのコネを頼って選挙管理委員会にもぐりこむくらいだから、彼女がピアニストとしての天分に恵まれていないのは明らかだった。ピアノを弾くために不利な手を持って生まれてきた人間がピアニストをめざす。自分の才能の程度に気づかない人間が、その才能を生かすしかない世界に人生の前半を賭《か》けてしまう。そんな悲劇が世の中にあるだろうか、と僕は彼女の手をちらちら眺めながら考えてみたのだが、それを悲劇と呼ぶならそんなものは世の中にはいくらでも転がっているに違いなかった。現に、野球選手としてプロのスカウトの目にとまるどころか大学のチームのレギュラーにもなれない才能（の無さ）に無自覚のまま、二十歳まで野球をつづけた人間がここにいるではないか。

そう考えると、平野美雪が人生の前半のある時期に人並みに挫《ざ》折《せつ》の味を嚙《か》みしめているのは確かなはずだったが、彼女の人となりからはその痕跡《こんせき》がまったくうかがえないことに関して、僕は感心するよりもむしろ白けた。県知事のおじや、モーツアルトの曲をピアノで弾けることを遠回しに自慢する台詞《せりふ》、限りなく『かまとと』に近い数々の台詞、それから二つの『おはこ』の台詞等が次々に頭に浮かび、いま目の前にすわっている女がどこまでもおめでたい人間に思われて仕方がなかった。欲情の霧は晴れた。僕は彼女の手に無遠慮な視線を這《は》わせた。体の一部分にでも僕の視線を感じ取ると赤面するのが常だったし、またその赤面も度を超えていたので、彼女の指は十本のカラシメンタイコのようにぽってり赤らんで見えた。

それから僕は1セント払う用意をして独り頭の中で才能という言葉について思いをめぐらせることになった。平野美雪の手、ピアニストというにはあまりにも滑稽《こっけい》な手を盗み見るたびに、才能という言葉に寄り添う記憶が必ずよみがえった。常に同じ回路を経由して（欲情→　手→　挫折→　才能）、僕はそこにたどりついた。だから平野美雪と会った別れ際には、たいてい僕は夏樹《なつき》姉のことを思い出していた。実はそれがもう一つの、平野美雪との『きよらかな交際』を持続させるための表の力として強力にあったのだ。

鮎川《あゆかわ》夏樹は、父の再婚相手つまり現在の戸籍上の母の『連れ子』だった。五月《さつき》という韻を踏んだ名前の四つ年下の妹がいて、僕が間に入るとそれぞれ二つ違いの姉と弟・兄と妹という新しい関係が生まれた。

父が再婚したのは一九七九年、僕が中学二年のときで、その前年にはプロ野球界から引退し、同時に最初の結婚も『御破算』にしていた。一九七八年、現・西武ライオンズの前身球団・クラウンライター・ライオンズが消滅した年だ。つまり父は平和台から所沢へ移った球団のメンバーとして不要宣告を受けたわけである。離婚に際しては、二人の間でどのような話し合いがもたれたのか僕にはわからない。大まかな結果だけ言うと、母が双子の幼い妹たちを取り、父が僕を取った。二年前に建てたばかりの家（土地・家屋）も母が取った。

再婚した父は、僕にとっては前の結婚をしていたときの父と少しも変わらなかった。家の中にいる時間よりも外で過ごす時間のほうが圧倒的に多い、という点で特に変化がなかった。新しい母に言わせれば、父は相当の『無茶』をやらかしていた。「前の奥さんがたづなを緩めすぎたせい」で父は、昔ロードに出るとき愛用していた傷だらけのトランクと同様に『無茶』を手放せなくなっていた。その『無茶』が酒と母以外の女を意味することなら中学生の僕にもわかった。酒と女との結び付きが人生に不安定をもたらす公式であることくらいは、物心ついた男の子なら皆知っている。

いったん外に出ると父は『鉄砲玉』だった。何週間も姿をくらましてある日突然、なめし革の愛用のトランクをぶらさげて戻って来た。帰宅したその日の父はおだやかで機嫌が良かった。家族全員がそろった食卓で、当時デビューしたてのロッテ・オリオンズの内野手の話を――その新人の才能の程度をしめすプレイの一つ一つ、および将来へむけての大いなる可能性について――えんえんと語り聞かせるほどに機嫌が良かった。のちに母の言うところでは、どうやら父は暇に飽かせて自分を解雇した球団の追っかけをやっていたらしく、対戦相手のチームの中からその有望な新人内野手を発掘した模様だった。

もちろん川崎球場を舞台にした父の土産話《みやげばなし》は夏樹姉にも妹の五月にも退屈だったろうし、多少なりとも野球に関心のある母にも、そして僕にさえも歓迎はされなかった。母は話の途中で箸《はし》を置き、テレビのジャイアンツ戦のボリュームをあげるために席を立ちながら、

「落合《おちあい》って誰」

と一言でかたづけたし、それを聞いた父から助けを求めるような目をむけられた僕もさらに困りはててうつむくしかなかった。中学で軟式野球にはげんでいた僕にしても、母と同じでパシフィック・リーグのそんな新人選手の名前など聞いたこともなかったのだ。

川崎球場のおそらく閑古鳥が鳴きそうなスタンドから発せられる、父の熱いまなざしを一度くらいは感じたかもしれないその新人が、才能を開花させ初の三冠王を獲《と》ったのは一九八二年のシーズンのことである。だが父はそれを知らなかった。母の述懐によれば「案の定『無茶』がたたって」好き放題のツケを支払いきれずに一九八一年の冬、父は三十六歳で生を終えた。訃報《ふほう》を知らせる電話は福岡の愛人宅からかかってきた。

その父の遺体を引き取りに母が出向いた晩にも夏樹姉は僕の部屋に『夜ばい』をかけた。いつものようにノックなしで忍び入り、女の子独特の湯あがりの香りを引き連れてベッドにすべりこんでくると、耳元でコンドームのパッケージを破る音を聞かせた。

「泣いてないからほっとしたわ。ひとりでめそめそ泣いてるかと思って来たの。つけてあげるね」

それまでに僕はすでに百個ではきかない数のコンドームを、夏樹姉を相手に装着した経験があった。初めてそれを見たのは高校受験を間近に控えた冬休みのことで、昼間妹の五月を入れてスクラブルで遊んでいると、夏樹姉が見慣れぬ6文字の単語を作った。C、O、N、D、O、M、コンドーム。二回パスしたあげくだったので意図的に違いなかった。中学一年生の五月が英和辞典を取りに席を立った。

「英雄君は知ってるよね」

「知ってる」

「いままでにそれを見たり触ったりしたことがある?」

「一度もない」僕はコンドームのNにEVERの4文字をつなげて置いた。

そしてその晩、母と妹が寝静まったあとで夏樹姉は僕の部屋を訪れた。ノックなしで扉を開け、受験勉強にはげんでいる僕のかたわらに立つと、空色のパッケージを破ってそれを取り出してみせた。

「これよ。これが噂《うわさ》のコンドーム。最初はつけてあげるからベッドに横になってみて」

その直後に僕は正真正銘の初体験を迎えることになった。

「英雄君はね、野球と英単語を覚えることにしか興味を持たないでしょ、そんなんじゃだめよ、かたよった人間にしかなれないよ、特に、あたしたちみたいに親がしっかりしていない家の子供はね、誰も教えてくれないことを自分たちで学ぶようにしないと、人から遅れちゃう、高校に受かっても、コンドームの使い方も知らないんじゃみんなの笑い者になっちゃう、ね？　いまのはわるくなかったでしょ？　あたしも気持がよかったもの、英雄君もよかったでしょ？」

『夜ばい』の味をしめた夏樹姉は（味をしめたのは僕も同じだったのだが）、次からは中二日のローテーションで部屋にやってくるようになった。最初のうち僕のベッドは、夏樹姉じしんもまたコンドームのつけ方やそれをつけるタイミングを確認・復習するための初歩的な実験場の色合いが濃かった。その時期があっというまに過ぎ去ると、夏樹姉はもっと欲張りになり、僕に細かい指導をあたえるようになった。

くすぐったいとか、痛いとか、強すぎるとか、爪《つめ》の先が当たって気が散るとか、はっきりと言葉にして彼女は僕を導き、こんどは体を入れ替えて、ここはどう？　とか、これはどう？　とかの質問によって自分が導かれることも望んだ。そしてその時期も過ぎ去ると、最後の最後に後始末をして下着を探すときが来るまで、彼女の口からはいっさい意味のある言葉は聞かれなくなった。

あるとき中二日のローテーションが崩れて——その間にどうやらどこか他でゲームをやってきた様子がうかがえたのだが——久々に僕のベッドに上った夏樹姉は、最後の最後になっても微《かす》かに体をふるわせつづけるだけで、後始末に動こうともしなかった。

「あたしがいまどんな気持かわかる？　あなたがパイなら食べちゃいたいって気持よ、すごかったわ、とてもよかった、いまとても幸福なの、英雄君にはわからないでしょうけど、どう伝えればいいのかしら」

「グレイト」夏樹姉が脱ぎすてたままのパンティを手の中で丸めたり伸ばしたりしながら僕は呟《つぶや》いた。「G、R、E、A、T、5文字」

「うん、その単語を英雄君に捧《ささ》げる、こんどスクラブルをやるときは何回パスしても英雄君のために作ってあげる、本当にその通りよ、英雄君はただ覚えがはやいだけじゃない、はっきりわかった、きみには才能があるんだと思う、絶対」

一度だけ、その絶対の才能に確信の持てない高校生の弟のために、夏樹姉は友人の女子大生をわが家に泊まりがけで招待した。で、三者納得ずみの試みは三者納得すべき成果をあげた。才能を測定する針は最高値をしめした模様だった。明け方になってやっと女子大生が僕の部屋から出てゆくと、まもなく姉が代わりに現れて眉《まゆ》をつりあげた。

「英雄君、何をしたの？　彼女壊れちゃったわよ、いったい何をどうやればあんなふうにふにゃふにゃになっちゃうの、ちゃんといつものようにやった？」

「アレンジしてみた。ちょっとだけ」

「やりすぎよ。普通にやればいいのよ。彼女はあたしたちと違って普通の家庭のお嬢さんなのよ、普通の家庭の奥さんになるつもりで大学の家政料に通ってる人なのよ、今夜だって良い奥さんになるためのゼミナールとして参加してもらったのに、失礼じゃないの、いきなり初めての人に、そんな変なことをするなんて」

「変なことなんてしてないよ」

「もういいわ、わかった、英雄君もこれでよくわかったでしょ、とにかくきみは才能に恵まれてるのよ、だから用心して使うように、いいわね？　それで、どこをどうアレンジしたの？　試しにあたしにもやってみて、彼女にやったように、一から十までその通りにしてみて」

父の死から二年後、高校生活の大部分を野球と中二日のローテーションでの夏樹姉との夜に捧げた僕は、野球のほうだけを続けるために東京の大学を選んだ。

明日飛行機で東京へ向かうという前の晩にも、夏樹姉は当然のように僕のベッドにすべりこんできてコンドームのパッケージを破り、その晩は特別に三つも破ったあとで、やはり才能という言葉を用いながら、戸籍上の姉らしい口調で話しかけた。

「英雄君、もし大学でこれ以上きみの野球が上達しなくても、そのことにいつか気づいたとしても、挫《くじ》けたり投げやりになったりしないでね、野球選手になるだけが男の人生じゃないんだから、たぶん人にはそれぞれ才能の質と程度があるのだと思うの、きみのお父さんの才能は野球むきだったかもしれないけれど、でも、その才能だってロッテの落合さんほどではなかった、それは明白な事実でしょう？　なにも蛙《かえる》の子が蛙にならなきゃならないいわれはないんだし、どうしても野球にこだわる理由は一つもないのよ、特に、英雄君の場合は別のグレイトな才能に恵まれているんだから、もし野球を諦《あきら》めざるを得なかったとしても、他に生きてゆく方法はあると思うよ、たとえば一流のジゴロになるとかね、カサノバみたいに回想録を残すとかね」

夏樹姉は肩まで毛布にくるまってベッドに横たわっていた。僕は勉強机の前の椅子《いす》に腰かけてせっせとグラブを磨いていた。

「英雄君は学校の友達をうちに連れてきたことがないでしょう、野球部の仲間からだって電話もかかってきたことがないし、そのことをあたしの母はずっと気に病んでるのよ、あの子が東京で独りぼっちでやってけるのかしらって、母は英雄君の才能を知らないから、けどあたしはよく知ってる、きみは女の子には親切にされても男の子には敬遠されてきたのよね、これからもずっとそうなると思うよ、女性はきみの才能の匂《にお》いを嗅《か》ぎつけて集まってくるの、そして男性はきみの才能をねたんで迫害しようとするの、ねえ、それってそもそも野球にはむかないんじゃない？　野球って男同士のチームワークのスポーツでしょう？　だからなの、あたしがこんなことを言うのは、英雄君、あたしと約束してくれないかしら、大学に行ってこれ以上野球が上達しないとわかったら、さっさと見切りをつけて、野球なんかやめて戻って来るって、もし英雄君が来月この家に戻って来ても喜んで迎えてあげる、母も五月も喜ぶと思う、正直に言えば、あたしがいちばん辛《つら》いの、いま英雄君に出てゆかれるのがとても辛いの、ねえ、約束してくれる？」

　僕は磨きかけのグラブを机に載せ、椅子ごと向き直って夏樹姉の青白いやつれた顔を正面から見た。その状態で、野球を捨てる約束をすべきかどうか迷っていると、夏樹姉が匙《さじ》を投げたような声をだした。

「うん、て言えばいいのよ」

　毛布の陰で彼女はパンティに脚を通して起き上がった。

「こういうときには取《と》り敢《あ》えず、うん、て言えばいいの。一日でも先の約束には不可能でもYES、それでその場は済むの、覚えとかなきゃだめよ、そんなんじゃこれから集まってくる女を捌《さば》ききれないわよ」

もちろん二十歳で野球に諦めをつけたときにも、これらの夏樹姉の言葉は頭にあった。その後、酔助叔父《おじ》とつるんで放蕩《ほうとう》に明け暮れているときにも、この街に戻り役人として勤めだしてからも、新しい女との『性行為』のたびに夏樹姉の記憶は頭の隅にありつづけた。そして平野美雪の場合には、まだ一度も寝ないうちからそれをよみがえらせた。

つまり彼女との場合には、夏樹姉の言う僕の才能が僕の手足を縛りつけることになった。平野美雪はそれまで僕のまわりに集まってきた女たちとは明らかにタイプを異にしていた。彼女たちはすべて、A・金のため、またはB・一晩の快楽のため、のいずれかに分類できた。いずれかのために彼女たちは僕と寝たのである。それ以外はなかった。だから僕は存分に才能を（それが才能と呼べるならば）発揮することができた。Aタイプの場合には叔父に金を支払ってもらい、Bタイプの場合には釣る者と釣られる者との区別のつかない媚《び》薬《やく》めいた駆け引きを楽しみ、あとはなにしろベッドのある部屋へ行って快楽に身をゆだねればそれでよかったのだ。

だがこの場合は違った。平野美雪との交際には本物の魚釣りのように勝ち負けのつく危険がともなっていた。釣りあげられたほうが深手を負うのである。むろん彼女に少しでもその気があれば、彼女と寝るのは容易《たやす》いはずだった。その行為で彼女を幸福にしてやるのも容易いはずだった。たぶん相手が平野美雪なら『いちころ』だろう。でもそれがドミノ倒しの最初の一枚を倒すきっかけになり、ばたばたと倒れつくした先の先で、最後の一枚が取り返しのつかない何かに連結するボタンを押してしまうのではないか、そういった不吉な予感が確かにあった。

で、平野美雪と会った別れ際には、かならず僕は夏樹姉の記憶の中から才能という言葉をよみがえらせた。そして彼女をC・配偶者を探すため、という三つめのタイプに分類し、彼女の背中に「取り扱い注意」のラベルを貼《は》って自宅の前まで送り届けた。

その芸のない繰り返しが一年もの間、平野美雪との距離を一定に保つための力になり続けていた。英語の諺《ことわざ》をアレンジすれば、お嬢様の心に眠っているライオンを起こすようなまねは慎んだほうがいい、というのが僕のいつもたどり着く結論だった。

だが僕のあまりにも一方的な結論は昨年の春、平野美雪の『岩より固い』決心によって打ち砕かれた。

そう説明するしかないのだが、出会ってからまるまる一年かかったとはいえ、僕がついに彼女の内なるライオンを目覚めさせてしまった原因は、九分九厘まで彼女の側の決心にある。残る一厘は僕の欲情にある。

毎回毎回僕が芸のない結論にしがみついている間に、彼女は彼女で会うたびにじわじわと、後戻りのできない方向へ心を決めにかかっていたのだ。つまりまるまる一年がかりで、平野美雪は僕を初めてのメイク・ラブの相手に、同じ意味だが将来の配偶者に認定した。

彼女の二十四歳の誕生日からしばらく経って（当日は僕の都合がつかなかったので先送りにされたのである）、夕食の招待がかかった。僕はプレゼントにありきたりのブローチを用意していた。広報課の先輩に「ありきたりでいいから」と頼んでデパートで買ってきてもらったブローチだった。

その晩、ネクタイをきちんと締め直されたうえで連れて行かれたのは真新しいマンションの一室だった。もちろん事業家の親に買ってもらったのだ。思わず部屋から部屋へと見てまわりたくなるような広々とした豪勢な代物だった。実際に見てまわるとまだ幾つかの家具が足りなかったが、その晩の準備はすべて整っていた。

分厚い天板の卓球台のように広い食卓で僕たちは夕食をとった。食卓の上には胴がオレンジ色の螺旋《らせん》模様の刻まれたロウソク（燭台《しょくだい》付き）が三本立てられ、おのおのささやかな黄色い炎をともしていた。夕食時の照明はそれだけだった。食卓の長い辺の端と端に僕たちは腰かけていたので、ワインを注いでやるときにはいちいち椅子を引いて歩み寄らなければならなかった。腕を伸ばしても届きそうにないので、当然、乾杯のときは目を合わせてグラスを持ち上げるだけにとどめた。

照明が暗すぎてワイングラスを持った彼女の指に集中できず、いつものように抑制がきかないのは事実だった。でもまだ大丈夫だと僕は思っていた。まだ引き返せる。食事のあと、僕は誕生日のプレゼントのことで嘘《うそ》をついた。ありきたりのブローチを見てひどく感動する彼女の顔つきが目に浮かんだのである。

「ごめん、何も用意していなくて、こんどハーゲンダッツのアイスクリーム券でも贈るよ」

「アイスクリーム券？」彼女は一瞬白けた声になった。そして次に僕を白けさせた。「いらない、そんなもの、何もいらない、だって英雄さんじしんが今夜なによりの贈り物だもの」

汚れた食器は食器洗い機に収められた。CDプレイヤーのスイッチがONになり、彼女がふいに姿を消した。流れ出した音楽はCDのケースで確かめるとモーツアルトらしく、探しあてた彼女は独り浴室でシャワーを使っていた。

僕はまた部屋から部屋へ点検をかねて歩きまわった。寝室には新品のダブルベッドがでんと据えられ、その上をおろしたてのダブルの掛布団とダブルの毛布とお揃《そろ》いの枕《まくら》が二つ飾っていた。掛布団の上には真新しいマリンブルーのバスローブが畳んで置いてあった。何から何まで彼女の予定表に従って進行している模様だった。いまここへ、これとお揃いのバスローブをはおった彼女が入ってくれば予定表は完遂される。僕はあわててリビングへむかった。するとワインレッドのバスローブを着た彼女が待ち受けていて、掌《てのひら》でささえたブランデーグラスを僕に差し出した。それから彼女はバスローブの裾《すそ》が割れたのを敢えてそのままにして、ピアノにむかいモーツアルトを奏でた。

「さっき流れていた曲、出だしのところ、英雄さんのために何万回も練習したの、もっと聞きたい？　それとも……」

言いかけて、彼女は僕の視線を咎《とが》め、バスローブの裾をかきあわせて餅《もち》のようにふくよかな太腿《ふともも》を覆い隠した。

「いけない人ね」

僕はブランデーをひとくち嘗《な》めた。彼女の指だ、と僕は思った。指を見ろ、だがそう思う間もなく平野美雪が立ち上がり、彼女の指が僕のネクタイの結び目にかかった。しゅるしゅると摩擦音をたててネクタイがほどけた。その音でたった一厘の欲情に火が移り燃えさかった。

グランドピアノのそばの床に彼女を横たわらせ、バスローブを左右に開いて、その上からなるべくはみださないようにして僕は一回目をおこなった。平野美雪が処女であることの懺悔《ざんげ》をしたのはこのときである。彼女にメイク・ラブの経験があろうとなかろうと、彼女にその気さえあれば、僕にとって行為は容易《たやす》かった。彼女は僕の経験の前では文字どおり『いちころ』の状態だった。

一回目が終わり、しばらく意識の朦朧《もうろう》とした彼女を眺めてから、僕は浴室へ行ってシャワーを浴びた。その途中で息を吹き返した彼女がマリンブルーのバスローブをささげて現れたので、浴室へ引っぱり込み、二回目をなかばまでおこなった。二回目の残りは、寝室のダブルベッドで待機していると、彼女がずいぶん遅れて現れ、黙って横に入ってきて自分から求めた。

一回目も、二回目の前半も後半も、その晩の平野美雪には区別がつかなかったのではないかと思う。彼女は一晩中ただうっすらと目をつむり仏像のような笑みを浮かべていただけだった。何がどうなっているのか詳しく調べる気力もない様子で、僕の身体のどこか一部分にすがりつづけて、ときおり、めりはりのないかぼそい喘《あえ》ぎ声をあげてみせるだけだった。

二回目の後半が終わると彼女はまた意識の朦朧とした状態に落ち込み、その状態のまま十二時前には眠りについた。一方、僕のほうは多少の胸騒ぎにも捕らえられて、横で朝まで眠らせてもらうという気分にはならなかった。彼女をそこに放置して帰宅したのは一時頃である。朝方に電話でもかかるかと覚悟していたが、そんなものはなかった。翌朝もいつもの行為のあとに訪れるいつもの朝と変わりがなかった。

実はここまでが、去年の四月、叔父が県庁に僕を訪ねてやってくる直前に起こった出来事である。

そしてライオンが目覚めた。

1996　秋

平野美雪は二本めのタバコを喫《す》いながら待っていた。

金曜日の夕方、つまり三ッ森小夜子とコスモス畑にピクニックに行った翌日の夕方のことである。

勤め先のそばのバス停で五時台の一番早いバスをつかまえて、駅前で一度乗り換え、それからそのバスを「フルールの丘」で降りてわが家まで五分ほど歩く。今年になって何度も繰り返した帰宅の道筋なので、時刻は時計を見なくてもおおよそ見当がついた。五時五十分から六時の間だった。秋の午後の日差しは衰えて空気がやや青みがかっていたが、5メートル先でしゃがんでタバコを喫っている女が誰か見分けられぬほど暮れてもいなかった。適切な日本語を探せば暮れなずむという時間帯で、彼女が苔《こけ》のような緑色のスーツを身につけているのも一目で分かった。

ちょうどわが家の前まで歩いてきたとき、前方から赤い車体のコンバーティブルが現れ、僕の右脇《わき》を通り抜けて後方へ走り去った。爆音を残してというほど派手な運転ではなく、道に迷ったので誰かに尋ねたいというような躊躇《ちゅうちょ》も感じられなかった。このあたりには不似合いな車だが、このあたりが典型的な住宅地であることを考えればまず妥当な速度で走り去った。

その幌《ほろ》をたたんだ赤い車に目を奪われていたためか、平野美雪は――彼女はわが家の玄関につづく階段に腰をおろしてタバコを喫っていたのだが――僕に気づくと咄嗟《とっさ》にうろたえた目つきになった。本来うろたえるべきなのは、待っていた彼女よりもむしろ待たれていた僕のはずだったが、なにしろ昨日の今日なので大騒ぎするまでもなかった。三ッ森小夜子の予言が的中したこと、それから平野美雪の変わり様にしばし感嘆する余裕すらあった。

僕は階段の上り口にたたずみ、彼女は七段目の門扉のすぐ手前に立ちつくした。スーツ姿の女はハンドバッグもセカンドバッグもどんなバッグも手にしていなかった。財布もハンカチも携帯電話も果物ナイフも持っていなかった。彼女が持っていたのは指先にはさんだ喫いかけのタバコだけだった。一方、僕のほうはバス停から歩いてくる途中にはずしたネクタイを片手に握っていた。

「ごぶさたしてます」階段の上から彼女が挨拶《あいさつ》した。

「こちらこそ」僕はなりゆきで答えた。

「待っても無駄だからもう帰ろうとしてたの、五時半から待ってるんだけど、考えてみたら公務員のときみたいに五時で終われるわけはないのよね、だいいち、公務員のときだって五時で終われたためしはなかったんだし、だったらいまはなおさらじゃない、そう思って諦《あきら》めたところだった、これを喫ったら帰るつもりだったのよ、だからいま、ちょっとびっくりしたの。車は？ 通勤に使ってるんじゃないのね」

僕は階段の横へ、階段の高さの分のスペースを取った車庫へ顎《あご》の先をむけた。

「自転車しか入ってないわよ」彼女は短いタバコをひとくち喫った。「自転車と、空気入れと、ぐるぐる巻きのホースしかなかった。さっきシャッターを上げて確かめたの」

「母が家を出るとき乗っていったきりだ」

「お母さまが家出を？」

「家出じゃない、家を出るとき、と言ったんだ」

「どうちがうの」

僕は少し苛立《いらだ》った。

「ねえ、そんなことより用は何だって聞きたいんでしょう？」彼女がタバコを足元に落とし、パンプスの裏で二度叩《たた》くように踏んだ。「上がって来なさいよ、ここはあなたの家よ。それとも、あたしを怖がってるの？」

「怖くない」僕は階段を上った。「手ぶらのきみは怖くない、用は何だ？」

「相談があるのよ」

「どうでもいいことだけど、そのイアリングはプラチナかい？」

「そうよ、ピアスだけど」

「髪を短くして染めたのは最近？」

彼女は口を開きかけて思い直した。あなたのそこが耐え難い、という感じですぐに顔をそむけたのだが、その短い動作はスーツの右肩の匂《にお》いを嗅《か》いだようにも見えた。

そのとき一台の赤いコンバーティブルがわが家の前を通り過ぎた。さきほどと同じ方向へ同じ速度で走り過ぎた。さきほどと同じ車に違いなかった。

「あたしは真面目に相談に乗ってほしいと思ってるのよ、あなたのその、皮肉だか何だかわからないような台詞《せりふ》を聞かされに来たんじゃないのよ」

「一年と二カ月ぶりに、だしぬけにね」

僕は右手を門扉にかけた。左手から垂れていたネクタイの端を彼女がしっかりと摑《つか》んだ。

「わかったよ、話は中で聞く」

「だしぬけに現れたあたしを中に入れてくれるわけ？」

「別に家族に紹介しようってわけじゃないよ、言っただろ、母は家を出た、いまこの家に僕は一人で住んでるんだ、もし、そのほうがかえって面倒だと思うのなら、あとで電話ででも……」

「待って、中には入れてもらうわ、でもその前にここで話しておきたいことがあるの」

「ここで？」

「中に入れてもらう前にここで。ここにすわって」

「仕事帰りで疲れてるんだよ、腹もすいてるし、階段に並んで昔話をする気分じゃない」

「今年の三月にあたしが結婚した話は伝わってるでしょう？　俵ヶ浦さんも披露宴には出てくれたし」

「なあ、そんなところにすわるなよ、お隣のグラディスさんが見たら変に思うだろ」

「あたしの話を聞いてるの？」

「近所の目があると言ってるんだよ」

「だったら、会社の帰りに、ほどいたネクタイを振り回しながら歩いて来る男はどうなの、お隣のグラディスさんに変に思われないの？　だいたいあなたが御近所の目を気にするような人間だったかしら。ここにすわりなさいよ、あたしの結婚のことは俵ヶ浦さんから伝わってるわよね？」

「伝わってない」僕は彼女の手からネクタイをたぐり寄せた。「俵ヶ浦専務と二人できみの噂話《うわさ》をするほど会社は暇じゃないからね」

「じゃあいま伝えるわ」

彼女は投げやりに言い返した。

「あたしは三月に結婚したの、相手は小児科の医者、春分の日に式を挙げて、翌日からギリシャとイタリアへ新婚旅行に出発して、帰ってきたのが七日後、それからすぐに手続きにかかって正式に離婚が成立したのが四月のなかばだった、要するにね、あたしの結婚はたったの三週間で破綻したの」

「どうでもいいことだけど」僕は口をはさまずにいられなかった。「その服は新婚旅行先のイタリアで買ったのかい？」

彼女は顎を引いて、苔緑色のスーツの襟の合わせ目のあたりに視線を落とした。そしてかなり倦《う》んだ顔つきになって僕を見上げた。

「あなたがどんなに面白い冗談を言ってみせてもね、あたしはこの話が終わるまでここを動かないわよ」

しぶしぶ隣に腰をおろすと足元にタバコの吸殻が二本落ちていた。フィルターの部分に口紅がべったりついた吸殻だった。平野美雪はスーツのポケットからマルボロ・メンソールとライターを取り出して三本めを点《つ》けた。

「新婚旅行の一週間のうちに何が起こったのかといえば、何も起こらなかったの、最後の一日まで待ったけど何もなかったから、あたしはもう両親や親戚《しんせき》がどう言おうと後には引くまいと決心したの。夫は、三週間だけあたしの夫だった男は、東京からこっちへ帰ってくる飛行機の中で、なしでやってゆけないだろうかと提案した、これからもいっさいなしで。まじかよ、ってあたしは思ったわ、だってあたしはもともとそれめあてに見合いして、良さそうな男を選んで、結婚までしたのに。だから冗談じゃない、もしあなたがパイならこの足でぐじゃぐじゃに踏みつけちゃう、そう言ってやった。ねえ、鮎川《あゆかわ》さんと交際してみてやっとわかってきたけれど、世の中にはいろいろな男がいるものよね」

僕は上着の下のワイシャツの胸ポケットを探った。セブンスターと使い捨てのライターを取り出して火を点ける間に、またさきほどの赤いコンバーティブルがさきほどと同じ方向へわが家の前を走り去った。これで三度目だ。運転者はどこかこの近所に自分なりのコースを設定して、気のゆくまで周回を繰り返すつもりに違いなかった。

「とにもかくにも、そいつのおかげであたしの決心はまた踏みにじられた。去年の出来事をきれいさっぱり忘れて、立ち直って『一から』始めようとした矢先に、今度こそ幸福な結婚をして、幸福なセックスで子供を産んで、幸福な家庭の主婦におさまれると安心していたのに、その順番でだいじょうぶだと思っていたのに。あなたとは幸福なセックスから始めて失敗した、だから今度はまず幸福な結婚から始めてみたのに、それもだめ。男運がない、と世間で言うのはあたしのことかもしれない。

それで、あたしは二十五歳で初めてぐれることにした、いままでの人生を方向転換することに決めた、このまま平野家のお嬢様でいつづけたら、また近いうちにろくでもない男をつかまされるような予感がする、だからそうならないうちに自分の脚でちょっと曲り角をまがって、結婚とか子供とか家庭とか、そんな言葉には逆立ちしたって縁のない世界を覗《のぞ》いてみることにしたの、そこでじっくり脚力をつくってね、世の中にはいろいろな男がいるという事実をこの目で見きわめて、この肌で感じ取って、それから元のコースへ復帰してても遅くない、だってあたしはまだ二十五歳だし、両親・親戚一同あたしのことで匙《さじ》を投げたってわけでもない、顔を見ればため息くらいはつくけど、だからまだ寄り道する余裕はある、少なくとも、くずみたいな男と見合いをさせられて失敗を犯すよりは、くずみたいな男と出会って自分の手でそいつを捨てる方が気がきいてる。

具体的に言うと、あなたのお姉さんがもっと若い時にしたことをあたしもこの年で試みたの。コンドームをグロスで買ってね、キュウリも用意して、幸福なセックスの探究に出かけたの、この夏いっぱいかけて。でも失敗だった。くずばかりでぜんぜんだめってわけじゃないけれど、期待したほど成果はあがらなかった。いまのあたしは少々疲れてる。体と体の相性がいい、うまく言えないけど、そう表現したくなる男はけっこういたわ、その中で気の合う男も何人かいた、あたしが欲しいときはいつでも、何度でもしてくれる男もいた、連れて歩いても恥ずかしくない男、一緒にいて笑わせてくれる陽気な男、健康で育ちの良い男、お金にぜんぜん不自由していない男、そうやって条件を足してゆくと一人だけ残った。その男となら、年下っていうのが『玉に瑕《きず》』だけど、いっそのこと結婚してもいいかとさえ思った。でもやっぱりだめね。彼とは何でもいちばんうまくいって、いまだに続いているんだけれど、やっぱり足りない、何かが、じゃなくて肝心なものが足りない、彼とのセックスはあたしが求めている幸福なセックスにはほど遠い。

考えてみたんだけど、あたしが求めている幸福なセックスというのは結局、あなたとのセックスのことなのね、いまでもはっきりと思い出せるの、目玉焼きを食べたくなって初めてフライパンのないことに気づく、英語の諺《ことわざ》にそういうのがあるでしょう、……最後まで喋《しゃべ》らせて、つまりあたしの言う幸福なセックスとは、あなたとしたセックスの記憶なの。

比較してしまうわけ、どうしても体がおぼえているその記憶と比較して、彼とうまくいった後でも、やっぱり違う、こんなのじゃなかったと物足りなくなるわけ。それで悩んだあげくにあなたに相談してみようと思ったの、いまやっているようなことを長く続けても無駄だとわかったから、あたしのピアノと同じでね、いつまで続けても成果は知れてるとわかったから、才能のある人に相談してみようと思ったの。ここまでが、あたしがここにいまいる理由、ところであなたのお姉さんは、……夏樹さんといったかしら、お元気?」

そこまで淡々と喋り終わって、平野美雪は三本めのマルボロ・メンソールを足元の階段の面に押しつけて消した。僕もそれに倣《なら》ってセブンスターを消した。最後の質問に対しては、別に返事が求められている雰囲気でもなかったので黙っていた。

「そしてここからが相談なんだけど」そこまでと同じように淡々と彼女は言った。「彼にピアノの弾き方を教えてもらえないかしら、つまり、意味はわかるでしょう? どうやったら女をあそこまで、あんなふうにさせることができるのか、あなたの才能の半分でもいいから彼に伝授してもらうわけにはいかないかしら。あたしより三つ年下だけど、とてもしっかりした感じのいい青年なのよ、篠原煎餅《しのはらせんべい》店の跡取り息子なの、知ってるでしょう? JRの駅のそばにあるお煎餅屋さん」

「知らないな」

「『老舗《しにせ》』よ」

「きみが煎餅屋の嫁になるのか」

「駅のそばのビルは彼のお父さんの持ちビルなの、実家のほうだってこの辺の家の十倍くらいの広さはあるし、老舗の『暖簾《のれん》』の底力はあなたなんかには測り知れないわよ」

「だろうね」

そのときまたしても例の車が現れた。ただし今度は徐行して現れると僕たちの視線の先でじわりと停車し、運転席から、くすんだピンクのスーツに黒いシャツの日焼けした若い男がこちらを見上げて、もの問いたげな目つきになった。それで僕はさきほどからの事情を多少、測り知る事ができた。平野美雪が青年にむかって人差指を立てて見せた。もう一周回するために車が走り去った。

「あれか」僕は思わず呟《つぶや》いた。「煎餅屋の跡取り息子は」

「名前は篠原テツオというの、哲学の哲に男と書いて哲男」

「車の趣味といい服装の趣味といい、話し合える相手とはとても思えないな」

「それは、あたしの相談には乗れないという意味ね？」

僕はうなずいて、足元の四本の吸殻を拾いあつめるとてのひらに載せた。明日の朝、階段で口紅付きの吸殻を見つけて眉《まゆ》をひそめるよりはその方がましと思ったのだ。

「そうよね」彼女がまた新しいタバコに火を点けた。「とうてい無理な相談よね、剣道じゃあるまいしセックスの『指南役』なんて。この頼みを受け入れてくれるとは実際あたしも思っていなかった、仕方がないわ、だったらもう一つの提案を聞いて。ねえ、相手があたしならどう？　つまりあなたが前みたいにあたしとセックスをしてくれるだけでいいの、あたしが哲男を間接的に教育するから、あなたのすることを頭と体で覚えこんで、あとで哲男に同じようにやらせてみるから。こっちのほうがたぶん現実的ね、あなたも喜んで引き受けてくれるわね」

「哲男君がもう一周して戻ってきたら一緒に帰ったほうがいい」

「さっきは中に入れてくれると言ったわ」

「それからそのタバコは車の灰皿で消してくれよ」

「中に入れてくれると言ったわ」

「寝室にとは言ってない」

「寝室じゃなくてもどこでもいいのよ」彼女はタバコの灰を階段に落とした。「そうじゃなかった？ たとえばリビングのピアノのそばでも、バスルームでも、それからカウチの上でも……ああ、いま思い出しただけでも濡《ぬ》れてきそう」

僕は左のてのひらに四本の吸殻を包みこんで腰を浮かしかけた。

「あなたの出方次第では」彼女が語気を強めた。「あたしはいますぐにでも良家のお嬢様に戻って、あたしの知っている情報を公開するわよ、そんなまねはしたくないけれど、あなたを困った立場に追い込むのはわけもないことよ」

「何の話だい」

「あたしはあのことを喋《しゃべ》るわよ」

あたしは・あのことを・喋るわよ。僕は中腰の姿勢でしばし考えた。考えるべきことを考え抜いたすえに彼女の隣にすわり直した。

「きみがどの女のことを言ってるのか知らないけど、第一に、喋られて困るような相手の顔はいま思いつかない、第二に、たとえ思いつかない誰かがいたとしても、その相手のことを誰に言い触らされてもかまわない、少なくとも僕は一向にかまわない、僕はもう県庁のお堅い役人じゃないんだから、第三に……」

「いいから、とぼけるのはやめて」

平野美雪がタバコを持った方の手を一振りした。

「あたしが言ってるのは、去年のあの晩のこと」

「あの晩のこと……、それが世間に知れて恥をかくのはきみの方じゃないのか？　他でもないきみに、僕が果物ナイフで刺されたんだぜ」

「鮎川《あゆかわ》さん」平野美雪は言った。「あなたって、心底あたしをなめてるのね。あたしが言ってるのはあの晩のもう一つの事件の方、あなたとあなたの叔父《おじ》さんが組んで仕出かした犯罪のこと、いい？　あたしはね、あの晩トランクの中身をこの目で見てしまったのよ、そう言えばわかるでしょう？　これ以上とぼけても無駄よ」

僕たちは互いの目と目を見つめ合った。

さきに視線を逸《そ》らしたのは勝利を確認した平野美雪のほうだった。彼女は短くなったタバコを口にくわえ、ただでさえ一年前からするとそげた頰《ほお》をへこませて一服した。一服すると薄く目を閉じて言った。

「どう？『観念』した？　これで喜んで中に入れてくれるわね？」

「彼にはどう説明するんだ」

「そんなことは心配しなくてもいい、あなたはただ前みたいにあたしを抱いてくれればいいの、あとのことは、哲男の教育までふくめてあたしが自分でやる、だから遠慮しないで、『とことん』までやって」

彼女はさっきと同じ要領でタバコを消して立ち上がった。僕はその吸殻を拾ってから後を追った。門扉を押して中へ入りながら彼女が尋ねた。

「ところで、あなたの夏樹姉さんはお元気？」

「そろそろ哲男君が一周して戻ってくるころじゃないか？」

「冷蔵庫の野菜室にキュウリは入ってる？」

「キュウリ？」

「夏樹姉さんとのセックスにはキュウリも使ったって言ったわよ、違う？　言ったわよね？」

「ああ……」

「あれはやっぱりコンドームを被《かぶ》せて挿入するのかしら？　自分で試してみたけれど思ったほどじゃないの、よかったら後でその技も見せて」

僕は玄関の鍵《かぎ》をあけながら平野美雪にとっての初体験の晩を思い出し、それからその次にやはり彼女のマンションで会った晩のことを思い出した。ベッドのなかでキュウリを話題にしたのは確かそのときだった。つまり、二度めに彼女のマンションを訪れて、似たような食事、同じワイン、同じ音楽、同じバスローブでの歓待を受けたときのことだ。

最初の晩を含めると都合三回めと四回めとの合間、その休憩時間に僕たちは少し話をした。場所はなりゆきでカウチのそばだった。三回めはカウチの上でおこなったので、彼女はまだそこにバスローブをシーツ代わりにして半分眠ったように横たわっていた。僕はそばの床に腰をおろし、背中でカウチにもたれかかった姿勢で話相手をつとめた。

そのとき平野美雪が聞きたがったのは僕の初体験の話である。無理もない要求だったと思う。彼女じしんの初体験については僕は詳しく知り抜いているわけだから、彼女が僕のほうのことを知りたがるのも当然と言えば当然だろう。それでイーブンになる。

僕は話した。夏樹姉とのことを包み隠さずうちあけた。彼女にあたえるショックを大きくするために敢《あ》えて露骨な話し方をしたし、ついでに、キュウリの脚色まで付け加えた。それは県庁広報課の先輩の好んだ下ネタに登場する小道具だったが、ふと思いつきで話し出してみると、反りぎみの形といい手ごろな太さといいキュウリの持つイメージは性具として理想的だった。

話し手の僕じしんそう感じたくらいだから、聞くほうも相当リアルな感触を受け取ったに違いない。で、彼女は相当のショックをうけて誤解して記憶にとどめたのだと思われる。だがもちろん（と強調するのが一般的かどうかは分からないけれども）、僕は夏樹姉に対しても、誰に対しても現場でキュウリの技など使ったことはない。だから、あれはやっぱりコンドームを被せて挿入するのかどうか、という点の当否についても知らない。なにしろ去年のその晩は、平野美雪に対して、きみがお嬢様として育《はぐく》まれた世界と僕の世界とでは、性生活に関してもこれほど落差があると示しておくだけで意味があったのだ。そうでもしないと、彼女の親名義のマンションがそのまま一気に僕たちの新居になりかねない。

それから平野美雪は夏樹姉のその後をも知りたがった。僕は話した。お互いの家庭環境の質の違いを確認しておくのも悪くはないだろう。夏樹姉は地元の女子大の家政科を卒業後まもなく結婚した。その知らせは東京にいる僕のもとへ、母からの電話一本で届けられた。酔助叔父が阿佐谷の下宿をひょっこり訪ねてくる少し前のことだ。

ただし、母の話の内容はそのときも（そして後々までも）ほとんど要領を得なかった。だいいち母は夏樹姉の結婚報告が主目的ではなくて、妹の五月《さつき》が大学進学を取りやめて就職を決めたこと、そのせいで自分が家に独り残される寂しさを訴えるために僕に気まぐれに電話をかけてきたのである。当然、親子の会話は嚙《か》み合わなかった。

「五月は夏樹なんかよりもよっぽど勉強ができたのに、英雄君も知ってるでしょう？ その気になれば東大だって受かるって二年生のときの担任の先生が言ってたんだから、それがイルカの調教師になるなんて、一生懸命止めたのよ、江本家の血筋をひく人間がそんな、サーカス団じゃあるまいし、動物の見世物なんかやってどうするの、でもあの子は自分でさっさと決めちゃって、親の印鑑まで勝手に持ち出して一人で手続きを済ませて、もう手遅れよ、ママって、こんどできた水族館には職員の寮があるらしいのよ、おじいちゃんやおばあちゃんにこの話が知れたらと思うとぞっとするわ、夏樹は夏樹で種子島《たねがしま》の牛飼いのところへ行っちゃったきり、葉書の一枚もよこさないし、ママはもうこの家に独りぼっちなのよ、英雄君」

「種子島の牛飼い？　何の話ですか」

「あら、言ってなかったかしら、結婚したのよ夏樹は、飛行場で知り合った男と」

「結婚？　飛行場？　どこの飛行場？」

「どこの飛行場かなんて、ママに聞かれてもわからないわ、英雄君も知ってるでしょう、夏樹はあのとおり秘密主義だから、あの子が腹のなかで何をたくらんでるのか、子供の頃から見当もつかなかった、高校三年生のときの担任の先生がね、面談のとき、おたくの娘さんは大学の家政科に進んで将来は良い奥さんになりたいと言っておられますがって、それ聞いてママはびっくりしたくらいなの」

「夏樹姉さんはいま種子島にいるんですか」

「そうよ、結婚したって本人が電話で言ってたから結婚したんでしょう、だからもうママには英雄君しかいないのよ、ママの老後は英雄君にあずけるしかないのよ、まさか英雄君まで東京で就職するなんて言わないわよね」

「種子島の牛飼いというのは……？」

「だって島には牛がいるでしょう、ねえ、英雄君、大学がつまらなかったらいつでもこの家に帰ってきていいのよ、勤め口ならおじいちゃんに頼めば楽なところがいくらだってあるんだから、この家は将来は英雄君のものになるんだし、東京にすがりつく理由なんてどこにもないはずよ、こっちでのんびり野球でもやったらいい、ママと二人で仲良く暮らしましょう」

こんな具合だった。

実を言えば、この母はもともと「スポーツマン愛好症」とでも名づけるべき性質の人で、順番からゆけば二番目にその熱烈な対象として選ばれたのが、まだ高校野球の選手だった頃の僕の父である。一番目はむろん最初の夫（彼女の通っていた女子高の体育教師をしていた男）だったが、彼女が父を見初めたときにはすでに生まれたばかりの夏樹に面影だけを残して他界していた。

近所の高校のグラウンドで練習に汗をながす父の姿に才能のきらめきを見いだして以来、県予選の大会でも甲子園の晴れ舞台でも彼女はスタンドからの熱心な応援をかかさなかった。病は高じて、父が西鉄ライオンズに入団すると二軍の練習およびウェスタン・リーグの試合日程にあわせて、赤ん坊の夏樹をほったらかして父を追いかけ、西日本各地を転々と旅するまでになった。その前年、つまり夏樹が誕生し、最初の夫が病死し、僕の父がドラフト制度導入以前のプロ野球界にテスト生として身を投じる決意をした一九六三年、西鉄ライオンズはパシフィック・リーグを制覇し、セントラル・リーグの覇者読売ジャイアンツと日本シリーズで対決した。結果は4勝3敗でジャイアンツが優勝したシリーズ全試合を、父は高校を休んでまで観戦したのだが、そのとき平和台はもちろん後楽園までの旅費、当地での宿泊費すべてを出世払いの名目で立て替えたのもやはり若き未亡人の彼女だった。

だが翌年、高校を卒業したての父が、早すぎる結婚の相手として選んだのは残念ながら彼女（江《え》本《もと》郁子《いくこ》）ではなく、前年の日本シリーズ観戦で（後楽園の数としては圧倒的に不利なライオンズ応援側のスタンドで）運命的に隣り合わせ、父がユニフォームを着ずに獲得した初めてのファン、当時まだ十六歳の西丸《にしまる》雅子《まさこ》、つまり僕の産みの母のほうだった（このあたりの話は全部、その産みの母から聞かされたのだが、当然ながら誇張されすぎと思われる部分は削ってある）。

パシフィック・リーグを代表するプロ野球選手に育てあげるべく、独占的に父の面倒を見つづけるという彼女のもくろみは、この時点で崩壊することになる。その後、彼女は故郷に腰を据えて、地元企業の野球部のファンクラブを結成、代表を務めるかたわらチームの花形選手の私生活を独り占めすることに成功した。二度めの結婚、五月を出産、そして今度は死別ではなく協議離婚、と十年の時は流れた。ちょうどその時期、父が家を建てるため地元に戻ってきた。

彼女の方から再び父に近づいたのか、それとも二回めは逆だったのか事情はよくわからない。だが、よくわからない男女の『機微』を抜きにすれば、二人の互いに子連れでの再婚はまるで凹と凸の組み合わせのようにうまく収まりがついた。父は西丸雅子との離婚に際して、僕以外の何も取らず、とりあえずの身の置き場所がなかった。一方、母には持ち家があった。もともと江本家の「おじいちゃん」に最初の結婚祝いに送られた土地・家屋だったから、前夫との離婚に際しては二人の子供をふくめて何もかもを取っていたのである。

しかも、母の側から見ればこの再婚には一昔前に負けた試合の雪辱戦、つまり十年以上の歳月をかけて西丸雅子から父を奪還するという意味合いがあったような気がする。そんな気がして仕方がないのは、新家族での再婚祝いの当夜、酔ってはめをはずした母が、「あの小娘が妊娠さえしなかったら、最初からあなたとあたしはこんなふうに一緒になれたはずだった」と時間を超越した言葉づかいで父にからみ、途中で僕の視線に気づいてはっと表情を変えたのをいまだに記憶しているからである。「あの小娘」が誰のことであるかは中学生の僕にも明らかだった。

父の死後、彼女の「愛好症」はしばらく鳴りをひそめた。地元に本店のある銀行の、軟式野球部が全国大会に出場するので群馬県だったか栃木県だったかまで応援について行くと言い出したのは僕が高校二年になった年のことである。不惑の年齢に達した母が熱をあげたのは銀行チームのエース投手で、二十代なかばのやけに背の高い独身男性だった。一度だけ母はその男を家に呼んで子供たちに引き合わせた。しかし夏樹も五月もはなから馬鹿にしきった目付きで男を見て口もきかない有様だったし、母の目配せで主に相手役をつとめた僕も「やっぱり同じ野球でも軟式と硬式とでは違うから」といった生意気な態度を取ったので、以後、母はその男と会うときは必ず外出するようになった。

一九八八年の春、県庁の新規採用職員として実家に戻ってみると、母のそばには案の定別の男がいた。今度はうだつのあがらぬプロゴルファーだった。これでもかというくらい真っ黒に日に焼けていたので練習だけはまめにこなしている様子だったが、母に付き添われて出かけるトーナメントの予選成績は常にかんばしくなかった。四十六歳になった母はこのちょうど三十になるゴルファーを家に住まわせていた。娘たちがいなくなって部屋は空いているし、別に僕が男の面倒を見るわけでもなく、母が近所の目を気にしないのであれば文句をはさむ筋合いはない。結局、母がこの男の才能に見切りをつけて、家を追い出すまでに四年ほどかかった。

そして一九九三年、Jリーグが開幕した。日本中のスポーツ・ファンが野球を忘れてサッカー熱に浮かされた年である。母も例外ではなかった。ゴルファーと別れて以来「ママと二人で仲良く暮らしましょう」という台詞《せりふ》を彼女は復活させていたのだが、その舌の根のかわかないうちにテレビ・雑誌・競技場での観戦を通じてサッカー選手漁《あさ》りに乗りだした。

しかし彼女はすでに（見かけはどう若く見えようと）五十歳を越えていた。二年がかりでようやく彼女が巡り会ったのはJリーグの下部リーグに所属するチームのディフェンス専門の（しかも妻子持ちの）コーチだった。僕はその男に会ったこともなければ、雑誌か何かの写真を母に見せられたこともない。母の説明では、怪我《けが》さえしなければ日本代表チームに選ばれていたかもしれない優秀な元選手ということだった。あとは想像するだけだ。

二人は恋に落ちた。たぶん凹と凸がぴったり嵌《は》まり込むような恋に。チームが本拠地を置く街に二人は部屋を借り、母はそちらへ月の半分は入りびたるようになった（ここまでが去年平野美雪に話した時点での経過だったが、その後、今年に入ってから母は、行ったり来たりはやめて当分の間むこうで暮らすと宣言して家を出てしまった）。

ところで、妹の五月は高校を卒業するとまず臨時職員の肩書で市立水族館に勤務し、数年後、宮崎県の民営施設に新しい職を見つけて、現在はそこで本当にイルカだかシャチだかの訓練に携わっている。本人からの連絡は年に一度、正月に電話がかかるくらいなので詳細はわからない。そして実は夏樹姉のその後のことはもっとわからない。

僕の知るかぎりではいま彼女は沖縄県の那覇《なは》に住んでいる。あのあと母に問いただしてみると、種子島の男と夏樹姉が出会ったのは「旅先の空港で」という点までは確からしかった。だがそれは夏樹姉が大学卒業前に旅行した先が種子島でそこの空港でという意味なのか、あるいは種子島の男の旅行先と夏樹姉のそれとが偶然同じ場所でそこの空港でという意味なのか、そんなことすら母は知らないのだった。

僕が実家に戻ってからの夏樹姉の消息を知る手がかりと言えば、本人が送ってきた絵葉書二枚だけだ。両方とも宛名書《あてながき》が母と五月と僕の連名になっていて、一枚めの消印は奄美《あまみ》大島《おおしま》の名瀬《なぜ》だった。一九九四年に届いてそれっきりの二枚めが那覇からで、「心機一転」とか「新生活」とかいった言葉の見えるディテイルに欠けた文面を分析すると、一言で言ってどうやら彼女が再婚したらしい様子が察せられた。そう思って一枚めを読み直してみると同様に読み取れぬこともないのだった。種子島から奄美大島へ、奄美大島から沖縄へ、夏樹姉は良い奥さんになるべく南下し続けているわけである。沖縄から次はどこへ行くんだ？　と皮肉で尋ねてみたくなるような展開だったが、二枚めの絵葉書の末尾には「この次は台湾かもね」と冗談めかした回答がみずから書きつけてあった。

去年のその晩、平野美雪はここまでの話を聞き終えると、カウチを降りて僕の隣に寄り添ってすわった。そのまましばらく沈黙が続いたので、話の前半のキュウリの技のことでも想像しているのかと思ったがそうではなかった。少なくともそのときには、平野美雪は冷蔵庫の野菜室の中身よりも夏樹姉の存在のほうを気にかけていたのだ。

「いまは、どう思ってるの」やがて彼女は、目的格にあたる人名を省いた疑問形で尋ねた。

「女の口からでる優しい言葉はあてにならない、とつくづく思ってる。二人とも、いつでも帰ってきなさい、なんて言っておきながらこの『ていたらく』だよ、夏樹姉はさっさと結婚してしまうし、母は母でいまは新しい男に夢中だし」

「でも、もし……」彼女は主題を夏樹姉に絞りこんだ。「もしいま夏樹姉さんが戻ってきたら？　戻ってきて一緒に暮らしましょうと言ってくれたら？」

「もしそうなったら」僕は肩を抱いてやり、指先で彼女の二の腕の内側の感触を楽しんだ。「あの家は夏樹姉にとっても実家だしね、僕たちは姉と弟なんだから、一緒に暮らすのが自然かもしれないね」

この僕のずるい答え方に対して彼女は無反応だった。身じろぎ一つしなかったし、黒い冗談と見なして鼻を鳴らし僕の手の甲をつねるようなまねもしなかった。心配になって僕は尋ねてみた。

「いけない人ね、そう言いたいんじゃないのかい？」

「もし本当にそうなったら、あたしは許さないわ、絶対に」と彼女は言った。

さて。

一年とおよそ半年後の現在の話だ。

母が都合三人の夫（それに何人かの恋人）を迎え入れた家、三度の結婚により三種類の家族の組み合わせが生まれ、それぞれが住みつづけた家、いまはその家に僕が独り残って暮している。母が家を出てしまって以来、内部はややすさんだ感じが否めないが、初めての訪問で平野美雪が変化を感じ取れるほど散らかり放題というわけでもない。

彼女はまず玄関口で電話を一本かけた。相手は赤いコンバーティブルの中で携帯電話を耳にあてているはずの篠原《しのはら》哲男である。その間、僕はそばに立って彼女の胸元に視線を投げていた。スーツの襟の合わせ目から左右の乳房の深い溝の一部と肌色っぽいブラジャーの生地が覗《のぞ》いている。要するに彼女はブラジャーをつけて、その上からじかにスーツの上着をはおったわけだ。

「何よ」送話口を片手でふさいで平野美雪が視線を咎《とが》め、それから言った。「時間はどれくらいだった？」

「時間て？」

「わかってるでしょ？　一回分でだいたい一時間くらい？」

「そのくらいかな」

「二時間後に迎えにくるように言ったわ」

電話を切ったあとで彼女はまた僕の視線に気づいた。

「何よ」

「どうでもいいことだけど、洋服の下にはいつもスリップを着るのかと思ってた」

「どうでもいいことよ」

「そうだね」

「さあ、はじめましょう」

二時間後、彼女が命じた通りに迎えの車が来た。篠原哲男はわが家の前で控えめに二度、クラクションを鳴らしてそのことを知らせた。

＊

「……北海道開拓使によって官営缶詰製造所が創設され、新たにアメリカで購入した缶詰機械を設置して、缶詰事業に着手しました」

と三ッ森小夜子が『缶詰入門』の冒頭のページを読みあげた。

「最初の缶詰工場、石狩缶詰所は、一八七七年9月に開所し、同年10月10日、アメリカより招いた技師トリートらの指導で、サケ缶詰の製造が始められました。わが国で缶詰が初めて工場生産された日といえます。ここまで、何か質問が？」

窓の外へむけていた視線を戻して、僕は首を振った。

社員食堂の窓からは、缶詰貯蔵倉庫の前に停車中の荷台を開いた10トン・トラックと、その手前のスペースで男が二人、のんびりとキャッチボールをしているのが眺められる。彼らはたぶん工場の従業員なのだろう、揃《そろ》いの服に二人とも白いゴム長を履いている。

十月九日、秋晴れの午後、昼休みが終わるまであと十数分という時刻である。

「後年、かっこ」三ッ森小夜子が続けた。「一九八七年、かっこ閉じる、缶詰生産最初の日を記念して、10月10日が缶詰の日とされました」

「へえ」僕は相槌《あいづち》を打った。

「だから明日の祝日は、私達ABCの社員にとっては、体育の日ではなくて缶詰の日と言っても間違いではないの。社長はこの本から引用して、自分なりにアレンジして喋《しゃべ》ったわけね、今朝の朝礼で。これで疑問は解消した？」

三ッ森小夜子はいったん眼鏡をはずしてハンカチでレンズの片方だけ拭《ぬぐ》うと、『缶詰入門』の表紙を押さえて僕のほうへ滑らせた。

「これはあなたにあげる」

そして眼鏡をかけ直した。

「最初の話にもどるけど、それであなたは平野さんの言う通りに、その才能とかいうものをディスプレイしてみせたわけね？」

「うん。でもこの本は二冊も要らない、言っただろ、入社のときに専務から貰《もら》ったって」

「貰ったけど、どこにしまったのか憶《おぼ》えてないんでしょ？　どうして部屋にあげてしまったの、断ろうという気は少しも起こらなかった？」

「確か『やけぼっくいに火がつく』ってきみが言ってたんじゃないか？　ところで、女が男に口の中を開いて見せるという行為は、どんな意味の表現なのか教えてくれるかい？」

「何の話をしてるの？」

「さっきから僕のほうをちらちら見てる女子社員がいる、あっちのテーブル、きみの背中のほう、デザート用のスプーンで口を横に広げて見せてくれてるんだけどね、こうやって右、左、右、ほら、まただ、あれは単なる癖なのかな」

　三ッ森小夜子は缶詰のウーロン茶をひとくち啜《すす》ってから、ゆっくりとした動作で首を後方へ捩《ねじ》った。その視線を受け止めたとたんに、女子社員はスプーンをくわえ込み、定食のトレイを持ちあげて席を立つと同じテーブルについていた同僚二人と一緒に出口へ歩いていった。

「どうも、いまの彼女のディスプレイはきみが対象だったみたいだ」

「そんなことより」三ッ森小夜子は話を戻した。「平野さんという女性はトラブルのもとだと、あたしは言っておいたのに」

「心配いらないよ、トラブルっていうほど大げさなものじゃない」

「だったらどうしてあたしに相談するの」

「相談なんかしてないさ、僕はただ、平野美雪が現れるというきみの予言が、立派な現実になったことを伝えたかったんだ。あとのことは大丈夫だよ、経理課の国松さんのケースとは違う、彼女には年下の婚約者もいるんだし、結婚を迫られる恐れもない」

「ちょっと聞くけど」三ッ森小夜子は身を乗りだした。「あなたは、誰かと結婚してしまうことを、怖がってるの？」

「僕が？　まさか」

「そんなふうに見えるわよ」

僕は缶詰の日本茶を一口飲んだ。二度ほどうなずいて彼女は椅子《いす》の背に背中を戻した。

「ちょっと聞き返すけど、あの晩国松さんのマンションへ行けば結婚するはめになるときみは言った、あの予言はいまも生きてるのか？」

「国松さんはもう、すれ違っても口もきいてくれないんじゃなかったの？」

「それがここ二三日、風向きが変わったみたいでね」

「悪魔の話をしていると悪魔があらわれる」

と三ッ森小夜子が早口で言い終わるやいなや、僕の左隣の椅子に缶詰の紅茶を持った誰かが腰をおろした。もちろん『噂《うわさ》のぬし』の国松さんだった。左胸に『山吹色』でＡＢＣと刺繍《ししゆう》の入った上っ張りを着ているので、今日は私服のスーツ姿の三ッ森小夜子よりも地味に見える。

「こんにちは、良いお天気ですね」と国松さんは専務秘書に笑顔をふりむけ、それから僕の手元を見て言った。「鮎川《あゆかわ》さんは昇進試験の御勉強？」

「缶詰食品の栄養価について、三ッ森さんの口頭試問を受けてるんだ」

「あら、その本ならあたしも読んだわ、『缶詰は、空気を除いて密封し、高い真空の状態で加熱殺菌しますから、ビタミンその他の栄養分は、家庭で調理したものより多く含まれていることが、多くの研究により明らかにされています』、それから缶詰の経済性、保存性、災害用の備蓄食品や病人用の特別調理食等への利用価値、と続くのよね」

私は正しい？　という意味の首のかしげ方で国松さんが微笑《ほほえ》み、斜《はす》むかいの席で三ッ森小夜子が微笑み返した。そして彼女たちはおのおの缶詰飲料で喉《のど》をしめらせた。

「じゃあ、きみは打検という言葉を知ってるかい？」

「スティックで蓋《ふた》を叩《たた》いて不良缶を選別する方法でしょう？　昔ながらの。でもうちの会社には打検をやってる人なんかいないわよ、いまはだって容器の質も巻締めの技術も格段に上がってるし、不良缶は出にくいんじゃないかしら、うちでは確か、光センサーの機械を使って凹《へこ》んだ缶なんかを選《よ》り分けてるはずよね？」

ふたりの女がまた微笑み合うのを見届けて、僕は『缶詰入門』を裏返しにして脇《わき》へ退《ど》けた。

「きみたちが一番に昇進すべきだよ」

「常識よ、鮎川さん、そんなことも知らないで缶詰新聞の編集は無理よ」

「とぼけちゃって」国松さんは同意を求めるような笑顔を専務秘書にむけた。「もう社内のみんなが知ってるのに。俵ヶ浦専務はそのために鮎川さんをうちに雇い入れたのよ、だからいまは『昼行灯《ひるあんどん》』の営業社員でも、じきに広報課が新設されて、鮎川さんはそこの課長に抜擢《ばってき》される、そういう筋書きなのよ、違う?」

「缶詰新聞?」

「さあ」と三ッ森小夜子。

「それが本当なら……」

と僕が言いかけたとき、午後の始業開始を告げるサイレンが工場を中心に鳴り渡った。いつまでもいつまでも尾を引いて鳴り終わると、テーブルの雰囲気が一時白けた。

専務秘書と経理課員がほとんど同時に腕時計に目をやった。外でキャッチボールをしていた従業員の姿はいつのまにか消えて、箱詰めにされた製品を積んだフォークリフトが10トン車のそばににじり寄っている。

「そろそろ行かなくちゃ」国松さんが言った。「あなたがたと違って自由のきかない部署だから」

「あたしも」と三ッ森小夜子が席を立ちかけた。それを国松さんが手振りでおさえた。

「いいのよ、いきなり話に割り込んでごめんなさい、鮎川さんにちょっとだけ用があったの」

僕は国松さんの目配せに従って食堂の出口のそばまで歩いた。歩きながらさきほどの話を続けた。

「それがもし本当なら良いニュースだけどね、悪いニュースはくっついていないのかい？」

「もう一つ良いニュースがくっついてるわ」国松さんが立ち止まった。「鮎川さんと二ッ森さんが今年中に式を挙げるんだそうよ」

「式、何の」

「結婚式に決まってるでしょ」急に国松さんが声を低めた。

「まさかね」

「社内の噂よ、ああやって仲良くお茶を飲んでるのが何よりの証拠じゃないの、それにあなたたち同じ日に会社を休んだでしょう」

「コスモス畑にピクニックに行っただけだ」

「ねえ鮎川さん、率直に言わせてもらうわ」国松さんの指先が僕のネクタイを小突いた。

「あたしは、あなたが、誰と結婚式を挙げようとそんなことはちっともかまわないの、あたしはあなたのからだが欲しいだけなの、でもあの女のあとはいやなの、あの女のあとだけは絶対にいや、わかる？　コスモス畑の帰りにどこに寄ったの？」

「日が暮れる前に帰ったさ、それぞれの家に」

国松さんはテーブルに残っている専務秘書のほうへ疑わしげな視線を投げ、それをまた僕の顔に固定した。

「あなたたち、いったい何なの？」

「気の合う友人、と言うべきじゃないかな」

「わかったわ」国松さんは詰めていた息を吐いた。「信じることにする、でもあとであの女が妊娠してるなんてわかったら殺すわよ」

「きみの十字架のペンダントに誓うよ」

「じゃあ今夜はあたしのために空けるのよ、『昼行灯』さん、あしたは缶詰の日だし時間を気にしないでたっぷり楽しめるわ」

「きみのマンションで？」

「あなたの家でもコスモス畑でもどこでもいい、日曜のミサに行けなくなるような悪いことを二人でいっぱいしましょう。じゃあ、あとでね」

　国松さんが早足で食堂を出ていくと、すぐ入れ替わりに三ッ森小夜子がそばに立った。

「きみと僕との結婚話が噂になってるみたいだぜ」

「いろんな噂をくわえた小鳥が社内を飛びまわってるのよ、気にしないで」

「缶詰新聞のことだってさ、ゆくゆくは月刊の小冊子を出したいという話だったんだよ、それだって専務はもう忘れてるのかと思ってた」

「あたしの前で話を逸《そ》らさなくてもいいのよ、本当は国松さんとのことを聞きたいんでしょう？」

「あの予言は生きてるかい？」

「気の毒だけど」三ッ森小夜子は歩きだしながら言った。「国松さんとあなたとの間には邪魔が入ると思うわ」

　邪魔、という言葉について考えているうちに三ッ森小夜子は歩き去った。それは今夜また誰かが現れてトラブルを持ちこむという意味なのだろうか。僕は社員食堂の出入口付近でもうしばらく考えこんだ。

　それから、僕の場合は別にいますぐデスクに戻らなければ仕事が滞るわけでもないので、いったんテーブルに戻り、彼女たちの飲み残しの缶詰飲料を眺めながら、自分の分を飲みほすまで時間をつぶすことにした。


　彼女はタバコを四本灰にして僕を待っていた。

　そして彼女たちの方は、白い軽自動車の中でやはり僕の帰りを待っていた。

　家の前でタクシーを降りたとき、あたりはもうとっぷりと暮れていた。たぶん七時頃だったと思う。だが近所の家々が投げかける窓明かりのせいで、わが家の階段の一番上の段に誰かが腰をおろしてタバコを喫《す》っている様子くらいは見わけがついた。平野美雪に違いなかった。

　彼女は四本目のタバコを——それが四本目と分かったのは翌日、階段に落ちている吸殻を拾い集めたときなのだが——踏み消してから下まで迎えに降りてきた。僕が両手にスーパーの袋をぶらさげているのを見て、手を貸すつもりだったのかもしれない。前回と同じデザインの色違いのスーツ姿に身をつつんでいた。前回と同じ着こなしで、たぶん上着を脱げばすぐにブラジャーがあらわれるのだろう。

「何よ」

と彼女がこちらの視線に気づいたので、僕は思わず、

「まだ続くのか？」

と嘆息してみせたのだが、実のところは、この平野美雪の再訪はある程度予想がついていた。昼間、別れ際に三ッ森小夜子が口にした〝邪魔が入る〟という予言をずっと心にとめていたからだ。

「あたりまえよ、一回ですむわけないじゃないの」彼女はワインの瓶の首を握りしめて掲げてみせた。「これを飲めばより去年に近づけるかと思って、あとで試してみましょ」

それから平野美雪は扉が開いたままのタクシーに注意をむけた。シャネルのバッグを持った国松さんが降りてきた。体型がくっきりと浮き出るようなジャージー地のワンピースといういで立ちで、バッグの中身は一泊用の下着の替えその他のはずだった。僕たちはまず会社の外で待ち合わせて、国松さんのマンションへ向かい、次にスーパーに寄って晩飯の買物をしてからここまでたどり着いたのである。

「あら、お客様？」平野美雪がすました声で言った。

「誰なの」国松さんがワンピースの裾《すそ》を直して僕に尋ねた。

「紹介するよ」僕は仕方なく言った。「こちら平野さん、こちら国松さん」

「よろしく」二人の女が同時に挨拶《あいさつ》した。

「あたしはお邪魔かしら」先に言ったのは国松さんだった。

「いや、邪魔という言葉を使うならむしろ」僕は口ごもった。

「ごめんなさいね」平野美雪がはっきりと言った。「今夜の予約はたぶんあたしの方が先だと思うの、このひと忘れっぽくて、よかったらあなた、別の日に出直していただける？」

「そうなの？」国松さんが僕を見た。

「あとで電話する」僕はその場をしのぐために国松さんの肩に手をかけた。

「あとで？」平野美雪が聞き咎《とが》めた。「このワインをあとで二人で飲む約束でしょ？　もう忘れたの？」

「あした電話するよ」

「それもどうかしら、予約はまだ他にも詰まってるみたいだし」平野美雪が顎《あご》をしゃくった。「ほら、あそこに」

　タクシーの5メートル前方に停車している白い軽自動車に僕たちは注目した。その車のドアが左右に開いて、人影が二つ降り立った。

「説明して」国松さんが肩から僕の手をはずした。

「このひとはこういうひとなのよ」

「説明もなにも」平野美雪が説明した。「このひとはこういうひとなのよ」

二つの人影はどちらも女性だった。背の低いほうに背の高いほうが付き添うという感じでこちらへ歩み寄って来る。そのうち一方に僕は見覚えがあった。背の低いほうだ。

「ヒデオ君」

と鈴村綾《すずむらあや》が呼びかけた。ませた女の子が同級生の男の子に物事の道理を言い聞かせるような、妙に懐かしみのあるイントネーションは去年のままだ。

「さっきから待ってたんだよ」

「やあ……」と僕はそれだけ返事をするのがやっとだった。

「はじめまして」付き添いの女が丁寧に腰を折った。「突然おしかけたりして申し訳ありません、私は鈴村綾さんの家庭教師をつとめています、丸山れいこと申します、鮎川さんのお噂《うわさ》は綾さんからかねがねうかがっています」

自然に出来あがっていた五人の輪がしばし静まり返った。

「紹介しますね」僕がその場を取り繕った。「こちらが平野さん、こちらが国松さん」

「よろしく」と挨拶したのは丸山れいこ一人だった。

「説明して」国松さんが耳元で言った。「いったいこれは何なの、わかるように説明して」

「あの、国松さんとおっしゃるんですか」丸山れいこが国松さんに話しかけた。

「お嬢ちゃん」平野美雪が鈴村綾に言いふくめた。「ここに先に来て待ってたのはお姉さんのほうよね、どんな用事があるのか知らないけど、今夜は英雄君はお姉さんとの約束で時間がないの、だからお嬢ちゃんはまた別の日にしてね」

「ヒデオ君」鈴村綾は平野美雪を無視した。「どうせダブル・ブッキングで揉《も》めてるんだろうけど、面倒くさいから二人とも帰しちゃえば？　待ちくたびれておなか空いちゃった、お鮨《すし》でもとってよ」

「あいかわらずねえ」平野美雪が嘆いた。「なんて生意気な小学生なの」

「申し訳ありません」丸山れいこが謝った。「綾さんは中学一年生なんです」

「やっぱりあたしが邪魔ね」国松さんが呟《つぶや》いた。「要するにあたしはなめられたのね」

鈴村綾が僕の手からスーパーの袋を一つ取って中をあらため、すき焼き？　と目を輝かせたので僕はうなずいて見せた。

「あの、国松さん？」丸山れいこがまた話しかけた。「もしかしたら妹さんがいらっしゃいませんか？　名前は……」

「すいませんけど」助手席の窓からタクシーの運転手が声をかけた。「えーと、もう戻りますけどね、ひょっとして誰か乗ってく人がいたら」

「乗るわ」国松さんが手をあげた。

「明日にでも連絡するよ」

「妹さんの名前は、ゆきさんじゃありません？」

「明日があると思うの？」国松さんはバッグを座席に放った。「ないわ、そんなもの、今度こそ絶対にない」

国松さんが乗り込みドアが閉まりタクシーが走り去った。

「高校時代に国松ゆきさんという同級生がいたんですよ」尾灯を見送ったあとで、丸山れいこは僕に言い訳した。「国松さんてどこにでもある名字ではないし、もしかしてと思って、申し訳ありません、お二人の話の邪魔をして」

「今度会えたら聞いておきますよ」

「ああ、それだったら、高校は県立西高校です」

「丸山先生」鈴村綾がビニール袋の口を開いて見せた。「一緒にすき焼き食べよ、ね？」

「綾さん」丸山先生がたしなめた。

「この二人、何とかならないの？」平野美雪が嘆いた。

「まだいたの？」鈴村綾が振り向いて言い返した。

「でも牛肉は二人分しか買ってないんだよ」

「ああ、私はお肉はあまりいただけませんから」丸山先生はそう言ったあとでもじもじした。「でも、本当によろしいんでしょうか、いきなりうかがって……」

「そう思うなら出直せば？」平野美雪が一人で階段を上りはじめた。それを見て鈴村綾が言った。

「ヒデオ君はまた同じ失敗をやらかすつもり？　だめだよ、あんな女、部屋にあげちゃ」

「あんな女？」平野美雪が足を止めた。

「あんな色情狂」と鈴村綾が言い直した。

「怒るわよ」階段の上から平野美雪がワインのボトルを持ち上げて威嚇《いかく》した。「大人をなめると承知しないわよ」

「綾さん、口のききかたに気をつけて」丸山先生が叱《しか》った。

「ほんとよ、口のききかたがまるでなってない」平野美雪が言葉尻《じり》をとらえた。「まったくどんな教育を受けてるんだか、家庭教師も家庭教師だけど親の顔が見てみたいわ」

「見たじゃん、去年」鈴村綾が言ってのけた。「あんたがヒデオ君を刺した晩に」

「綾さん、およしなさい」丸山先生が割って入った。そして首をかしげた。「サシタバンに？　それは何のこと、綾さん？」

「もういい、わかった。とにかく中に入ろう、中に入ってすき焼きを食おう」

「あなたがこの娘を黙らせないとあたしにも考えがあるわよ」

「わかってる、わかってる」

「だってヒデオ君は……」

「きみは少し黙れ」

「刺した晩に？」

「聞き違いですよ、丸山先生」

　中に入り家中の明かりを点《つ》けてまわったあとで、僕はまず平野美雪と台所で小声の話し合いを持った。

「いいわよ、あたしがお客様をもてなす主婦の役をつとめればいいわけね、そして食事が終わったら、おやすみなさいって、あなたと一緒にあの二人組を追い返せばいいのね」

彼女は袋の中身を食卓の上につかみ出しながら言った。

「だったらすき焼きでも何でもつくってあげる、御飯も炊いてあげる、こんなもの、五分で準備して五分で食べさせてやる、そのかわりワインは空けないわよ、これはあとであなたと二人きりで飲むのよ、それとね、あの家庭教師、お手伝いしますって絶対言い出すに決まってるから羽交い締めしてでも止めて、こっちに入れないで、あの鈍さを見てるとおなじ女として苛々《いらいら》する」

去年までの自分を見てるみたいに？　とそのとき当然思いついてもおかしくない軽口を僕は思いつけなかった。

なにしろあの事件の夜からまる一年後に（正確に言うと十三カ月と少々）、いきなり目の前に現れた鈴村綾の姿を、『夜目』にすら大かた見当のついたその変貌《へんぼう》ぶりを、早く明かりのもとでじっくりと眺めてみたいと気もそぞろだったのである。それで僕は平野美雪にはあっさりうなずいて見せて、台所と続きのリビングへ移り、ひとまずソファに腰をおろして二人組と向かい合った。

「さて」

と僕は呟《つぶや》いてネクタイをはずしにかかった。鈴村綾はむかいの長椅子《いす》に沈み込むような姿勢でくつろいでいた。服装はデニムの上下というありふれたものだった。行儀悪く投げ出された彼女の脚、ジーンズにつつまれた脚の膝《ひざ》からほぼ直角に折れて床まで到達した部分、その長さからすると身長は2インチほど伸びたのかもしれない。

「あの、私お手伝いしましょうか」丸山れいこが言った。「平野さんにぜんぶ押しつけちゃうのもなんだし」

「いいんです、気にしないでください」

「でもやっぱり、お手伝いしますね」丸山れいこが腰を浮かした。「二人でやったほうが早くできるでしょう?」

「本人が一人でやりたがってるんだ」僕は鈴村綾に目をむけた。「丸山先生を止めてくれないか」

鈴村綾が長い手を伸ばして丸山先生の腰のベルトに指をひっかけてすわり直させた。はずしたネクタイを僕がテーブルの上に置いた。丸山先生が顔を少し赤らめ、黄色いセーターのずり上がった分をベージュ色のズボンの中に押し込んで乱れを直した。それから赤みがかった茶色のバッグを膝の上に載せると元の背筋をのばした姿勢に戻った。

「さて」僕は最初から始めた。「二人そろって何か話があるのなら、すき焼きができあがるまでに片付けてくれ」

「あの女のいないとこで話したい」鈴村綾が言った。「ヒデオ君とふたりきりで」

「ふたりきりで」言葉の響きをなぞってから、僕は丸山先生に目をやった。

「私は今夜はただの付き添いです」丸山先生が言った。「私から鮎川《あゆかわ》さんにお話しすることはないんです。鮎川さんと綾さんとの間にどんな事情があるのか何も知りませんが、前々からここへいちど連れてくるようにせがまれていたんです、そのうちに、と綾《あや》さんには約束してたんですけど、それが今夜ピアノのレッスンの送り迎えをしている間に、なんだか急に、こんなふうになってしまって……。綾さんの生活には毎日定められたコースがあるんです。それに付き添うのが私の役目です、絶対にコースからはずれるなと綾さんのお母様から言われてるのに、こんなところにいるのが見つかったら私はクビです」

「脅しに屈服したのよ」鈴村綾が言った。「その気になれば一人でどこへでも行けると脅したら、丸山先生は車の中で心臓を押さえて、もう少しで事故を起こしそうになった、証言するよ」

「でもね、綾さん」丸山先生は隣を振り向いた。「こちらの鮎川さんのことは、お母様から、特別に名指しで注意を受けているのよ、金輪際近づけちゃいけないって、理由は説明していただけなかったけれど」

「きみがピアノのレッスンを?」僕は鈴村綾の気を引いた。

「英会話もやらされてる」鈴村綾が答えた。「あのあとずっと寄宿舎に入れられたみたいに監禁状態が続いて、中学に入ったら自由になれると思って我慢してたのに、こんどはこの先生が雇われた、『お目付役』で、ママと俵ケ浦の『陰謀』だよ、丸山先生を連れてきたのは俵ケ浦なの」

「あら? 鮎川さん、俵ケ浦さんをご存じなんですか?」

「まあね」僕は鈴村綾を見た。「二人で話したいなら、二階へ行こうか？」

「There is nothing upstairs」綾が言った。「ヒデオ君、あたしのおつむのことをそう言ってたよね」

「だめよ」台所から声が飛んだ。「丸山先生、その二人を二階に上げたりしたらろくなことは起きないわよ、綾さんのお母様が正しいのよ」

長椅子に沈み込んだまま鈴村綾が気のない視線を台所へ向けた。その様子と僕の顔を見くらべて丸山先生が口を開きかけた。そのとき丸山先生の膝の上のバッグから音が鳴り響いた。

「ママよ」と身体を起こして鈴村綾が言い、

「ええ」と丸山先生が答えてあわただしくバッグの中を探った。

「ロイヤルホストでご飯を食べて、これからローソンに寄ってタンポン買って帰るとこ」と鈴村綾が助言した。

「わかってる」丸山先生が携帯電話を取り出して耳にあてた。「……ええ、私です、別に、変わったことはありません、綾さんもここにいます、ファミリー・レストランで食事をすませたところです、いま、いまは駐車場の車の中です、これからコンビニに寄ってあれを、切らしていたものを買って帰ります、だいじょうぶです、いつも通りに帰ります、はい、いま代わりますから」

鈴村綾と交替すると、丸山先生はハンカチで鼻の頭にかいた汗を拭《ぬぐ》った。うん、うん、と電話の相手に生返事を繰り返しながら鈴村綾が席を立ち廊下に出ていった。ハンカチを握りしめた手でこんどは胸を押さえている丸山先生に僕が話しかけた。

「たいへんだね」

「ええ、それはもう、いろいろと手を焼かされます」丸山先生が本音をもらした。「家庭教師といっても住み込みなんです。綾さんの面倒を見るだけではなくて、お母様の洗濯物なんかまで私が。じゅうぶんなお給料を頂いているので文句も言えないんですけど」

「砂糖はどこ？」台所から声がかかった。

いちど平野美雪のそばへ行って戻ってみると、丸山れいこはまた浮き腰になって待ち構えていた。

「やっぱり、何かお手伝いしましょうか？」

「いや、いい」僕は手かざしをして押しとどめた。

「さっきの俵ケ浦さんのお話ですけど」丸山れいこがハンカチを畳み直して言った。「私の大学のゼミの教授と俵ケ浦さんは小学校からの同級生で、いまでも親しくされてるんですよ、その関係で、このお仕事を世話していただいたんです、実は私、今年大学は卒業したんですけど、希望した就職先がことごとくふいになって、それで途方にくれているところを助けていただいたわけなんです、でも来年からの勤め先は内定しています、親戚《しんせき》のコネだから自慢するほどじゃないけれど、だからこのお仕事も今年いっぱいの約束なんですね、もう少しの辛抱です。ところで鮎川さんは、俵ケ浦さんとはどういうお知り合いですか？」

　その問いかけには答えなかった。自慢するほどじゃないという内定先に好奇心が動かないわけでもなかったが、それも話が長引きそうなので尋ねなかった。代わりに質問を一つ思いついた。

「ひょっとして同じゼミの先輩に三ッ森さんという人がいませんでしたか」

「ミツモリ？」

「三つの森と書いて三ッ森」

「三ッ森さん？　下の名前は何とおっしゃるんですか？　三つの林と書いて三ッ林さんなら、西高時代にペーパークラフトの仲間にいましたけど、三ッ林あかねといって、あかねという字は万葉集の……」

「ああ、心当たりがないならいいんです、無理に思い出さなくても、きっと僕の勘違いだ。

……ペーパークラフトって？」

「折り紙クラブのことです」

　そのときまた電話のコール音が鳴り響いた。こんどはうちの電話だった。僕はリビングから廊下へ出て、鈴村綾の姿を目で探しながら玄関まで歩いて受話器を取った。

「もしもし、ヒデオ君？」鈴村綾の声だった。

「どこにいるんだ？」

「二階」

「話があるなら」僕は玄関の上がり口のすぐ左手にある階段の、一段めから一番上の段まで視線を這《は》わせた。「いつでも、こうやって電話をかければよかったんだよ」

「かけたよ、いっぺんもかけなかったと思ってるの？　つながらなくて何べんもいらいらしたんだよ」

「だったらつながるまで……何をしてるんだ？」

「いまジャケットを脱いだ、暑苦しいから」

「どこにいるんだ」

「だから二階だって」

「僕の部屋か」

「うん、去年泊めてもらった部屋、ベッドの壁にまだあの野球選手のポスターが貼《は》ってある、あれはまだここに隠したまま？」

「うん。窓を開けろよ、埃《ほこり》っぽいだろ、そこはいまは使ってないんだ、下で寝起きしてるから」

僕はデニムのジャケットを脱いだ鈴村綾の姿を頭の隅に描いた。臍《へそ》が見えるほど丈の短い黒いTシャツ、もしくはタンクトップを素肌のうえに身につけて、ベッドの端にちょこんと腰かけている酔助叔父《おじ》のロリータを思い描いた。さきほど鈴村綾が携帯電話を耳にあてて立ち上がったときに気づいたのだが、彼女の幼かった胸はこの一年のうちに息を呑《の》むほどの成長を遂げていた。たぶんベッドに腰かけた姿勢でいるいまも、黒い端切れのようなTシャツもしくはタンクトップの布地を乳房が斜め上へと持ち上げるせいで、彼女の平らな腹の臍の上の辺には裾《すそ》との間に2センチくらいの隙間《すきま》ができているだろう。

あなたの叔父さんは、ロシアの体操選手みたいな体型の女の子が理想なのよ、という証言も僕は同時に思い出していた。それは鈴村綾が現れる前まで叔父のロリータ役を務めていた女子大生、伊和丸久美子《いわまるくみこ》の証言だった。叔父がいま明らかに大人の女へと変貌《へんぼう》しつつある中学一年生の鈴村綾を目にしたらどんな感想を持つだろうか。結局、平均的な美しい女性の体型にまで成長しつくした伊和丸久美子は、叔父にとっては欲情を押さえるための鎮静剤、生きたダッチワイフ役へと転落し、それがもとで、いま台所ですき焼きの下味をつけている女に僕が刺される原因、というか引き金の役割までつとめることになったのだが。

「これは誰？」電話の声が尋ねる。「この野球選手」

「去年も教えただろ」

「憶《おぼ》えてないもん、誰？」

「待ってろ、そっちへ上がっていく」

そのとき僕は磨《す》りガラスにうつる影に気づいた。廊下の突きあたり、磨りガラスをはめ込んだ扉にうつる影が揺れ、まもなくそれが開いた。菜箸《さいばし》を持った平野美雪がこちらを睨《にら》みつけると、扉を開けっぱなしにしてまた奥へ引っこんだ。

次にその手前のリビングの出入口のドアが開き、丸山れいこが顔を覗《のぞ》かせて、綾さん？

と一度だけ呼びかけ、僕とは視線を合わせないまま再びそのドアを閉めた。僕は受話器を耳にあて直した。

「何て言ったんだ？」

「こっちに上がってこなくてもいいって言ったの、ねえ、これ誰」

「落合博満《おちあいひろみつ》、ロッテ・オリオンズ時代の」

「古いポスターだね、あたしが生まれる前だよね」

「きみは去年と同じことを喋《しゃべ》ってるよ、中学生になったんだろ、用件を手短に話してみろ、……何の音だ？」

「これ？」

「何を転がしてるんだ」

「バット、ヒデオ君が昔使ってたバットでしょ、足の裏で転がしてるの、持ってみたらけっこう重いね」

「……そんなことはいいから」

「あのね、話ならもういい、久しぶりにヒデオ君に会えて、ちっとも変わってないってわかったからそれでいい」

「酔助叔父さんの話をしたいんだろ？」

「あたしはここに来ようと思えばいつでも来れる、心の準備は去年のあの朝からずっとできてる、ママから逃げ出すことだってラクショーなんだけど、ただ丸山先生はあんな風で悪い人じゃないでしょ？　いやな奴じゃないって、ヒデオ君も思うでしょ？　だから迷惑かけないように、ぎりぎりまで我慢してる、でもあたしの心は決まってる」

「そうか」

「うん、あたしは酔助と一緒に行く、だからヒデオ君もそのつもりでいて」

「ちょっとあんたたち」平野美雪が廊下に出て大声をあげた。「いつまで電話でいちゃついてるつもり？」

「ねえ、ヒデオ君、ほとぼりがさめるって、もうじきだよね」

「そうだな、きみがそう感じるのなら、そうかもしれない」

「そう感じる、もうじきだよ」

「綾《あや》さん？」続いてリビングのドアが開き、丸山れいこが二階へ呼びかけた。「すき焼きの匂《にお》いがしてるわよ、一緒にいただきましょう」

「だからヒデオ君だけには少し迷惑がふりかかると思う、覚悟してね、あたしはここしか逃げて来るところがないから、ヒデオ君、そのときは力になってくれるよね？」

「食べるの？」平野美雪が尋ねた。「その子と寝るの？」

「返事は聞かなくてもわかってる、もうヒデオ君の顔を見たときからわかってる。心配しないで、今日はすき焼きを食べたらおとなしく帰るから」

「どっちなの？」

「下ではもう喋らなくていい、じゃあね、さよなら」

「食べるよ」僕は受話器を置いて言った。

言葉通りに、鈴村綾と丸山れいこの二人組はすき焼きを食べ終わるとおとなしく帰っていった。

そしてその後で予定通りに僕と平野美雪はワインを飲んだ。

ちなみに彼女の迎えの車は朝になっても来なかった。

1995　春〜夏

叔父　綾、紹介するよ、この『二枚目』がヒデオ君だ。
鈴村綾　ヒデオ君て誰？
叔父　おれのアネキの息子、血のつながった親戚《しんせき》。いい男だろ？
鈴村綾　ていうかさあ、あたしのママに気に入られそうな顔だよ。

この二人の会話を僕はいまでも憶えている。

最初の晩だった。

昨年の四月二十九日、叔父のマンションを訪ねた晩のことだ。

叔父はカウチの上であぐらをかいて座り、その重なった足首のあたりに鈴村綾はデニムのミニスカートにつつまれた尻《しり》を載せていた。叔父は背後から小学生の身体には触れない程度に顔を起こして話しかけ、それに対して鈴村綾は、叔父《おじ》の息がかかるのがうるさいのか、左の耳元の髪をかきあげながら「ていうかさあ……」という名文句を口にしたあとで、好戦的、と表現するしかない彼女独特の目つきで僕の隣にいた平野美雪を見つめたのだった。

叔父と鈴村綾、伊和丸久美子、そして僕の他に、あの晩は確かに平野美雪もそこにいた。いま思えばあれはやはり物語りの主要人物が一堂に会した晩だった。

例のスクラブルの三番勝負のあとで三ッ森小夜子に長話をして聞かせたときには、余計な部分に見なして削除して喋ったのだが、実を言えばあの晩、産みの母の店ミロワールを出て『はしご』した三軒目の酒場から、僕は平野美雪に電話をかけている。彼女はすぐにタクシーを飛ばして迎えに現れた。父親名義のマンションで例のごとくワインを用意して、僕からの連絡を待ちくたびれていたのである。だからあのとき、つまり酔ったあげくに叔父の借りているマンションを三度目に訪れたとき、当然ながら僕のそばには『ご機嫌ななめ』の平野美雪が寄り添っていたのだ。

そしてもう一つ、当然ながらの但し書きを追加すれば、マンションの玄関口で、インターフォン越しに叔父と僕がかわしたことになっている会話の内容は、時間的な配列から言えばそのときではなくもっと後になされたものである。役人の仕事に関して僕が叔父につい弱音をはいたり、叔父が僕に銀行強盗の話をもちかけたりしたのは、平野美雪のいない晩のことだった。

分かりづらいかもしれないけれど、三ッ森小夜子に語ったときには平野美雪の件を一切省いたために、テキスト上の意味の不都合なく後の会話を少し前に持ってきてはめ込むことができたのだ。県庁の役人として使い慣れたパソコン用語で言えば、カット・アンド・ペーストの編集方法を物語りに応用したわけである。

問題の晩をもう一度事実に即して再現すれば次のようになる。

ミロワールで母に渡された叔父の部屋番号を押すと、インターフォンからぶっきらぼうな男の声が返事をした。

「叔父さん、英雄です」僕は呼びかけた。「鮎川《あゆかわ》英雄です」

「おう、英雄か」叔父の声が答えた。

「ちょっと通りがかったんで、寄ってみました。元気ですか」

「元気ですか？　寝ぼけたこと言ってねえで上がって来い、いま鍵《かぎ》を開けてやる」

「それはいいんですけど、いまは」僕は右横に立っている平野美雪に目をやって、またインターフォンに顔を近づけた。「実はいま連れがいるんです」

「遠慮するな、そいつも一緒に上がって来い、どうせ女だろ、やっぱり県庁のお役人か？」

「アルバイトのお嬢さんなんですけどね」

「お嬢さん？　金持の娘か？　年が若いってだけか？」

「まあ……言えば両方ですね」

「上がって来い、いま鍵の開いた音がしただろ、そこの脇《わき》のドアから入ってエレベーターで上がって来い」

「聞いただろ？」僕は平野美雪を振り返った。

「気が進まないわ」彼女が答えた。

「どうして、三十分だけ寄っていこう、きみだって叔父の顔を見てみたいと言ってただろ」

「気が進まないのよ」彼女は渋ってみせた。「何だかね」

そのとき僕は左手のドアのそばの女に気づいた。鮮やかなブルーのボタンダウン・シャツを着た若い女が、半開きのドアを押さえてこちらへ首をかしげている。僕は礼を言ってドアマンの役を代わってやり、目で平野美雪をうながした。彼女はしぶしぶそこを通り抜けた。

エレベーターに乗り込むと、ボーイッシュな服装の娘が連れている子供が5階のボタンを押して、僕を見上げた。われわれもそこで降りる、と意志を通じさせるために僕は大きくうなずいて見せた。女の子はサングラスをしていたので顔つきはよく分からなかったが、僕はほろ酔い加減のせいもあり、見え見えのお世辞を使った。

「可愛い子だな、小学生かい？」

「六年生よね」当人が僕のお世辞を聞き流したので代わりに保護者役の娘が答えた。

「へえ」六年生にしては小さすぎないか？　と同意を求めるために平野美雪を振り向くと、彼女は小学生よりもその横にいる娘のほうに気を取られていた。ちょっと大げさに言うなら、そのとき平野美雪は『蔑《さげす》み』の目つきで娘を見ていた。おそらくボタンダウン・シャツの裾《すそ》をジーンズの上に垂らした娘のラフな着こなしが我慢ならなかったのだろう。ちなみに平野美雪じしんはその晩もふわふわした感じのワンピースを着ていた。何種類かの果物の絵のプリントされた彼女にしては派手な一枚だった。

平野美雪は娘の品定めに飽きると、僕の身体に手をかけた。上着の肩の部分のごみを払い、上着の下のポロシャツの襟を直してくれた。そのとき娘が話しかけた。僕はその言葉を聞き逃した。平野美雪が険悪な表情を浮かべて娘を振り返った。何か起こってはならない事が起こってしまった模様だった。

「ぼんくら」娘が繰り返した。「ぼんくら大学生」

「……みそっぱ？」

「そうよ、叔父さんの部屋に行くんでしょう？　あたしたちもよ」

「驚いたな」

「誰なの」平野美雪の呟《つぶや》く声が聞こえた。

「何年ぶりだろう」

「七年よ、最後に会ったのはちょうどこの綾《あや》ちゃんくらいの年だったから」

「こんなにきれいになるとは思わなかった」

「誰なの?」平野美雪が僕の腕を引っぱった。

エレベーターが5階に着いた。軽やかなチャイムの音がひびいてドアが開いた。


実際のところはそんな経緯だったので、502号室に全員が顔をそろえたあと、鈴村綾が「ていうかさあ、あたしのママに気に入られそうな顔だよ」と僕の顔の寸評をして好戦的な視線で平野美雪を見つめたときにも、見つめられた本人はそれに気づかない様子で、叔父たちの隣に(というよりもカウチの端っこに)腰かけているボーイッシュな伊和丸久美子にまだ関心を示しつづけていた。

その晩の伊和丸久美子は、東京から遊びに来ている若い娘にふさわしい陽気さで座を盛りあげた。僕の連れが自分に示すあからさまな関心、というか敵意に気づかぬはずもなかっただろうが、時間にすれば小一時間、最後の最後まで主に僕を話相手にして陽気な態度を崩さなかった。帰りがけにエレベーターの箱の中で、『駆け引き』という言葉を知らない平野美雪が、

「あの人とまた会うの?」

と早速ナイーブな質問をした。

「叔父さんのことかい?」

僕がとぼけてそう聞き返してやると、彼女はすっかり機嫌をそこねてしまい、彼女のマンションに帰り着いてそっちのエレベーターの箱の中で僕が悪戯《いたずら》を仕掛けるまで口もきい

てくれなかった。
もちろん伊和丸久美子とはそのあと何度も会う機会があった。叔父の部屋に遊びに寄れば彼女はそこにいるか、そこに帰ってくるのだから会わないわけがない。だが平野美雪が（たぶん）心配したような会い方で、つまり叔父抜きで会うようになったのはそれから一カ月ほど後のことである。伊和丸久美子は大学生活を犠牲にしてまで叔父との『同棲《どうせい》』を選び、クラブのホステスとしてアルバイトを続けていた。最初は彼女から飲みに来てよと電話の誘いがかかり……、といまさら言い訳じみたことを言っても仕方がないのだが、僕は週末の勤め帰りにそのクラブに通い出した。

久美子　みどりさん、こちら鮎川英雄さん、ほらいつか噂《うわさ》してた……。
みどり　鮎川さんて、酔助さんの、例の県庁の……？　まあ、こちらこそよろしくお願いします、酔助さんと久美ちゃんには日頃から綾がお世話になりっぱなしで、ねえ、あの通り『人怖《ひとお》じ』しない子なもんだからすっかりなついてしまって、まるであんたを酔助さんちに『里子』に出したみたいな気分よママは、って今日も出掛けにぼやいてきたとこだったんですよ、『里子』って、意味はわかりますよね？　だって週末のたんびにキャンプにでも行くみたいにリュックサック背負ってね、酔助さんちにお泊まりなんですから、今夜もまた、久美ちゃんごめんね、迷惑ばっかりかけるけどいつかまとめて御礼させてもらうから、でも鮎川ちゃん、この店では綾の話は『ご法度』よ、そういえば酔助さんとどこかしら似てらっしゃるわね、あたりまえだけど、でもこちらがずっと若いわね、あたし好みだわ、どうぞごゆっくり、あとでまたうかがいますから。

久美子　見た？　あれが綾ちゃんのママで、この店のナンバー・ワン。あれで今年四十五よ、まったくいい気なものよ、年ごまかして男をたぶらかして、自分の娘が酔助にどんな世話をされてるか、本当のところを知ったら飛びあがるわよ。

それが二度目の夜で、伊和丸久美子は僕のテーブルについたときからすでに酔っていた。あるいは僕のテーブルについた瞬間から、営業上の気の張りが緩んで、素《す》に近い酔い方がはじまったのかもしれない。

俯瞰図《ふかんず》にすればたぶん迷路の仕切りのように見降ろせるはずの、複雑かつ巧妙に配置されたL字型のソファの一つに僕たちは腰かけていた。何十坪かある広い店内のステージから一番遠い隅の席で、Lの字の曲り角の部分を境にして隣り合いブランデーを飲みながら話をした。

伊和丸久美子の話はその夜ナボコフの『ロリータ』をめぐって展開した。少なくとも本人は展開させたがっている様子だったが、実のところは店のソファの配置図のように解りにくい迷路の中をさまよっていた。

その小説ならすでに伊和丸久美子当人に勧められて新潮文庫版で読み終わっていたのだ

が、そのことを伝えてもすぐ何分後かには忘れるくらいに彼女は酔っていて、しきりに前と同じ台詞《せりふ》を（「とにかく読んでみて、損はしないから」）繰り返すのだった。

「読んださ、ゆうべ読み終わったばかりだ」

「ハンバート・ハンバートが日記をつけるところは読んだ？　酔助はね、結局、あれと同じことをやったのよ」

「叔父《おじ》が日記をつけてるのかい？」

「あなたの叔父さんが日記をつけるような男？　あたしが言いたいのは、酔助が初めのうちみどりさんに取り入って、あとから綾ちゃんを手なずけたって順番のこと」

ちなみにハンバート・ハンバートはドロレス・ヘイズという名の娘を我が物にするため、その母親シャーロット・ヘイズと結婚までする。だが後に娘への思いを綴《つづ》った日記を母親に盗み読みされて、この偽装結婚はいっぺんに崩壊することになる。

「叔父とみどりさんの間に何かあったのかい？」

「わからない人ねえ」彼女は右肩で僕の左肩を小突いた。「酔助があんな『女狐《めぎつね》』を本気で相手にするわけないでしょ、あたしが言いたいのは、酔助の狙《ねら》いはもともと綾ちゃんにあったってこと、あたしたち四人で初めてご飯を食べたときにピンときた、酔助はいつもの調子でみどりさんのご機嫌取りに熱心だったけど、テーブルの下では娘にちょっかいを出してたに違いないの、それをあの女、いまだに何も気づかないで、綾がお世話になりっぱなしでなんて、酔助がどんな世話をしてるか本当のことを知ったら口から泡吹いて倒れるわよ、ねえ、油断してると小説みたいなことが起こっちゃうよ、まさか母親を殺しはしないでしょうけど、そのうち娘を独り占めにして、酔助のやつどこかに連れて逃げちゃうわよ、小説ではね、車の助手席に女の子を乗せて連れ去るのよ、そのまま二人で流浪の旅に出てしまうのよ、とにかく読んでみて、損はしないから」

ちなみに小説では、正確に言えば母親は殺されるのではなくて問題の日記を読んだ直後に突発的な交通事故で死んでしまう。それを見届けてハンバート・ハンバートはサマー・キャンプに出かけていたドロレス・ヘイズを攫《さら》いにゆき、そのまま車の助手席に乗せてアメリカ大陸遍歴の旅に出立することになる。

『ロリータ』に描かれた一九四〇年代末のアメリカでの事件を、二〇世紀末の日本の現実にあてはめて「小説みたいなことが起こっちゃう」可能性を探るにしても、一つだけ割り引いて考えねばならない点がある。それは車の運転の問題である。そもそも叔父は運転免許証というものを一度も持ったことのない人間なので、たとえ鈴村綾《あや》を連れ去るにしても、小説の主人公のように車の助手席に乗せて日本列島逃避行を試みるというわけにはいかないのだ。そんな意味のことを僕が喋《しゃべ》っているうちに、左肩にくっついていた伊和丸久美子の右肩が体温とともにすっと遠のいていった。

「あなたもあの母親と同じね」彼女は自分でブランデーを注《つ》ぎ足して飲んだ。飲んだあとで顔をしかめた。「酔助のことがわかっていない、ぜんぜんわかっていない」

彼女の言う通りに違いなかった。確かに僕は鈴村綾の母親と同じで叔父のことがよくわかっていなかった。第一に、会わないでいた七年の間に東京で、叔父があのこましゃくれた子供だった伊和丸久美子をどんなふうに手なずけたのか、中学生の伊和丸久美子を、高校生の伊和丸久美子を具体的にどんなふうに扱ったのか、僕は何も知らなかった。第二に、もしその点を（叔父を理解するために）詳しく知りたいと願っても、当の本人に問いただすより他に方法はない。つまり方法はないのと同じだった。ブランデーに酔った勢いを借りるとしても、目の前のかつての叔父のロリータ・伊和丸久美子に対して、たとえば彼は中学生のきみにどんなことをしたんだい？　といった質問を口にできるわけがない。

だからその晩僕には手のうちようがなかった。彼女の話に真剣に耳を傾ければ、傾けるほど居心地が悪くなるだけだ。どのような仄《ほの》めかしに対しても、具体的な事実でない限り、わかったふりをして相槌《あいづち》を打つわけにはいかなかった。結局僕は、彼女のお喋りに冗談半分の応対をしながら一緒に酔っ払い、すぐそばで彼女が顔をしかめてみせても、「だいじょうぶか？」と呑気《のんき》な決まり文句をつぶやくクラブの客に徹するしかなかったのである。

僕が席を立つ前にその夜もう一度だけ鈴村綾の母親がテーブルにやってきた。するとまるで一枚頁がめくれたように場の雰囲気がにぎやかに変わった。時間にすればほんの五六分にすぎなかったが、その間、伊和丸久美子はナンバー・ワンのホステスに調子を合わせるだけで『ロリータ』の話題にも叔父と鈴村綾の話題にもいっさい触れなかった。酔っていてもさすがに口を慎むべきところでは慎む分別をまだ持ちあわせていたのである。

二人して分別を失ったのは店がはねてからだ。

僕は店の裏口にタクシーを止めさせて伊和丸久美子を待っていた。少なくともその時点までは、彼女を叔父のマンションへ送り届けてその足でまっすぐ家へ帰る予定だった。すでに日付が変わろうとする時刻である。あらかじめタクシーの運転手にも大まかな道順を説明してあった。仕事用のミニ・ドレスから、ジーンズとボタンダウンのシャツという相変わらずの普段着に着替えた彼女が乗り込んできて、酔った口調で運転手に告げた行先も叔父のマンションだった。それから彼女の右肩が僕の左肩に触れるというよりもぶつかり、僕が奥へすわる位置をずらす間に、彼女の気が変わった。

「待って、途中でコンビニにでも寄って」と彼女は運転手に頼み、次に僕に言った。「おなか空いたでしょ、何かちょっとしたものでも作ってあげる」

「ちょっとしたものを作れる状態じゃないよ、きみは」

「だいじょうぶ、まかしといて、こう見えてもね、あなたの叔父さんに鍛えられてるんだから」

「叔父が料理を?」

「酔助はあれで器用なのよ、油断してると何でも自分で作って食べちゃうのよ、特に酔助の作るスパゲッティは日本一うまい、アリオ・オリオ・ペペロンチーノ、オリーブオイルとニンニクとトウガラシだけで具はなんにも入ってないスパゲッティ、うどんで言えば素うどん、東京で評判の店を一緒にまわってみたけどやっぱり酔助のがうまい、それだけはあたしも認める、いっぺんでも食べさせられると病みつきになる、アリオ・オリオ・ペペロンチーノ、おまじないみたいでしょ、言ってみて、言えたらあたしが直伝のやつを作ってあげる」

「やっぱり酔ってるよ、材料だけ買って叔父に作ってもらったほうが無難だな」

「酔助は今夜は留守よ」あたためていた切札を使うように彼女は言った。「あの子を連れて本当にキャンプに出かけてるの、青少年自然村ってとこに。運転手さん、そういう名前のキャンプのできる施設があるのよね？」

返事は聞こえなかった。

「だから今頃」彼女は続けた。「あのふたり、ル・グラン・モマンを迎えてるわけ、もう終わった頃かもしれない」

それはその日彼女が喋ったなかで最も具体性のある仄めかしだった。ちなみに僕の読んだ新潮文庫版『ロリータ』ではその部分は「大いなる一瞬」と日本語に訳され横にグラン・モマンとルビがふってある。ハンバート・ハンバートは初めてホテルの部屋で少女と一夜を明かす場面への導入部でその言葉を使う。「さて、いよいよ大いなる一瞬がやってきた」パリに生まれて後にアメリカ大陸へ渡ってきた男は、ここぞというときに英語の中に仏語を混じらせるのだ。

僕はゆうべ読み終えたばかりの小説の描写を思い出した。県の広報誌でも紹介した覚えのある青少年自然村での大いなる一瞬に思いをはせた。それから伊和丸久美子にもかつて訪れたはずのその一瞬を思い、口を開きかけた。とにかく何か冗談めかしたことを答えなければと気は焦ったのだが、適切な冗談は何も思いつけなかった。伊和丸久美子が例の叔父についての証言をしたのはそのときだった。

「あなたの叔父さんは、ロシアの体操選手みたいな体型の女の子が理想なのよ、あたしみたいにすくすくと育ってしまった女じゃだめなの、あたしはハンバート・ハンバートにとって他の女がそうだったように、酔助にとってはもう生きたダッチワイフとしての価値しかないの、酔助はね、あたしがミニ・スカートでもはくと目をそむけるのよ、なぜだかわかる？　酔助の一番嫌いなスポーツは何か知ってる？　女子テニスよ、あの短いテニス・ウェアから覗《のぞ》く脚がグロテスクだと言って見るのも嫌がるの、どんなに美しい選手でも美しい脚でも、それが大人の脚であるかぎり嫌がるの、当然ミニ・スカートをはいた女はぜんぶだめ、歌手だろうが女優だろうがぜんぶだめ」

タクシーがコンビニの前に停車した。僕は料金を支払い彼女をうながしてそこで降りた。

「それからね……」コンビニのドアに手を触れて彼女がなおも言いかけた。

「叔父は『ロリータ』を読んだのかな」

「何？」

と感情の高ぶった声で彼女が聞き返したので、僕は口をつぐんだ。いつだったか叔父が、女は欲情を処理するための鎮静剤にすぎないと公言していたのを思い出したのだ。実は『ロリータ』の中でハンバート・ハンバートも同じ表現を用いている。彼女はコンビニのドアの前で吐息を洩《も》らして、片手で自分の額の温度をはかるような仕草をした。そしてバッグの中から財布を取り出した。

「オリーブオイルを切らしてるから買って行くわね」

「夜中にスパゲッティなんか食いたくないよ、それより少し歩こう」

「お願い」彼女は頼んだ。「歩きながら慰めたりしないと約束して、今夜はあたしから誘ってるんだから、慰めの気持で泊まってくれたりしないで」

「僕はきみの脚がきれいだと思う、ジーンズで隠すのはもったいないくらいだ」

彼女が財布で僕の頬《ほお》をはたいた。

「約束して」

女の願い事、女の約束。僕は夏樹姉の顔をちらりと思い出した。

「約束するよ、マンションまで黙って歩いて、きみの気がかわらなかったら、冷蔵庫にあるもので何かちょっとしたものでも作ってもらう、それでいいかい?」

「無理よ、実を言うとあたし相当酔ってるみたい、立ってるのがやっとなの」

「おんぶしてやろうか?」

「ねえ県庁のお客さん、あたしの脚はそんなにきれいだった?」

「きみが小学生のときからそう思ってたよ」

「おぶってよ、ぼんくら」

「ぺちゃぱい」言い返して僕は背中を差し出した。

叔父《おじ》　なんだ英雄、来てたのか、ちょうどよかった、電話する手間がはぶけた、一緒にビデオを見ようぜ。
英雄　ビデオ？　そろそろ帰ろうかと思ってたんですよ。
叔父　いいからそこにすわれ、今後の参考になりそうなのを二本ばかし借りてきたんだ、一緒に見て意見を聞かせてくれ、ほら、綾もそこにすわれ、昼飯にシェーキーズのピザを注文してやるから、何をぼーっとつっ立ってるんだ、二人とも。
綾《あや》　あたし、シャワー浴びてきていい？

叔父が綾を連れてマンションに戻ったのは翌日の正午過ぎのことだった。

僕はその一時間ほど前に目覚めて、二日酔いの伊和丸久美子が用意してくれたありあわせの朝食（コーヒー、ミネラルウォーター、ビタミン剤）を二人で寡黙に味わい、そのあと身支度をすませていた。晴れわたった午後、というよりも遅い朝の光りの降りそそぐマンションの一室にはまったく不似合いな、あとはネクタイさえ締めればそのまま県庁へ日曜出勤も可能な服装だった。

叔父はリビングで向かい合っている僕たちを見ても顔色ひとつ変えなかった。伊和丸久美子のほうも、もちろん心の準備はできていたのだろうが、言い訳めいたことは一言も言わなかった。

「あら、早かったのね」

「おう、山ん中にいつまでもいたって退屈でよ」

　そんな会話がなされただけだった。

　それから伊和丸久美子はのろのろと腰をあげて寝室へ歩いてゆき（その間に叔父は僕に話しかけた）、ドアを閉めると籠《こも》もったきり出てこなかった。鈴村綾がシャワーを使うため浴室に入った。僕の見るかぎり、伊和丸久美子と鈴村綾は一度も目を合わせなかった。

「具合悪そうだな」叔父は寝室のほうをちょっとだけ気にしてみせた。「生理なのか？」

「二日酔いですよ、ゆうべは魚みたいに飲んでたから」

「魚？　それを言うなら鯨だろ」

「ドリンク・ライク・ア・フィッシュ、英和辞典にそういう表現が載ってるんですよ」

「まあ、そんなこたどうでもいい、それよかビデオの話だ、英雄、『黄金の七人』て映画は見たことあるか、アル・パチーノの『狼《おおかみ》たちの午後』と、アラン・ドロンの『さらば友よ』、それと何てったっけな、スティーブ・マックイーンが銀行から金を奪って、女と二人でメキシコへ逃げるやつ」

「『ゲッタウェイ』」

「うん、それにテレビで刑事コロンボをやった役者が、あれはピーター・フォークか、あいつが仲間と組んで金庫に眠ってる金をいただくっていうのは何だ」

「『ブリンクス』、いま言ったのはビデオで全部見てますね、大学時代に」

「頼りになる甥《おい》っ子だな、おまえも。とにかくその手の、どっかから大金をかっさらう映画を見せろってビデオ屋の店員に頼んだら、『定番』ですね、かなんか言いやがって古いのばっかり貸しやがった、で、今日探し直させたのがこれだ、店員に言わせれば比較的最近のやつだ、『ハートブルー』に『キリング・ゾーイ』、見たか？」

「見てませんね、比較的最近のやつは」

という成り行きで、夕方までかかってその手の映画を二本立て続けに見ることになった。シェーキーズのピザを食べ、一緒に出前を頼んだコカコーラと、途中で買ってくるように叔父が配達員に言いつけたキリン・ラガーを飲みながら、途中から加わった『洗い髪』の鈴村綾もふくめて三人で見た。伊和丸久美子は寝室で眠ってしまったのか、その間一度も顔を出さなかった。

二本目のビデオが終了すると、僕が単独でため息をついて、リモコンを操作してテープを巻き戻すことになった。『ハートブルー』を見終わり、『キリング・ゾーイ』の前半にかかったところで鈴村綾もまたソファで叔父の腿《もも》を枕《まくら》にして寝息をたてはじめ、その寝息に誘われたのか叔父は叔父でラスト・シーンの前あたりではうつらうつらしていたからである。

巻き戻しが完了するまでの間に僕は缶ビールの残りを飲みほし、ワイシャツについたピザの染みを点検し、上着を着終わった。デッキからテープを取り出して貸し出し用のケースに収めていると、叔父が意識を取り戻した。

「問題は武器の調達ですね」僕は感想を述べた。

「そうだな」

「マシンガンとまでは言わなくても、やっぱり銀行を襲うにはピストル程度の武器は必要ですよ」

「それとお面だな」叔父は答えた。

僕はうなずいてみせた。確かにそれも必須《ひっす》だった。銀行を襲う犯人たちは『ハートブルー』ではアメリカ歴代大統領の仮面を、『キリング・ゾーイ』では動物の仮面を被《かぶ》って顔を隠している。叔父が鈴村綾を揺り起こした。

もちろんこの段階までは、われわれの計画は言葉の上の遊びに過ぎなかった。叔父が本気で「どっかから大金をかっさらう」つもりでいるとは僕は全然思っていなかったし、当の叔父にしてもどこまで本気だったかは疑わしい。

だいたい、現実にこの日本で実行するつもりの現金強奪計画に、外国の娯楽映画を参考にするという基本姿勢が的外れなのである。要するにその手の映画はどれも、煎《せん》じ詰めれば"CRIME DOES NOT PAY"という金言を思い出させる作りになっているわけで、だから銀行を襲いたがっている人間がこれらの映画を見るということは、譬《たと》えて言えば暴走族に憧《あこが》れる少年が、交通事故撲滅キャンペーン用のビデオを見て運転テクニックのヒントを得ようとするような矛盾をはらんでいる。結局この口の僕の感想は、本当のところは、叔父につきあって二本の良くできた映画を楽しませてもらったという一言につきた。

夕方、帰りのエレベーターでは鈴村綾と一緒だった。

初めて会ったときに比べると彼女はいくらか背が伸びたように見えた。たぶんそれは肩に触れるか触れないくらいの長さにカットされた髪型の効果もあったと思う。左分けにされ微妙にウェーブのかかった前髪のせいで、正面の位置から見ても彼女の右目は（本人が頭を一振りして払わないかぎり）陰に隠れておがむことができなかった。リュックサックを背負った小学生にしてはずいぶんと大人びた、もしくは背伸びした髪型だった。

もっとも、その栗《くり》色の髪は右側後頭部付近の何本かが昼寝のせいで逆立ってもいたし、同じ理由で腫《は》れぼったい左の目もとにも、子供らしいといえば子供らしい無頓着《むとんちゃく》さを認めることができた。二本目のビデオの後半からずっと寝息をたてていた鈴村綾の顔つきは、叔父の腿に押しあてられた頰《ほお》が変形して、どことなく美形の相撲取りの（ミニチュア版の）昼寝姿、という風情もあったのだ。

その様子をちらちら盗み見ながらふいに映画の筋とは関係なく思い出したのだが、彼女のずばぬけた肌の白さは（五十五インチ程度の背丈とともに）一昔前の伊和丸久美子を連想させた。そしていま彼女たち二人に共通する身体的特徴は唯一その肌の白さだけだった。ちょうどその日の朝、二日酔いの伊和丸久美子とともに目覚めたとき、寝室のレースのカーテンを光り輝かせていた初夏の日差しの色、そんな表現を思いつくほど、あるいはそんな表現をも凌《しの》ぐほどの完全無敵の肌の白さだった。

下ってゆくエレベーターの箱の中で、鈴村綾は一言だけ口をきいた。普段より明らかに口数が少なかったのは寝起きのせいもあり、週末が終わる日の夕方という気分的な理由も

あったのだろうが、一階へ着く寸前に、眠気をはらうように頭を一振りして右目をちらりとのぞかせた後で、

「泊まったの？」

と投げやりな口調で僕に尋ねたのだ。

僕は肯定も否定もしなかった。その質問が伊和丸久美子と一晩を過ごしたのかという意味を含むことは十分に理解できたけれど黙っていた。

エレベーターが一階に着き、僕たちは黙々と通路を歩いて扉を開けマンションの外へ出た。マンションの外に出るとどちらからともなく人通りにまぎれて右と左に別れた。

俵ケ浦　やあ、驚いたな、こんな場所で鮎川《あゆかわ》君に会えるとはね、すわって一緒に飲みませんか、ちょうどいま、きみの噂《うわさ》をさかなに飲んでたところなんだ。
鈴村　そうでしょう、そんなことだろうと思ってお連れしたのよ、さあ、鮎川ちゃん掛けて、みんなで宴会ね。
俵ケ浦　いや、みどりさん、実はこの鮎川君にさ、もし県庁を辞めるようなことがあれば是非うちにって声をかけてたんだよ、でも最近手に入れた情報によると、どうもこっちの美雪ちゃんの父上も彼に狙《ねら》いをつけている様子でね。
鈴村　無駄よ、何が悲しくて、わざわざ年金棒にふってまでいつ潰《つぶ》れるかわかんない缶詰屋さんに……、ねえ？　ほら、久美ちゃん　鮎川ちゃんに作ってあげてよ、そち

らのお嬢様は？　きれいな色のお飲み物ね、それは何かしら？
平野　私はワインをいただいてます。

あかつき缶詰株式会社の俵ヶ浦昇専務とは以前から面識があった。

面識といっても、最初は水産加工業界の催し物を取材した際に先輩に紹介され、こちらは広報課の新人として名刺を交換して以後、年に何度か変わりばえのしない（しかし記事埋めには格好の）催し物会場で会えば立ち止まって挨拶《あいさつ》をかわす程度の間柄である。それがこの日初めて、思わぬ場所で、思わぬ顔触れの中で、プライベートな会話をするはめになった。

七月に入ったばかりの、まだ梅雨の明けない蒸し暑い晩のことだ。

ホステスの二人は当然として、平野美雪がなぜそこに同席しているのかという疑問については、顔を見合わせたとたんに僕には察しがついていた。そして実際、僕の推測は的を射ていた。

つまりこういうことだ。彼女はここ一ヵ月ほどの男の態度に不審を抱いた。そこで男の行動を監視し、探るために、知人の中からクラブに同伴するのに適当な人物を選び、食事をおねだりした上で勢いをつけて虎の児を得るため虎の穴に乗り込んできた。すぐあとで言葉のやりとりからも推測できたのだが、平野美雪にとって俵ヶ浦昇は父親を通じての（たぶん彼女が幼い頃からの）顔見知りで、ごく親しい友人の娘と気の置けないおじさま、とでもいった関係らしかった。

そのあたりの事情を伊和丸久美子は僕同様、すぐに察したに違いない。まあ、普通に情緒を解する人間なら誰にだって見抜けることだが、おかげで彼女は最初から最後までこの状況を面白がっていた。少なくとも僕の目には、面白がって応対しているふうに見えた。俵ケ浦昇に寄り添っていつもながらの陽気さに徹していた鈴村綾《あや》の母親までもが、遅ればせながら、という感じで状況を把握できたらしく、十分も経つとわれわれのテーブルは実に奇妙な宴会風景をかもしだした。

ナンバー・ワンのホステスは『座持ち』のためにプライドを賭《か》けて喋《しゃべ》り続けた。そして幾つもの理由を見つけては乾杯の音頭をとった。俵ケ浦昇はしきりに僕に話しかけた。そしてその合間に、三人でもう一軒飲みに行こうと平野美雪にこのあとの予定を何度となく知らせた。平野美雪は僕と、ラメ入りのミニ・ドレス姿の伊和丸久美子を交互に見ていた。そしてそれだけだった。伊和丸久美子はあきらかに故意に馴《な》れ馴《な》れしく僕の飲み物を作り、僕の世話を焼き、僕の身体に触れた。そして何回も僕の耳元に唇を近づけるポーズだけして何の言葉も囁《ささや》かなかった。僕は誰彼へとなくおざなりの相槌《あいづち》を打ちながらウィスキーの水割りを飲み続けた。そして三回トイレに立った。

一時間弱ほどの居心地の悪い宴会をすませると、もう一軒、三人で俵ケ浦昇の行きつけの店に寄った。平野美雪と二人であれば聞いてみたいことも、言ってやれることも選択に迷うくらい抱えていたのだが、俵ケ浦昇の手前、それらを口にするわけにもゆかない。そのスナックでは三人で（俵ヶ浦昇を間にはさんで）カウンター席に腰かけていたので、彼は主に僕にむかって話し、合間に思い出して平野美雪の機嫌を取るという手順を繰り返した。しかもその店で一度、次に鮨《すし》をつまみに寄った別の店で一度平野美雪が席をはずした隙《すき》に、俵ヶ浦昇は僕に立ち入った話をした（ちなみにクラブの分をふくめて勘定はぜんぶ彼が持った）。

「きみは僕がなぜきみに好意的にふるまうのか理由がわからないと言う」

俵ヶ浦昇はそんなふうに切り出した。その直前に僕は鎌をかけるつもりで、平野美雪との交際についてはとぼけたまま、これまで仕事上で受けた好意、今夜こうして御馳走《ごちそう》になっていること、に対していくらか大げさに礼を言ってみたのだが、その言葉尻《じり》を彼は捕らえたのである。

「そう言われても、実は自分でもよく分からない。仮りにこの僕がホモセクシュアルであるとすれば、理由は簡単に説明がつくんだけれども、そうじゃないのでね、不運なことに、僕はこれ以上ないくらいストレートな男なんだ。一つ思いついたことを言えば、きみを見ていると何だか懐かしさに似たものを感じる、昔、十代、二十代、三十代の前半までだな、一緒に遊びあるいていた仲間たちのことをふっと思い出したりする、もちろん当時の僕じしんのことも。正直に言えば、いままで僕には不思議でしょうがなかったんだな、そんなふうに見えるきみが、現実には県庁のお堅い役人でいることがさ。仲間たちは一人残らずいなくなってしまった。僕から見れば、彼らは四十の声を聞く前に前線から逃走してしまったと思えるんだが、つまり世間で言う女遊びを卒業して、家庭におさまり仕事に精を出しはじめた。四十過ぎて独り者はもう僕だけだ。おかげで（きみの耳にも入ってるんじゃないか？）巷《ちまた》ではホモセクシュアルだとの噂が立っている。まあ、昔の仲間たちや、一緒に遊んだ女たちがこの噂を聞けば噴飯ものだろうがね。それとも、あいつも年を取ってそんな趣味まで覚えたかって、中には本気に取ってるやつもいるかもしれない。

そう、もう一つ言えば石鹸《せっけん》の香りだな。石鹸やシャンプーの甘酸っぱい香料、どの種類と区別はつかないんだけれども、ふとしたはずみでその香りを嗅《か》ぎつけて、若い頃の遊びの時代がよみがえることがある、ほんの一瞬、細かい記憶というよりもその頃の気分がね、つまり、鮎川くんはその石鹸の香りと同じだ、きみをそばで見ていると同じ作用が起こる、十年前、二十年前に瞬間移動したような錯覚を起こす、気持悪がらないでくれよ、しつこいようだけど酔ってきみを口説いているわけじゃないんだから。やっぱり、口説くなら僕は女だ、口説いてみたくなる女はいくらでもいる、次から次に現れる、この年になっても、いまだにね。

そういうわけだから、今夜のことは、もちろん美雪ちゃんに頼まれてその気になったのがきっかけではあるけれども、前々から僕はいちどきみとプライベートに会ってみたかったんだ、こうやって酒でも飲みながら、だからいい機会だったんだよ今夜は、僕のほうが美雪ちゃんに感謝しなくちゃならない、よかったら、自宅の番号を書き留めておくから電話をくれないか、一回りも年上で恐縮だが、飲み仲間、気軽な相棒としてこれからも暇なときにつきあってくれないか。

こう見えても僕は暇でね、名刺には専務なんて刷ってあるが肩書だけだ、時間ならいくらでもあるし、それにきみが気をつかわないように念のために言っておくと――こういう言い方は自慢に聞こえるかもしれないが、まあ、自慢か――実は金にも不自由はしていない、一緒に飲み食いした店の勘定を僕が何軒持とうときみが負担に感じる必要はこれっぽっちもない、会社のほうは知っての通り父がまだ社長で頑張っているしね、仮に父が急死でもして会社が潰れてしまったとしても、俵ヶ浦家の資産はびくともしない、こんな不景気の時代に嘘《うそ》みたいな話だけれども、僕はこの先一生だって贅沢三昧《ぜいたくざんまい》して暮らせる人間なんだ、もともと働く必要なんかない人間なんだよ。

ところで、いきなり立ち入ったことを聞くようだが、きみはあの美雪ちゃんと結婚するつもりなのか？」

「はっきり申し上げて」

「うん」

まったく唐突な質問ではあったが、この場ではっきりとした回答をすることが、俵ヶ浦昇の好意に応えることになると僕は直感したのだ。

「結婚するつもりはありませんね」

「うん。それを聞いて安心した。それが賢明だろうな」

俵ケ浦昇はスナックではブランデーを生で、鮨屋では冷酒を飲み続けていた。もちろん酔いのために多少舌はなめらかになっていただろうが、呂律《ろれつ》が回らないというほど度を越してもいなかった。

「彼女の父親は青年会議所の頃の先輩でね、いまでもゴルフ場で口をきいたりする仲なんだが、商才のある男だ、商才しかない男なんだ、あいつが鮎川《あゆかわ》君を気に入って、娘婿として迎えるとはとても思えない、可能性は1パーセントもないな、だいたい、あの父親は娘の大学卒業祝いに車どころかマンションまでプレゼントして、それで今後はおまえの裁量で自由にやっていいと、一人前の女として認めてやるんだと理解を示したつもりでいるらしいが、実は娘のことなんか何も見えちゃいない、もともと一から十まで女房にまかせっきりで、その女房だっていまじゃ奥様連中の会合の顔役におさまって大忙しだ、お嬢様に育てるだけ育てておいていまさら自由放任もないだろう、あれはまだ子供じゃないか、彼女は女学生気分できみに熱をあげてるだけだな、はしかみたいなものだ、おそらく覚えたてのセックスに夢中になっているってとこじゃないのか？

たとえば、セックスの相性ってことが一も二もなく重要でさ、それで結婚に走るというなら僕はもう百回くらい結婚しているよ。でも違う、もしどうしても誰かと結婚しなくちゃならないとしても、セックスは最優先の問題じゃない。

もう二十年近く前になるか、遊び仲間の一人で『四六時中』つるんで歩いた男がいたんだが、僕が結婚という言葉から自然に連想するのはその男のことだ、そいつのことだけだ、なにしろ女といるときを別にすれば必ずそばにそいつがいた、そいつがいなくなったら生きる喜びの半分くらいを同時に失ってしまう——残りの半分は女が埋めてくれるにしても——そのくらいの大事な相棒だった、もし彼の性別が女だったら、あるいは僕のほうが女だったら、世間で言う結婚が可能なわけだな、だったら実際に結婚したかもしれない、まさか当時はそんな考えは浮かびもしなかったが、今あらためてね、中年の独身者として、こうやって飲んでるときなんかにふっと呟《つぶや》きたくなることはある、できることなら、いっそあいつと結婚してればよかった。

何だか馬鹿なことを喋《しゃべ》ってるな、いったい何の話からこうなった？　ああ、セックスと結婚の話か、もし誰かと結婚しなくちゃならないなら——しなくちゃならないことなんて僕には何もないんだけれど——女よりもむしろ気を許せる相棒のほうを選ぶ、つまり結婚という天秤《てんびん》にかければセックスよりもこの胸のあたりにさ、まだおぼろげに残っている相棒の記憶のほうが『目方』が重いわけだな、セックスなんてそんな物にすら負けちゃうわけだ、ひょっとして愛にも負けるんじゃないかって、世間の夫婦がよってたかって証明しようと頑張っているが、僕に言わせれば愛なんて大仰な言葉を持ち出さなくてもね、何て言うかもっと淡い感情でも……、うん、それこそ好意だな、セックスは好意にも勝てない。

まあ現実には、その相棒は三十過ぎで結婚して幸福な家庭のパパにおさまってしまった、それでいまはすっかり遠ざかって電話をかけあう機会もない、僕が唯一結婚相手として考えたことのあるのはおまえだ、とでも言ってやったらさぞ驚くだろうな……、言ったって気味悪がられるだけか、また妙な噂《うわさ》が広がるだけだろうな。

そうだ、どうして僕がきみに好意的なのかというさっきの話、どうやら僕は鮎川君を見てその相棒のことを懐かしんでいるのかもしれない、そのようだ、こう言っちゃ何だが、僕は別にきみの仕事ぶりを高く評価しているわけでも何でもないのでね、ただ、きみを見ているとやみくもに近づいてゆきたくなる、冗談にしてもつい、県庁をやめてうちに来いみたいなことを言ってしまう、うん、ここで好意という言葉を使えばいいんだな、別に僕はきみの身体を欲しがっているわけではないんだし、きみの言う通り、僕のこれは好意なんだと思う、僕は初めて会ったときからきみに好意を抱いていた、それがいちばんぴったりくる」

ちなみに少し先の話をしておくと、俵ヶ浦昇の好意は本物だった。

それは夏の終わりに起こった事件を契機に僕が県庁を辞めざるを得なくなったとき、彼からかかってきた電話で実証された。彼は何度となくうちに電話をかけてきては僕を缶詰会社にリクルートした。

「その年でぶらぶらしているのは身体に毒だろう、こないだはきみのお母さんとも電話で話したんだが、家の前でバットの素振りかなんかやってるらしいじゃないか、やっぱり母親にしてみれば世間体てこともあるし、と言っていまきみを喜んで迎えてくれる所が他にあるとは思えないしな、とにかく勤めるだけ勤めてみないか、後のことはそれから考えるとしてさ、鈴村のほうは気にしなくてもいい、これは僕の好意でやることだ、それに、別にきみの仕事ぶりを買っているわけじゃないんだから、負担に感じる必要もない、何もしなくたっていいんだ、給料分は働いてもらうなんて野暮なことは言わない、もし、どうしてもきみが仕事をしたいというのなら、先で缶詰の業界新聞みたいなものを考えてもいい、そうしてくれれば僕の気も済むんだよ、まあ、今回のことについては、僕に責任の一端がないとは言えないわけだし」

そんな感じのリクルートだった。

彼の口にした「責任の一端」という言葉は、平野美雪のしでかした事件（と言っても親《しん》戚《せき》のコネが敏速に働いてニュースにもならなかったので、単に不始末とでも呼ぶべきかもしれない）に関してのもので、要するに自分では好意でしたつもりが裏目の結果を招いたことを反省している、というくらいの意味になる。

たとえば鮨《すし》屋を出た後にも、彼は僕たちを二人きりにしないように世話を焼いた。たぶんそれも好意の一つだったのだろう。二台呼んだタクシーのうち、先に来たほうに平野美雪をさっさと押し込んで自ら送り役をつとめてくれたのである。おかげで僕のほうは彼女に言ってやりたいことを山ほど抱えたまま鮨屋の前で五分ほど立ちつくすはめになったし、その間に、いまさっき不承不承タクシーに乗り込みながらも僕を振り返ったときの、虐《しいた》げられた女のレジスタンスの目つき、とでも表現したくなる鬱《うっ》陶《とう》しい残像に悩まされもした。あのあと俵ケ浦昇が彼女をどう言い含めたかは知らないが、どう言い含めようと明らかに逆効果を招いたことは確かなはずである。

その晩、五分も遅れてきた二台目のタクシーに乗って、僕はかなり酔った状態で家にたどり着いた。途中で一度タクシーを止めてもらい、公衆電話ボックスから叔父《おじ》のマンションに電話を入れてみたが、応答したのは伊和丸久美子ではなくてもっと若いほうの声だった。言うべきこともないので、無言で受話器を戻してボックスを出た。


「もちろん現金はうなるほどあるんです、地方銀行といっても本店の金庫だから、毎日夕方になると各支店から現金輸送車で運んで来るらしいです。でもその金庫が並大抵の金庫じゃない、外鍵《かぎ》と内鍵とがあって、両方を使わないことには開けない、つまり外と内と丈夫な扉が二つあるわけです、うまく銀行に侵入できたとしても、手提げ金庫みたいに金庫がそこにあるわけじゃないんです、まず銀行の建物があって、その中にもう一つ金庫という名の頑丈な建物があって、そしてその中にいわゆる金庫がある、そこに現金が保管されている、そういう構造ですね。おまけに外側の扉にはダイアル式の暗号キイまで付いているし」

「それは予想通りだ、例の右へいくつ、左へいくつってやつだな」

「しかも二つの鍵を所持しているのは別々の人間なんです、外鍵とダイアルの暗号は副支店長だか次長だかが握っている、内鍵は毎週変わる鍵当番の行員が持つことになっている。

その二つの鍵を両方一緒に使わないことには金庫の内部にはたどり着けないんですよ、金庫が開くのは毎朝八時三十分と決まっています、外鍵と内鍵を持った二人の人間が朝、銀行で顔を揃《そろ》えてその時刻にやっと金庫の扉が重々しく開かれる、まあ一日の始まりの儀式みたいなものでしょうね」

「夜中の警備はどうなってる」

「宿直が二人、これは自衛隊のOBが勤めています、行員のIDカードさえあれば出入りは不可能じゃないらしいけど、でもすぐに警備会社から確認の電話が入る、電話の様子が少しでもおかしければ三分も経たずに銀行のまわりは包囲される、間違いないと思いますよ」

「その、本店の金庫に現金がうなってるって話は確かなのか?」

「確かでしょうね、馬の口からじかに聞いた話だから」

「馬の口?」

「関係者筋から仕入れた情報ってことです、英語の表現にあるんです」

「なんでおまえは、わざわざ英語の表現に直して喋るんだ」

「一緒に見た映画を参考にしてるんですよ、関係者筋が語ったところによると、現金はジュラルミンのトランクに詰めて保管されていて、何でもトランク一個につき1・5億くらいは詰まってるらしいです」

「1・5億? 一億五千万のことか? そのトランクが何個保管されてるんだ」

「多いときで三十から四十、つまり四十五億から六十億」

「……それで、そのIDカードさえあれば夜中に銀行に侵入できて、しかも二つの鍵さえあれば金庫は開く、つまりそういうことなんだな？」

「たぶん」

「だったら、英雄、こういう筋書きはどうだ、まず金庫の外鍵とダイアルの暗号を握ってる副支店長だか次長と、内鍵の当番行員を仲間に引きずり込む、次に宿直の自衛隊のＯＢをまるめこんで、それでおまえとおれを入れると計六人か、六人で夜中のうちにこっそり金庫の金を運び出す、な？　おふくろの財布からいただくみたいに簡単じゃないか？　金庫の中に六十億の金が眠ってたとして、考えてみろ、六人で山分けしても一人あたま十億だぞ」

「簡単ですね、なるほどね、そんな筋書きは考えつきもしなかったな、でも警備会社からの電話は？」

「仲間の銀行員が適当な言い訳を考えるさ」

「いっそのこと警備会社の人間も仲間に引き込んだらどうですか」

「気に入らないんだな？」

「仮にうまくいったところで、ジュラルミンのケースを一人あたま五個も六個も抱えてどこへ逃げるんです、夜明け前に非常線が張られてみんな捕まっちゃいますよ、仲間を六人も七人もつのるなんて、映画じゃあるまいし、だいたい、まともな頭の銀行員なら銀行の金を盗もうなんて考えませんね」

「まともじゃないやつも中にはいるさ、一晩で十億の金が手に入るって言ってみろ、まともなやつだって考えが変わるかもしれないぜ」

「そのかわり、一生警察に追われる身になるってことも言ってやったほうがいいですよ」

「それでもいいってやつが中にはいるかもしれない、追われる身になってもいいから、その計画にぜひ一口乗せてくれってやつがな、銀行員たっていろいろだろう、常日頃、金庫の金を眺めて涎《よだれ》を垂らしてる男だって」

「いるかもしれませんね、中にはね、でも、そんな銀行員が副支店長まで出世しますか？」

「だめか」

「無駄ですよ、金庫のことは諦《あきら》めたほうがいいです」

「やっぱり強盗やるか」


「そりゃドラえもんのお面でも何でもつけるに越したことはないと思いますけどね、でも、それより防犯カメラの作動を止めるほうが先決でしょう」

「どうやって作動を止めるんだ」

「さあ、そういったことは専門外ですからね」

「英雄、もうちょっと現実的になれ、その大学出の脳みそでましなことを考えてみろ」

「でも郵便局強盗と言っても、銀行強盗と同じで、前から言ってるようにまず武器の調達から考えないと」

「武器の調達ならおれに任せろ」

「どうするんです？」

「おれがピストルを手に入れる、金さえあればマシンガンだって何だって手に入れてみせる」

「金さえあればって、その金を奪おうって計画でしょう」

「桁《けた》が違うんだよ、ピストルを買う金くらいならおれが何とかする」

「郵便局にそんな桁違いの大金があるわけないじゃないですか、それに、万が一、間違って発砲でもしたらどうするんです」

「情けないことを言うな、これから強盗をやろうって人間が、別に郵便局じゃなくたって銀行でも信用組合でもいい、間違って発砲したときは発砲したときのことだ」

「そんな、間違って発砲して、間違って行員に当たったらどうするんです、人を『殺《あや》める』のは罪が重すぎますよ、これはもっと洗練された方法で、何て言うか、もっとすかっと現金を奪う計画のはずでしょう？」

「洗練された方法って何だ、強盗に洗練もクソもあるか、いいから英雄、よく聞け、弾に当たったやつは不運なだけだ、不運な人間にも幸運な人間にも死は平等に訪れる」

「そりゃそうでしょうけど」
「命は代わりが生まれてくる、死んだ数だけ生まれてくる、百万だろうと二百万だろうと」
「叔父《おじ》さん」
「落ち着け、映画の台詞《せりふ》だ」
「……僕の見てない映画ですね」
「うん、おまえは見てない」
「わかりました、現実的に考えて武器は必要だとしましょう、ピストルを手に入れて、しかも運良く発砲せずにすんで、仮に桁違いの現金を盗めたとしましょう、でも防犯カメラが監視してるんです、顔のホクロの数まで映し出す精巧なカメラが犯行の一部始終を見てるんです、結局、うまく現金を盗めたところで誰がやったかはすぐにばれる、叔父さんも僕も警察から追われる身になるんです」
「それはこっちの台詞だ、覚悟してかからないとな」
「いったいどこまで本気なんですか」
「あくまでもおれは本気だよ」

この手のミーティングがもうあと何回か持たれたあげくの話である。

八月に入ったある日の午後、叔父から呼び出しがかかった。詳しく言うと、取材で出ているところへポケベルが鳴り、連絡を取ってみると広報課の先輩が、

「カモがいた、至急電話を請う」

という内容の、名乗るほどの者でもないと名乗った親族の男性からの伝言を読み上げ、番号を教えてくれた。

試しに電話をかけてみると、つながった先はどうやらパチンコ店のようだった。むこうの騒音のせいでなかなか意思の疎通がはかれず、叔父の名前を告げ、電話口に呼んでもらうだけでも苛々《いらいら》するほど手間がかかった。おまけにその電話は、途中で、おそらく相手側の不手際だと思うが回線が切れてしまった。

それで僕は出先から直接そちらへ車を走らせることにした。とにかく叔父はそのパチンコ店にいて、昼間からパチンコに興じているわけでもないらしいのだ。

＊

「カモって何のことですか、叔父さん」

「おう、注文どおり現れたな、ポケベルに呼ばれたのか？」

「カモってどういう意味ですか」

「何だ？　もっとでかい声で話してみろ」

「ここじゃうるさくて話も何もできませんよ、ちょっと外に出ましょう」

「見ろよ英雄、これがパチンコってもんだ、年間十八兆円市場の現場だ、いまこうやってピイピイうるさいのはな、この台が確率変動ってやつに入ってるんだ」

要するに叔父は昼間からパチンコに興じていたわけで、叔父の足元にはパチンコ玉が山盛りになったケースがすでに六段重ねになって置いてあった。叔父がすわっている列も、向かい合わせに並んだ列のパチンコ台の椅子《いす》もすべて客で埋まっている。僕の居所などないし、満員の店内はパチンコ台が発する電子音とテレビドラマ水戸黄門《みとこうもん》のテーマ音楽と、それに加えて有線放送の歌謡曲と連続して繰り出される店内放送の声とが入り交じって普通に話せる状況ではない。叔父の背後につっ立って耳元に叫ぶしかなかった。

「叔父さん、確率変動もいいけど僕は仕事中なんですよ」

「車は」

「店の前に駐車してます」

「乗って待ってろ、十分で行く」

車の運転席に戻り、フロントグラスに向かって右手の公園に群れている鳩《はと》を眺めながらタバコを一本喫《す》った。十分経ったことを確認してそれからさらに十分が経過した。次の十分を有効に使うために、パチンコ屋に入り直して自動販売機で買ってきた紙コップ入りのコーヒーを飲み終わった頃、ようやく叔父が助手席側の窓をノックして、手招き一つで、降りてくるようにと合図をした。

半袖《はんそで》の無地のポロシャツに紺のズボンという軽装の叔父がパチンコ屋の先十メートルまで歩いてこちらを振り返った。僕は車を降りて、叔父に追いつくまでにネクタイの結び目を緩めてシャツの一番上のボタンをはずした。

「悪いな、あのあとまた確率変動が来ちゃってな、ほれこのとおり」叔父はプラスチックのカードを束ねたものを見せた。「ぼろもうけだ、これで5万円ぶんはある、この緑のカードが現金にすれば一枚五千円で、黄色が千円てわけだ」

「勉強になりますね」

「いいから、役人ぽい皮肉を言ってないでついて来い」

建物の二階にむかって、通りからじかに口を開いた幅の狭い階段を叔父は上りはじめた。

「まだ仕事の途中なんですよ」僕はあとを追いかけた。「伝言にあったカモって何のことですか」

「その話はあとだ」

ほの暗い階段を上りつめると同じ幅のコンクリートの打ちっぱなしの廊下に続いていた。廊下の行き止まりにはアルミサッシュの磨《す》りガラスのドアが見えた。素朴なつくりの廊下の奥にある素っ気ないドアで、たとえ開いてもどこかへ通じているとは思えなかった。事実、叔父は廊下をほんの二三歩進んだだけでそれ以上奥へはゆかず、右手の板壁に開いている二十センチ四方の穴の中へ片手を差し入れた。叔父が渡したカードの代わりに、しばらくすると今度は現金をつかんだ手が穴の中から差し出された。

「ほらな、五万と六千六百円もある」叔父がそれを受け取った。「どうだ、昔を思い出してソープでも冷やかしてみるか?」

「そうですね、ついでにソープ嬢に取材して、県庁便りに特集記事でも書きましょうかね」

「おまえの皮肉も、あれだな」機嫌よく叔父は階段を降りはじめた。「野球で言えば球種が少ないってやつだな、途中の仕事って何だ?」

「新任の組合理事長にインタビューしてたんですよ」僕はまた追いかけた。「県の漁業共同組合の」

「インタビューが途中なのか」

「インタビューを記事にまとめに帰る途中なんです」

「だったらカモの話はあとにするか」叔父は外に出ると車の流れに注意を向け、いきなり通りを横切って公園へむかった。

「いま聞きますよ」僕は小走りで後を追った。「そのかわり手短かに……」

叔父がまたいきなり足を止め、僕を迎えた。

「パチンコの景品交換業者だ」

そう言うと、さっきまで遊んでいたパチンコ店の建物を正面に見据えて、模造大理石のベンチに腰をおろした。公園といっても二つの一方通行の道を分ける中央分離帯、と表現したほうが的確な細長い広場で、模造大理石のベンチは何ヵ所かに、二台一組で真四角のテーブルをはさんで向かい合わせに設置してある。叔父のすわった向かいのベンチには鳩が一羽止まっていた。

「いま見ただろ、あれがパチンコの景品交換所だ、あの穴のあいた板一枚のむこう側に現金がある、それも桁違《けたちが》いの現金だ、なにしろこの業界は十八兆円市場って言われてるくらいだからな」

「それで?」僕は慎重に尋ねた。「その板一枚の壁をどんなふうに破るんです?」

「まあ、そう焦るな」叔父は答えた。「話せば長くなる、どうする、すわって冷たい物でも飲みながら聞くか?」

「聞くだけ無駄だと思いますね」

僕は首を振り振りその場を離れた。一方通行の通りを渡り直して車のドアを開け、助手席に載せてあった取材用のバッグの中身を確かめ肩にかけるとまた叔父のそばに戻った。

その間に叔父は広場を隔てた反対側の一方通行の道を横断して、自動販売機で冷たい飲み物を仕入れていた。ベンチの上にビールとカルピス・ウォーターの缶が一本ずつ置いてあり、叔父の手の中にもう一本缶ビールがあった。

「よく冷えてる」叔父が言った。「どっちでも好きなほうを飲め」

「確か今年の話ですよ」僕はテーブルの上の鳩の糞《ふん》の被害のすくない位置にバッグを置きジッパーを開いた。「パチンコの景品交換業者の会合について記事を書いた覚えがあります」

広報誌のバックナンバーを綴《と》じたフォルダーを取り出して調べてみると、うろ覚えの記事はすぐに見つかった。県庁便りの五月号に、自分で書いた記事なのだ。

「読んでみましょうか？……昨年からパチンコの景品交換所を狙《ねら》った強盗事件が全国的に多発していることを受けて、四月三日、県遊技業組合、カッコ、松本康成理事長、カッコ閉じる、は景品交換業者に呼びかけて、防犯対策会議を開きました。防犯対策会議には県内のおもな景品交換業者約二十業者が出席、会議の冒頭では景品交換業者の組合結成の提案がなされ……」

「うっとうしい朗読だな」叔父《おじ》が缶ビールを開けた。「景品交換業者と防犯対策会議ってのがあと何回出てくるんだ？」

「こんな文章のことはどうでもいいんですよ、僕が読みたいのはこのあとです、とばします、いいですか、……防犯対策会議では景品交換業者に対して、出席した県警捜査一課員から、現金輸送車の経路および運行時間をたびたび変更すること、必ず複数で輸送にあたること等について具体的な対策の説明があり……、それからここです、……非常ベルなどの防犯器具についての項目では、景品交換所の従業員がペンダント型の警報装置を必ず、聞いてますか、必ず身につけるようにとの徹底した指導がなされました。つまり……」

「つまり景品交換所を襲うのは野暮だってことだろ？」叔父は一息にビールを飲んだ。

「おまえの言いたいことはわかってるよ」

「時期が悪すぎますよ」僕はフォルダーを鞄《かばん》に戻した。「この会議からまだ四カ月しか経っていないんです、言うなれば、いまはまだこの業界は、蛇に咬《か》まれた人間がロープを怖がってる状態ですよ」

「何だそれは」

「『あつものに懲りて膾《なます》を吹く』の英語版です、それくらい用心深くなってるはずだと言いたいんです、いまあの景品交換所を襲っても、現金を手にするどころかドアに手をかけたとたんに高圧電流が流れますよ、きっと」

「安心しろ、あそこを襲うつもりなんかはなからねえよ」叔父は一つげっぷをした。「同じ景品交換所を狙うなら、もっと大型のパチンコ屋のやつを狙う」

「じゃあ、何だってあのパチンコ屋に僕を呼んだんです」

「あのパチンコ屋が玉の出がいいからさ、その眼で見ただろ」

僕はズボンの尻《しり》のポケットからハンカチを引きずりだして額の汗をふいた。次に首筋の汗をふき取りながら駐車している車のほうを振り返り、また叔父に視線を戻した。最後にまた取材鞄を開いて手帳を探し、十桁の数字を書きつけた頁を破り取って、叔父に渡した。

「今度から直接ポケベルで呼んでください、もし正真正銘のカモでも見つかったら」

「まあ、飲んでけよ」叔父はベンチの上の二本の缶を顎《あご》でしめした。

「どっちでも好きなほうを飲め、せっかく買ってきたんだ」

「そろそろ仕事に戻らないと……」

「おまえが読み上げた記事は」叔父が飲みほしたビール缶をテーブルの上に置いた。「あれはただの建前だな」

　さっきから向かいのベンチで羽を休めていた鳩《はと》が爪先《つまさき》立つようにして一度、二度、羽ばたいたが飛び立つまでには至らなかった。

「言うなりゃ標準仕様ってやつだ、いいか英雄、何にでも標準はある、たとえば家族だ、夫婦に子供二人、ローンで建てたマイホームに車が一台、旦那《だんな》の不倫相手が一人、それが日本の家族の標準だな、でもそんなお決まりじゃない家族だっていくらでもいる、世の中はぜんぶがぜんぶ標準仕様で出来上がってるわけじゃない、標準があれば変則ってもんがある、どこの世界にも変わり種はいる、標準からずれてるやつが必ずいる、当然、景品交換業者の中にもそういうやつはいるに違いない、おまえの書いた記事じゃ景品交換業者の組合ができるって話だったが、中には組合になんか入るもんかって『臍《へそ》まがり』もいるだろう、たとえ組合に入ったとしても、捜査一課の刑事の言いつけに従わないやつもいるだろう、現金輸送車の件でも警報装置の件でもな、もっと言えば、そもそも警備会社に現金の輸送なんて頼まない景品交換業者だっているかもしれない、四カ月前の防犯会議のあとも呑気《のんき》にかまえて、前のまんま何の対策もやってない業者がいるかもしれない、な？　英雄、おまえの記事からはそういった可能性がことごとく抜け落ちてるんだよ、そんな物いくら読んだって現実は見えっこないんだ、言ってることはわかるな？」

　僕は少し考えてからうなずいた。

「でも、女房の不倫相手が一人ってほうが標準じゃないですかね、経験から言わせてもらえば」

「そのおまえの経験が変則なんだ」

叔父はベンチの上の缶ビールのほうを摑《つか》み、僕がすわるべき位置に置き直した。

「飲めよ」

「いるかもしれないじゃなくて、現実にその変わり種の景品交換業者がいる、そうなんですね？」

「いる」叔父が答えた。

僕は缶ビールを取り、もう一本の白地に青い水玉の入ったソフトドリンク缶と取り替えて叔父に渡した。叔父が二本目の缶ビールを開けて笑顔になった。

「当たりだな」

「はい？」

「おれはいま賭《か》けてたんだ、おまえがそっちを選ぶってほうに。おれの勝ちだ、幸先がいい、この計画は間違いない、うまくいくぞ」

「県庁の職員が昼間からビールを飲むわけないでしょう、車だってあるのに、簡単な推理ですよ」

「賭けは賭けだ」

「もし本当に幸先の良いしるしなら」僕はまじないを唱えた。「その人なつこい鳩がいまにも飛び立つ」

すぐさま叔父がテーブルの上の空缶を弾《はじ》きとばした。むかいのベンチの鳩が羽ばたいて消えた。僕は叔父の隣に腰をおろした。

「どんなカモなんですか、その変わり種の景品交換業者は」

「何でも自分ひとりで取り仕切らないと気のすまないおやじだ、田舎の独裁者を絵にかいたようなやつだ、そのかわり金はうなるほど持ってる、それも金庫の中にじゃない、肌身離さず持ち歩いてる、毎晩、札束をジュラルミンのトランクに詰めて車で持ち帰る、それを次の朝、社員には任せずに自分で景品交換所に運んでまわるってわけだ」

「金額はどれくらい？」

「確かおまえの情報では、ジュラルミンのトランク一個につき1・5億詰まってるんじゃなかったか？」

「その男の情報はどこから仕入れたんです」

「女だ」

「女？」

僕たちは互いに飲み物を口へ運びながら、横目を使って見つめ合った。

「どうやって聞き出したんです」

「女がぺらぺら喋《しゃべ》るのはどこだ、決まってるだろ」

「寝たんですか、その女と」僕は重ねて尋ねた。「寝て、ベッドの中で聞き出したんですか」

「むこうが勝手に喋ったんだよ、なあ英雄、おれにもまたツキがまわってきたってことだ。誘ったのはむこうだぜ、おれは何の気なしに、つい暇だから誘いに乗っちまって、そしたら」

「どこで知り合った女ですか、いくつくらいの」

「おまえは何を勘違いしてるんだ、女の話だけくわしく聞いてどうするんだよ」

「くわしく聞かないとこの話は始まらないじゃないですか、計画には万全を期さないと、その女は要は景品交換業者の『愛人』か何かなわけでしょう？　つまり僕たちが襲う相手の側の人間ですよ、そこから計画の秘密が洩《も》れたらどうするんです」

「その心配はねえよ」

「なぜですか」

叔父は舌打ちをして、ビールの残りをあおった。

「だいたい、おまえは時間がないんじゃなかったのか？　話は手短《てみじか》にって言ったのは誰だ」

「いいんですよ」

「インタビュー記事を書かなきゃいけないし、って尻《しり》をもぞもぞさせてただろ」

「かまいませんよ」僕は取材バッグを足元に降ろした。「どうせ建前の記事しか書けないんだから。さあ、どうぞ」

「女の話からか？」

「聞かせてください」

伊和丸久美子が生まれ故郷の阿佐谷《あさがや》へ帰って行ったのも夏が終わる前のことだった。八月の最後の週に入った月曜の晩、週末締め切りの原稿を早めに片づけておこうと庁舎五階で残業をしているところへ電話がかかり、彼女がすでにクラブを辞めていることを知らされた。そろそろ大学に戻ろうかと思う、とも彼女は告げた。いまのうちならまだ間に合うだろうし、ちょうど夏休みが終わる時期にあわせて。

その話のあとで、近くまで来てるから、よかったら晩ご飯でもおごってくれないかと彼女が言うので、僕はマウスで文書保存の操作をしながら、いまどこにいる？　と尋ねた。彼女は庁舎の目の前の電話ボックスの中にいた。時刻はちょうど九時だった。

「英雄君のオフィスは何階？　明りのついてる階がいくつか見えるんだけど」

「五階だよ」僕はパソコンのスイッチを切り、窓を眺めた。「真ん中よりやや下のあたり」

「よくわからないわね」

「電話を切って三つ数えたら明りを落とす、それから百数えないうちにそこに迎えにいく」

電話ボックスの前で彼女を拾い、まともな晩飯の食えるホテルへ車を走らせた。そのあとまともな晩飯の食えない少し遠いホテルへ車を走らせた。伊和丸久美子と二人で過ごす晩は今日が最後になる、そのことに気づいたのはうかつにも二つめのホテルからの帰り道でのことだった。

「それで東京へはいつ？」

と僕は叔父《おじ》のマンションへ送っていく車中で尋ねた。この街をすっかり引きあげる前に、いったん東京へ戻って大学復帰の準備を整えてくる、夏休みが終わり新しい学期が始まるまでにはまだ間がある、彼女の口ぶりから僕はそう思い込んでいたのだ。

「明日」と助手席で彼女は答えた。

「急だね」

「英雄君に伝えたのが急なだけよ、そろそろ潮時かなってあたしはずっと考えてたんだから」

「うん。で、こんどけいつ……」

こっちへ帰ってくるのか続く質問を口にしかけて、振り向いた彼女と目が合い、僕は勘違いに気づいた。叔父のマンションまではもう五分もかからない道を車は走っていた。

「明日この街を出て行くのか？」

「ええ」

「つまり、明日出て行って、それっきり戻らない？」

「そうよ、そのつもりで荷物は昨日からまとめてあるの」

僕は車を左車線に寄せ、コンビニの看板を見つけて駐車場に乗り入れた。

「故郷に帰るだけよ」伊和丸久美子が先に喋った。「人は故郷に帰って暮らすべきだというのがあなたの叔父さんの持論なのよ、聞いたことあるでしょ、本人は言うだけで実践に欠けるけど」

「叔父に出て行けって言われたのかい」

「まさか、酔助は口が裂けたってそんな野暮は言わないんじゃない？」伊和丸久美子は後方の様子を気にするようにルームミラーに目をやった。「あたしみたいな『図体《ずうたい》』の女はまともに相手にもしていない、って言うほうが正しいのかしらね、特にあの少女を見いだして以来……」

「叔父は本気なんだろうか」

「……何のこと？」ルームミラーを見上げたまま伊和丸久美子が聞き返した。

「叔父は本気で、鈴村綾《あや》を連れてどこかに逃げるつもりなんだろうか」

「あたり前じゃない、この街で堂々と二人で暮らせるわけがないんだから」そして彼女はため息をついた。「あたしが思うに、英雄君は酔助がいい顔をしてるときしか知らないいんじゃないの？　英雄君にとってあいつはいつでも優しい叔父さんでしかないのよね」

「きみには優しくなかったのかい？」

「優しいばかりの人間がいる？」

「それは、叔父に殴られたりとか……」

そのとき左隣の駐車スペースに車が入って来て停車した。そちらへ注意を向けてから彼女はゆっくり首を振った。

「そんなことを言ってるんじゃないよ、わかってるんでしょ？」

「正直な話、僕はきみと叔父との関係がよく呑《の》み込めていないんだ、ずっと会わないでいた間のこととか、……何て言えばいいのか、いろいろ聞きづらい面もあるし」

「みそっぱのイメージしかなかった子供が突然美女に変身して現れるしね」

「ああ」

「その間のことは、あたしにだって話しづらい面があるのよ、もちろん優しい叔父さんとしての酔助の思い出も残ってる、けどそれだけじゃなくて、英雄君に説明するのはむずかしいな、……ほら、英語の常套句《じょうとうく》にあるでしょ、あのときからたくさんの水が橋の下を流れて行った、そう言うしかない」

そして、と僕は心の中でつけくわえた。弱冠二十歳にして叔父とのダンスの日々は終わった。

「誰にもこんな話を打ち明けるつもりはなかったのよ、英雄君にも、そんなつもりで今夜会ったんじゃないのよ」

「わかってる、話してみてくれ」

「あたしは妊娠してるの」彼女は話した。「一〇〇パーセント酔助の子供だと言い切る自信はないけど、でもきっと間違いない、だって残りの可能性は……」

「僕か」

「ううん、違うと思うわ、英雄君は教科書みたいに正しい使い方でコンドームを使うし」

「クラブの客？」僕は鎌をかけた。「俵ケ浦さんかい」

「ね？」認めたも同然の間投詞だった。「やっぱりあたしはこの街を出たほうがいいのよ、このままだと自分でもどうなっちゃうかわからない、こんな生活、早いとこ切り上げないと」

「だけど、妊娠の話は、せめて叔父には話してから行ったほうが……」

「だからあなたは何もわかってないのよ、そんなことを話したら何が起こるかわからない、あいつは先でこのおなかの子供に狙《ねら》いをつけるかもしれない、綾ちゃんが大人になったあとで」

「……冗談だろ」

「あの小説を読まなかったの？　あれと同じことになるとあたしは何度も言ったはずよ、おまけに悪いことには、あたしのおなかからは綾ちゃんに似た娘が産まれてくる可能性だって残ってるわけだし」

確かに小説『ロリータ』には伊和丸久美子が心配するような内容の告白が含まれている。主人公の中年男が、想像のなかで少女に自分の血の流れる娘を産ませて、その娘が八つか九つにすなわちロリータ二世へと成長したときのことを夢見るという、かなり常軌を逸した場面がある。僕はタバコに火をつけて運転席側の窓を降ろした。そして伊和丸久美子が口走った後半の台詞《せりふ》についても考えた。

「ただし、子供はまだ産むと決めたわけでもないのよ」彼女は続けた。「それは故郷に戻ってからゆっくり考えてみる、とにかくいまは『一刻も早く』酔助のいるこの街を出たいだけで」

「鈴村綾は俵ヶ浦さんの娘なのか」

「それも確かじゃないけど」彼女は答えた。「でも、みどりさんと古いつきあいであることは確かよ、綾ちゃんが生まれる前からの、そのくらい横で話を聞いてれば見当はつく。そんなことより英雄君、酔助とのつきあいはもっと慎重にしたほうがいいと思う、いくら身内だといっても、特に英雄君の場合は県庁のお役人さんなんだから、迷惑をこうむるときは取り返しのつかないことになるよ」

「わかってる」

「そのわかってるって台詞がね」彼女は苦笑いの声を洩《も》らした。「まあ、その台詞にぜんぜん気合を感じさせないのがきみの魅力かもね」

「送るよ」

タバコを外に投げ捨てて、そう言ったあとで僕はためらった。この街での最後の夜を彼女は果たして叔父と二人で過ごしたがっているのか、あるいはまったく別のことを望んでいるのか。

「ここでいい、あたしはここから歩いて帰る、英雄君はこのあと忙しくなりそうだし」

伊和丸久美子は左隣に停車中の車へ注意をうながした。

「一人で心細いなら、あたしが立ち会ってあげてもいいけど」

「いや、自分でやる」

「じゃあ、また十年くらいしたらどこかで会えるかもね」伊和丸久美子は僕の腕を軽くたたいた。「あのとき、エレベーターの中で英雄君の驚いた顔はずっと覚えてる、この街では何もいいことがなかったけど、英雄君とのことは別、感謝してる、ルールを正しく守るし、うまいし、何だかプロの選手とテニスでもやってるみたいにね、楽しかった。さようなら」

彼女は車を降りるとごく自然な足取りで、マンションの方角へ歩き去った。ジーンズにTシャツというういつもながらのシンプルな恰好《かっこう》なので、後姿をじっと見送っていても、コンビニでちょっとした買物をすませて帰る女子大生の背中にしか見えなかった。

彼女の後姿が消えるまで十分に間合いを取ってから僕は運転席のドアを開けた。外へ出て左隣の車を振り返ると、ちょうど平野美雪もドアのそばに立ったところだった。もちろん彼女はいつもながらのワンピース姿だった。袖《そで》が半分短くなっただけだ。

僕のほうから彼女の車まで歩いた。前々から考える時間があったので、相手を傷つける用意はできていた。言葉は淀《よど》みなく出た。

「まだ尾行してたのか、御苦労なことだな、何のつもりなんだ、セキュリティか？　僕を暴漢から守りたいのか？　何度言えばわかる、誰かが僕を襲いそうだと思ったら電話をかけろ、自分で自分の身は守るから、いいか、毎晩毎晩待ち伏せなんかしないで、僕がどこで何をしたか知りたければそう言え、いつでも数えてやる、今夜はどこから聞きたい、県庁を出たところからか、飯を食ったホテルからか、それともその次のホテルからか？　どうして二時間も入ったきり出て来ないのかって、はらはらしながら待ってたんだろう、心配しなくてもいい、セックスを二回してシャワーを浴びるにはそのくらい時間がかかるんだ、そのあとも教えてやる、ここにはコンドームを買うために寄った、これから2ダースほど買う、彼女は先に部屋に戻って夜食を作ってる、僕はこの説明が終わりしだいコンドームを持って彼女を追いかける、夜食を食ってそれからあと二回セックスをして風呂に入らせてもらう、時間がどれくらいかかるか、計算はもう自分でできるな？　いま十二時半だ、こんど僕が彼女の部屋を出てくるのは、さて、答は何時だ？」

「許せないわ」平野美雪はそう答えた。「どうして、あたしより、あんな女と……」

僕には彼女の曖昧《あいまい》なつぶやきがすんなり理解できた。きっと彼女は、本当のところはあんな女を女としては認めたくないのだろう、洗いざらしのTシャツも、ジーンズも、短く切った髪型さえも、自分と違う恰好を好む女はみんな許しがたい敵に見えてしまうのだ。

「ひどすぎるわ」彼女はまた別の言葉を探した。「いったい、あたしとのことはどうなるの？」

「きみとのこと？」すでに言い過ぎたことは承知していた。承知していながら歯止めの効かない場合もある。「きみとのことはテニスの同好会のペアみたいなものだ、ときどき気が向いたら一緒にゲームをやる、いつも一緒だと、あの二人はできてると噂が立ってるさいから他ともペアを組む、きみもたまにはラケットを変えてみろ」

「何の話をしてるの、何のことかさっぱりわからないわ」

「終わりだ」僕は背中を向けた。「きみとはもうテニスもバドミントンもしない」

「ねえ！」妙に切羽つまった間投詞だったので僕は振り返った。「あんまりあたしを馬鹿にしないでよ、あたしにこんな思いをさせて、こんな身体にして、このままではすまされないわよ」

平野美雪が車の窓に手を入れてバッグをつかみ取り、バッグの中からまた何かをつかみ取った。扇子、と一瞬見えたがこんなときにそんなはずはなかった。

「それは何だ？」

「あたしは妊娠してるわ」

「そうだったのか」一晩に妊娠の告白が二度。一度目には心が揺らいだが、この二度目には気分が害されただけだった。「大変なことだな、パパとママに知れたら大騒ぎになるぞ。それは何なんだ？」

「信じないのね？」

「その果物ナイフみたいなのは何かと聞いてるんだ」

「果物ナイフよ」

「リンゴはどこにある」

「何を喋《しゃべ》ってるの？」彼女は片手で頭を押さえてヒステリーの前兆を見せた。「あなたの喋ってることはわけがわからないわ、あたしは妊娠してると言ったのよ、リンゴなんてどこにもないわよ」

「きみの言いたいことはわかる、妊娠してるんだろ？　このままでは『未婚の母』になって世間体が悪い、だからおなかの子の父親に責任を取って貰《もら》いたいんだろ？　結婚という形で。その男がきみの告白にびびって、一回うなずけば万事めでたしめでたし、おなかが膨《ふく》らむ前に式を挙げられるわけだな。いったい、どこでそんな斬新《ざんしん》なアイデアを仕込んでくるんだ？　聞いたこともないよ、もう少しでひっかかるところだ」

「父親はあなたよ」

「男を甘くみるな」僕はプライドをこめた。「避妊のことも考えずにセックスをしてるとでも思ってるのか、どこまできみはお嬢様なんだ、きみが妊娠してるんだったらセックスのたびに僕は子持ちになってるよ、いまごろは五千人くらい子供をかかえて名前を覚えるのに苦労してるよ」

相手がひるむ気配をはっきりと感じた。一〇〇パーセント間違いない。そもそもこの手の問題で、ついこないだまで処女だった女が僕に互角の勝負をいどもうとするのが誤りなのだ。

「でも、本当なのよ」彼女は悪あがきの台詞《せりふ》をつぶやいた。そして果物ナイフの鞘《さや》を払った。「あなたが認めてくれないのなら……」

「ほんとになんでもない、だいじょうぶだ」


「出たな」僕は余裕をもってつぶやき返した。

「あたしは、どんなことをしてでも、あなたを……」

「ちょっと」第三者の声がした。「だいじょうぶですか？」

振り向くと人影が四つ見えた。男二人と女二人の若い四人連れで、男の一人はコンビニの店員らしく制服姿だった。そいつが恐る恐る声をかけたのだ。

「なんでもない」僕は平野美雪の左手首を摑《つか》み、ナイフを下へむけさせた。「ほんとになんでもない、だいじょうぶだ」

四人の若者がのろのろとコンビニの中へ戻って行った。平野美雪の右手から僕は鞘を抜き取り、彼女の左手首を摑んだままその中へナイフの刃を収めた。すると彼女はおとなしくナイフを放した。僕はそれをズボンのポケットに落とした。

「英雄さん」彼女が沈んだ声を出した。「おねがい、あたしと結婚して？」

「気の毒だけど」僕はまずそう冷静に答えた。そう冷静に答えてはじめて、身体の内側で血が騒いでいるのに気づいた。「きみは相手を間違えてるよ、この僕が、きみと一緒に家庭におさまって子育てに励むような男に見えるか？　僕の家系のことはきみも知ってるだろう、あの叔父《おじ》を見てみろ、僕と結婚でもすればあの、きみが蛇みたいに嫌ってる叔父と親戚《しんせき》になるんだぞ、そんなことに耐えられるか？　たぶん僕が役人だというのできみは最初から勘違いしたんだろう、勘違いさせたのは僕も悪かった、あやまるよ、そもそも僕が県庁なんかに勤めたのが間違いなんだ」

「そうよ、みんなあの叔父さんのせいよ」彼女は沈んだ声で嚙《か》み合わない相槌《あいづち》を打った。

「あの人が子供に妙な気をおこしたりするから、あの女が英雄さんと……」

「何の話をしてるんだ」

「あなたが読んでた『ロリータ』の話よ」彼女の声に生気が戻った。「あたしをうすのろ扱いしないで」

僕は黙った。

「あたしが何も見てないとでも思ってるの？」

「とにかく、こんなことはもう終わりだ、後をつけまわすのも今夜かぎりでやめてほしい、きみはきみの親に見せても恥ずかしくない男を探せ、僕はこれからコンドームを売ってる店を探す、さっきの店員の前じゃ買いづらいからな」

「許さないわよ」彼女が捨て台詞を吐いた。「そんなことは絶対に許さないわよ」

かまわずに車まで歩いた。

運転席にすわってポケットの果物ナイフに手を触れたとき、後ろのほうで甲高い連続音が聞こえ出した。後部座席に置いた取材用のバッグが発信源だった。ポケベルをその中に放り込んであるのだ。この時刻だから心当たりは叔父しかいない。果物ナイフを助手席のシートに放り、リバース・ギアで車を出した。ハンドルを切りながら一度だけ、平野美雪のほうをうかがったがさっきの立ち位置を動いてはいなかった。車に乗り込んで追ってくる気配は感じられなかった。

　自宅近くまで走ってから、電話ボックスの脇《わき》に車を止めた。取材バッグを探ってポケベルに記録された数字を見ると、やはり叔父からの呼び出しだった。叔父のマンションの電話番号だ。たった一回のコールで叔父の声が聞こえた。

「遅いな、相棒、どこにいたんだ」

「残業ですよ、金曜の夜までに原稿を片づけておかないと、週末の計画に間に合わないでしょう」

「その原稿は木曜の昼間までに片づけとけ」

「木曜？」

「二十五日の金曜は給料日だ、給料日の前の晩には、カモが背負ってるジュラルミンのトランクは従業員の給料分重くなる、木曜の夜にやっちまおうぜ」

「叔父さん」

「何だ」

「電話のそばには誰もいないんですか。……久美ちゃんは？」

「さあ、寝てるんじゃないか」叔父は自然な声で答えた。「おれもいまさっき帰ってきたんだ、心配するな、聞こえないように喋ってる、で、今日中にこの情報を相棒に伝えようと思ってな」

「情報はどこから仕入れたんです」

「馬の口からじかだ」

「何ですかそれは」

「景品交換所のおばちゃんに聞いたんだよ、あたいらの給料かい？　たいがいどこでも二十五日だよ、じゃあ鮨《すし》でもおごってくれよ、その晩にまた誘うからさ、冗談やめとくれ、ってな感じだな」

「叔父さん」

「何だよ」

「軽はずみがすぎますよ、顔を覚えられたらどうするんです」

「景品交換所にはおまえも連れてってやっただろ、あのちっぽけな穴から顔が見えるのか？　え？　どうやって顔が覚えられるんだ」

「……でも、従業員の給料と言ったって、何百人もいる企業じゃあるまいし高が知れてるでしょう」

「従業員が二十人いたらいくらだ、一人あたま三十万としておれたちの儲《もう》けはいくら増える、馬鹿にできる金額かどうかよく考えてみろ」

「それにしても、給料日の前日を狙《ねら》うというのは普通、内部の事情に詳しい者の犯行だとすぐに目星がつけられて」

「誰が内部の事情に詳しいんだ、おれか？　あの屁《へ》みたいな記事を書いたおまえか？　いつまでもびびってるんじゃない、英雄、腹をくくれ、おまえのことだからどうせあの女の裏も取れてるんだろう？」

「ええ、まあ」僕は認めた。「叔父さんの言った通り、彼女はもう日本にはいないみたいですね」

「いまごろカエデのシロップでも作ってるさ」

「でも景品交換業者の元愛人が、英会話教師と結婚して夫の母国へ渡ってしまうなんて、しかもその結婚式の直前にカラオケ・バーで叔父さんと出会うなんて、われわれに都合が良すぎませんか」

「それがどうした、都合が良くて結構じゃねえか、言っただろ、あの女は日本人と名残を惜しみたかったのさ、おれはただ隣で飲んでただけだ、こっちから口説いたわけじゃない、棚からボタモチって、英語でどう言うのかは知らないけどな、目の前にそれが落ちてきたんだ、ツキがまわってきてるんだよ、このチャンスを摑《つか》まないでどうする」

「ほかに、何か見落としてることはないでしょうか」

「ない。カモとおれたちの間につながりは何もない、完璧《かんぺき》だ、あとはやるかやらないかどっちかに決めるだけだ」

「魚釣りをつづけるか、餌《えさ》をはずして引きあげるか」

「英語でそう言うんだな？　その通りだ」

「本当に犯罪者になる覚悟ができてるんですね？　もし成功したとしても、一生追われる身になる可能性は残ってるんですよ、映画じゃないんだから、メキシコに逃げてそれでジ・エンドってわけにはいかないんですよ、どこに逃げても死ぬまでびくびくしながら暮らすことになりますよ」

「そんなことは最初から承知だ、建前で書いた記事みたいなことはもう喋《しゃべ》るな、おれの脳みそがつるつるだとでも思ってるのか、ずっと考えてたさ、夏の間じゅう考えてた、この夏はやけに暑かったからな、頭の中がショートする寸前まで考えてみた、追われてもいい、上等だ、どこまでも逃げてやる、追いかけられるならやってみろ、考えたあげくのそれが結論だ」

「そんな……」

「英雄、何かに追いかけられる夢を見たことがあるだろ、自分が何か、とんでもない罪を犯して逃げ回ってる、そんな夢を見たことがあるだろ、冷や汗かいて、目が覚めて、ああよかった、こっちが現実だったってほっとした覚えがあるだろ、そのほっとした現実が、夜が明けてみると退屈でうんざりだと思ったことはないか、また例の一日が始まる、ゆうべ見た夢のほうがよっぽどはりがあって生きてるって気がした、そう思ったことは一ぺんもないか、おれは今年で41だ、41の誕生日まで生きたら全部で何日生きた勘定になるかわかるか、計算してみた、一万と四九七六日だ。80まで生きたらあと何日生きることになる？　どうだ、あと一万日もいまと同じ人生を続けたいか？　おれはもういい、もう十分だ、おまえもあと十年生きてみればおれの言ってることがわかる、よくもまあって呆《あき》れるくらい芸のない強盗やって捕まるやつがいるだろ、もののはずみで郵便局を襲ったみたいなやつが、新聞の記事を調べてみろ、そいつらはみんな40過ぎの男だ、みんなおれと同じ考えにたどり着いたんだ、ただおれと違ってツキに恵まれないだけでな、いいか、よく聞け、もし万が一、追われる身になったとしても、それは現実と夢が入れ替わるだけの話だ、あのはりのある夢の中で生きてみてもいい、できることなら夢と現実の人生を総取っ替えしてみてもいい、おれは実は前々からそう思ってたんだ」

僕は電話ボックスの中で身体の向きを替えて、停車中の車を眺められる位置で窓ガラスに凭《もた》れかかった。時刻は午前一時近い。僕が黙りこんだ時間は三秒ほどだったと思うが、その間に県道を走る車の灯《あか》りは一つも見えなかった。

「叔父《おじ》さん、憶《おぼ》えてますか」僕は折り畳みのドアを革靴の底《ソコ》で押し開けて風を入れた。

「田舎者は田舎に帰って暮らすのが本当だって、そう言いましたよね」

「言ったか？」叔父はとぼけた。「こつこつ蟻《あり》みたいに働く才能のあるやつは、その才能を生かせる職に就けって言わなかったか？」

「どっちにしても言いましたよ、僕が学生の頃、阿佐谷の下宿で。叔父さんは東京へでもどこへでも逃げればいいでしょう、でも僕はこの街の『まっとうな』人間なんですよ、犯罪をおかして追われる田舎者はどこへ行けばいいんですか」

「おまえはどこへも行く必要はない、この街に残って『まっとうに』暮らすさ、追われるのはおれ一人だ、罪はおれが全部かぶる」

「それは有り難いですけど、ただ、捜査一課の刑事が納得してくれますかね」

「おれがおまえをチクるって、そう言いたいのか」

「そうじゃないけど、いったいどうやって叔父さんが罪を全部かぶれるんですか、二人組だってことは被害者にはすぐにわかることなのに」

「おまえもとことん煮え切らないやつだな、英雄、どうしてそう悪いほうにばかり考えるんだ、これはうまくゆけば誰がやったかなんて絶対にばれない計画なんだぞ、仮にばれたとしても、おまえは県庁のお役人だ、県庁のお役人が強盗をやるなんて誰が考える、心配するな、人を二三人殺したっておまえは疑われないよ、それでもまだ安心できないって言うなら、木曜の夜のアリバイでも作っとけ」

「アリバイ?」僕は身体をしゃんと立て直した。ボックスの扉がきしりながら閉まった。

「木曜の夜の」

「女を使え、女を、あのお嬢様を失神させて一時間かそこら眠らせときゃいいんだ、その間に強盗やって知らん顔してお嬢様のマンションに戻れ、そいで揺り起こしてまた失神させてな、一晩中やってたような錯覚をあのお嬢様にいだかせてな」

「失神って?　どんな手を使うんです?」

「知るか。そのくらいおまえならできるかもなって話だ」

「無理ですよ、そんなこと、もっと現実的に考えてくださいよ、それより叔父さん……」

「もういい、この先は一人で考えて一人で決めろ、これ以上おまえの気がかりにはつきあってられない、どうしてもアリバイが欲しいなら自分の頭を使って考えろ、とにかくおれは木曜の夜にやる、おまえが尻込《しりご》みするなら綾《あや》と組んででもやる、ピストルで脅す役とジュラルミンのトランクをかっさらう役と二人要るからな、わかったな、英雄、もうあれこれ迷ってるときじゃないんだ、あと三日しかない、最後に一日だけ時間をやる、明日またポケベルで呼び出す、そんときまでに腹を決めろ、その、何だ、魚釣りをやるかどうかって」

「餌をはずして引きあげるか」

「そうだ、もし餌をはずすって言うのなら、おまえとはもう叔父でも甥《おい》でもない」

ぷつりと電話は切れた。

車に戻るとまず取材バッグの中からスケジュール帳を探して木曜の夜の欄を確認し、運転席でタバコを一本喫《す》った。タバコを喫いながらぼんやり考えていたのは伊和丸久美子のことだった。ぼんやりの中身をすこし具体的に言うと、彼女の顔つきや声や言葉のいくつかがよみがえるままに五感をゆだねていた。だがタバコを灰皿に押しつける頃にはそれらも一緒に消えてしまった。

それからもう一度、車内灯を点《つ》けてスケジュール帳の木曜の欄を開いた。そこに自分の手で記した文字を読み、それがアリバイという言葉にどこまで適しているか想像をふくらませた。

最後に、ハンドブレーキを解いて車を出す直前に、助手席のシートの窪《くぼ》みに落ちている木の鞘《さや》におさまった果物ナイフが目に止まった。僕はそれをダッシュボードの収納室に放りこんだ。それに触れていた何秒かの時間、平野美雪の影が頭を占めていた。その影について具体的に言うと、コンビニの駐車場を出がけに目に焼き付けた、壁に黒々としるされた文字のように不吉な、彼女の微妙にゆがんだ立ち姿のシルエットだった。

だがそれも収納室を閉めた勢いで消えてしまった。

自宅へ車を走らせながら、考えていたのは三たびアリバイのことだった。

1995　8・24～26

さて、いよいよ昨年夏の話も〝ル・グラン・モマン〟を迎えることになる。

計画実行の夜のことだ。

木曜、午後八時。

正真正銘の午後八時、前後三十秒の誤差もない正確さで僕は指定の場所へ車をつけた。前の晩の予行演習通りに（ただしそれは時間帯をずらして行ったのだが）叔父が乗り込んでくれば、第一段階はあっさりとクリアできるはずだった。ところがそこで手違いが一つ持ちあがった。

だがその前に少し説明が要るだろう。

僕はあるホテルの駐車場からその指定の場所へと車を走らせた。指定の場所というのは例の、景品交換所の防犯対策について叔父と話したとき用いた模造大理石のベンチの置いてある公園だった。僕のアリバイ証明になる（はずの）ホテルから、ターゲットの景品交換業者の自宅までの道筋の途中に、つまり無理な迂回《うかい》をしなくてもすむ通過ポイントにその公園は位置している。

ホテルでは県漁業協同組合・新理事長の就任を祝う会が催されていた。二百名を越す漁業関係者が集まっての大掛かりなパーティだった。案内状によると七時から九時までの予定らしかったが、この手の集まりは大概予定よりも遅めに始まり、ホテル側の都合を無視してだらだらと長びくことを経験から知っている。

案の定、パーティの開始は遅れた。実はいつ始まったのかも見分けがつかぬほど会場は混み合っていた。とにかく誰かが最初にマイクに向かってスピーチを始めたときは七時をだいぶ回っていたし、漁協一押しの国会議員による乾杯の音頭がとられたのは七時三十八分のことだった。

僕はその前から出席者の一人である俵ヶ浦昇の相手をなるべくつとめるようにして、広報誌用の写真を撮りつづけ、初対面の人間を見つけると名刺を配りまくった。乾杯を合図に大宴会が始まっても十分間だけ辛抱し、それから取材で会場をめぐるふりをして俵ヶ浦昇のそばを離れた。会場を抜け出して、正規の地下駐車場のほうではなく、いつも利用しているホテルの裏側の駐車スペースまで急いでも五分近く要した。

ただしそれも計算の内である。叔父の待つ公園までは信号待ちを最悪の数で考慮にいれても六分以内で着く。火曜と水曜の深夜に二度、制限速度を守って試走しているので狂いはない。おそらく宴会は二時間近く続くだろう。顔出しと祝儀の義務をすませて早々と帰宅する者や、混雑を嫌って二次会へまわる者が出たとしても、半数以上は残ってぐずぐずと飲み食いを続けるだろう。ぎりぎり九時半までに戻れればいい。そしてできればその時刻まで俵ヶ浦昇が会場に残っていてくれればなおさらいい。それでなんとかアリバイは、アリバイらしきものは成立するだろう。もし両方とも叶《かな》わなければ、それはもう、そのときのことだ。The die is cast. 後には退けない。

途中から駆けて来たのでカメラのベルトを首から提げたまま車を出した。午後七時五十四分、相棒を拾うために僕は指定の公園へと車を走らせた。

そして八時、叔父《おじ》は前夜の演習同様、後部座席に乗り込んできた。だが相棒は単独ではなかった。

「で、どこに行きます？」

僕は深呼吸してから言った。叔父のあとから鈴村綾《あや》が乗ってきたのを見て頭に血がのぼったので、気を静めるための処置が必要だったのだ。

「不二家のパーラーとか、スカイラークとか、子供連れで行けるところは限られますけどね」

「まあ、そう言うな」

「まあそう言うな？」僕はまた血がのぼりかけた。「まあそう言うなじゃないですよ、叔父さん、もう始まってるんですよ、わかってるんですか、こっちは本気なんですよ、この計画に役人生命を賭《か》けてるんですよ」

「綾もこの計画に一枚嚙《か》んでるんだよ」叔父が言った。「興奮するな、まだ始まったばかりじゃないか」

「いったいいつからこの小学生が仲間に入ったんです、ごめんですね、こんな、二階には何もないような子供と組むなんて」

「ねえ」鈴村綾が運転席に顔を差し入れた。「いま、二階には何もないって言った？」

「ときどきこういう喋《しゃべ》り方をするんだ、こいつは」叔父が脇《わき》から呟《つぶや》いた。

「おつむが空っぽって意味だ」僕が説明した。

「そりゃまだ五千日も生きてないもんな」叔父が言った。「あと倍も生きてみろ、おれたち程度にはおつむも詰まるさ」

「酔助」綾が叔父に話しかけた。「やっぱりヒデオ君には無理なんじゃない？」

「英雄」叔父が僕に話しかけた。「頼むから落ちつけ、ゆうべやったように車を走らせろ、この計画は絶対うまくいく、仲間に誰が入ろうと入るまいとこの計画は完璧《かんぺき》だ、おまえも納得ずみだろ、綾のまえで『無様』なところを見せるな、土壇場でびびってどうするんだ、おまえが降りるっていうなら、おれたちはバス・ジャックしてでも行くぞ」

ルームミラーの中で綾が僕の視線をとらえた。顎《あご》をそらし気味にして、最初に会ったときを思い出させる好戦的な目で僕を見つめた。

「カメラは横に置いたら？」背後から綾の声が言った。「運転の邪魔だよ」

「さあ、車を出せ」叔父が命じた。

僕は首からベルトをはずし股《また》の間にのっていたカメラを助手席に置いて、しぶしぶ車を出した。

その後しばらくは冷静を保つことができた。

車はあらかじめ決められたコースを単調に制限速度内で走り続けた。八月の初めに例の公園で叔父の計画を聞かされたあと、実行するしないの決断は保留のまま試験的に一人で近くを走ったことも何度かあったくらいなので、ターゲットの自宅までの道順を間違える心配はなかった。

目を奪われるほどのネオンも景色も何もない夜の県道を、十五六分郊外へ向けて走ったあとで僕は痺《しび》れを切らした。

「きみは降りるな」考えた末この条件で妥協するつもりで、綾に釘《くぎ》をさした。「なにしろ全部かたがついて帰るときまで、きみは車から一歩も出るな」

後部座席で身じろぎする気配が二人分あった。たぶん二人で顔を見合わせたのだろう。

「男の二人組ならありふれた強盗でも、女の子が入ると目立ちすぎます、どう考えても」叔父にも念を押した。「襲われるほうだって馬鹿じゃないんだから、記憶に残ったことはあとで何でも喋りますよ」

「ヒデオ君」助手席の背もたれに綾が顎の先をのせた。「ポケベルは持ってきた？」

「きみの相手はあとでしてやるから」僕は振り向いて叱《しか》りつけた。「隅っこにじっと隠れてろ」

「落ち着け、英雄」叔父が僕を叱った。

僕は落ち着きを取り戻すべく深呼吸を繰り返した。

「綾」叔父の声が何かを指示した。

綾が叔父を振り返った拍子に、エアコンを効かした車内の空気のなかに一瞬石鹸《せっけん》の香料のような香りが混じった。綾の手が伸びて僕の股の上に何か堅い物を落とした。片手で触れてみるとそれは携帯電話だった。

「なるほど」僕は言った。「これできみのママに連絡を取って迎えに来てもらえばいいわけだな」

後ろの二人からの返事はなかった。車は計画実行地点への重要な曲り角にさしかかっていた。信号を左へ折れるとバイパスに入る。バイパスは数キロ先でまた別の県道の入口にぶつかることになる。僕は落ち着きを取り戻しつつあった。信号の色は黄色だったのでやや速度をあげて左へハンドルを切った。

予行演習のときと同様に車の流れが極端に少なくなった。まもなくもう一本脇道が左へ口を開けているのが見えて来る。そちらへ入って行く車の数はもっと少ないはずだ。ダッシュボードの時計はまだ八時二十分になったばかりだった。

ターゲットの景品交換業者はちょうど本部事務所を出て自宅へむかった頃かもしれない。叔父と連れ立って一度、僕単独でも一度、距離と所要時間をつかむためもあってその本部事務所の前まで出向いたことがある。港に近い一角の、左隣をスクリュー専門の工作機械会社、右隣を乾物屋にはさまれた二階建てのくたびれたビルだった。看板に記された社名の末尾には「商事」とあったが、例のカナダへ渡った元愛人から叔父が手にいれた情報――われわれのカモは普段の日は八時から八時半の間に自分で車を運転して自宅へむかうという情報――の確認のため、たった一度だけ、社長を名指しで八時半に電話を入れてみたところ、十分前に帰宅しました、と屈託のない若い声が答えてくれた。そのとき最初に電話口で若者が「はい、本部事務所」と応答したので、われわれはそれ以後、計画を煮詰めるにあたってターゲットの当夜の出発地点を本部事務所と呼ぶことに決めたのである。

本部事務所から普通の感覚の人間が車を走らせるとターゲットの自宅までは三十分弱。われわれは彼が少なくとも車の運転に際しては普通の感覚の持主である点もおこたりなく観察をすませている。だからターゲットが自宅に帰りつくのはいちばん早めに見積もると八時半過ぎ、遅ければ九時過ぎということもあり得る。だが、いずれも可能性としては薄く、八時五十分前後の線が濃厚だろう、とわれわれは結論づけていた。

もう一本の細い脇道が左手に見えた。そこを入るとじきに自動踏み切りがある。JRではなくローカル線の、いわゆる第3セクターの鉄道用線路なので、この時間帯に遮断機が降りるのは一時間に一回、八時台、九時台ともに二十分頃と調べはついている。行きで止められる恐れはあるが、帰りは、つまり逃走時には突っ切っても誰も文句を言うものはいない。

左へ脇道を入ったところで電車の音が耳についた。踏み切りの手前に来るとちょうど、レールを走る乗合バスといった感じの一両きりの電車が通過中で、乗客の数のまばらな白っぽい照明の車内を目にすることができた。タイミングよく遮断機が上がり、一応交通ルールに則《のっと》って一時停止らしき真似をしてみせるまで、ほとんどブレーキを踏む必要もなかった。幸先がいい。別に止められても一向にかまいはしないが、止められる恐れのあるポイントで止められなかったのは気分的に違う。暗示的に考えても断然違う。うまくいくかもしれない。時刻は八時二十二分。うまくいく。そう言い聞かせながら踏み切りを越えた。

「止めろ」叔父が言った。「英雄、車を止めろ」

　踏み切りを数メートル後にして車が止まった。実にのどかで通行人と照明の不足した田舎道だ。こんな道、五分に一台、いや十分に一台も車は通らないだろう。何ならここで待伏せしたっていいくらいだ。

　ところが、あろうことか、われわれのカモはこの道の五百メートル先からさらに脇へ坂道を上った丘の上に居を構えている。しかもその上り口に一つ、くの字に折れ曲がった長い坂を上りつめた所に一つ、いまどき信じられないような白熱電球の街灯がぽつんと灯《とも》っているだけ。われわれが犯行現場に選んだくの字の角部分は、今夜あたり夏の星座の観察地点にふさわしいような『漆黒の闇《やみ》』に包まれているはずだ。まさにおあつらえむきなのである。パチンコ成金が安い土地を買い集め豪邸を構えるにもおあつらえむきだし、われわれ素人の一か八かの犯行計画にとってもおあつらえむきなのだ。これだけ条件が揃《そろ》えば、県庁の役人でなくても決心を固めたくなる人間は大勢いるだろう。

「止めましたよ、叔父《おじ》さん」僕の声は冷静だった。「どうしたんです、ここまで来て怖《お》じけづいたんじゃないでしょうね」

「綾《あや》」叔父の声が言った。「コインは持ったか？」

「持った」

「言った通りやれるな？」

「ラクショーだよ」

僕は嫌な予想にとらえられた。

「じゃあ、グッド・ラックだ」叔父が言い、

「酔助も、それとヒデオ君もね」綾が答え、
僕はルームミラーの中に、二人がいわゆる一時期アメリカのプロ野球選手の間で流行《はや》ったハイ・タッチを交わすのを認めた。それが終わると綾が僕のほうへ小さなてのひらをさしだして同様の挨拶《あいさつ》を求めた。僕はそのてのひらを気持だけ叩《たた》いて叔父を振り返った。

「説明してください」

「守備につけ、綾」叔父が指図した。「英雄は予定通りあの坂まで運転しろ」

綾が一人で車を降りた。上から黒のキャップ、黒のタンクトップ、ジーンズ、黒のバスケットボール・シューズのいで立ちで踏み切りのほうへ駆け足で戻って行った。

「叔父さん、僕に内緒で何を考えてるんです？」

「車を走らせろ、時間が迫ってるぞ」

僕はまたしてもしぶしぶ車を動かした。

「バイパスから脇道《わきみち》に入る角に電話ボックスがあっただろ」叔父が言った。「気づいてたか？」

「あったとしましょう、それで？」

「綾にそこで見張らせる」

「誰を」

「カモに決まってるだろう」

「そんなもの見張らなくても、カモはこの道を通って、あの坂を上って来るに決まってるじゃないですか」

「心構えってもんがあるだろう、それに、カモ以外のやつがこの道を通って、あの坂を上ってくる可能性だってある」

「限りなくゼロに近いと思いますね」

「あの坂の上に民家は何軒あった」

「カモの豪邸を入れてせいぜい六七軒ですよ、それと建築中のが二軒」

「可能性はゼロじゃないな、六七軒分はある、今夜その家の誰かが死んで、これから親戚《しんせき》が呼ばれる可能性だって六七軒分あるぜ」

「叔父さんのその慎重さは称賛にあたいしますけどね、でも、あの子にカモとそうじゃない車の見分けがつくんですか」

『ぬかり』はねえよ、二回も三回もテストをしてみたんだ、あいつはああ見えても、二階には結構詰まってる」

「テスト？　どんなテストです？」

「いまそんな話をしてる場合か？」

「でも、そんな話を何も、今日の今日まで黙ってなくたって」

「おまえはごねるだろ、綾を仲間に入れると言ったら」

「ごねませんよ、僕がいつごねました？　あんな可愛い子を、わざわざ踏み切りを渡って戻さなくても電話ボックスの前で降ろしてやったのに」

「バイパスでおまえがごねたら、通りすがりの車が変に思うだろ、ほら、そこの坂だ、行き過ぎるな」

「バックで上るんですよ、車の運転のことは僕がテスト済みです」

坂の入口を行き過ぎたところでブレーキを踏み、ギアをバックに入れ替えて後輪から坂に乗せた。入口とくの字の角とのほぼ中間地点まで車を後退させると、もう一度ギアを入れ替えてハンドルを切り、進行方向にむかって坂道の左端に寄せて停車した。時刻は八時二十九分。叔父が先に車を降り、僕がその後を追った。

「携帯の受信スイッチを入れろ」車のトランク・ルームのドアを開けながら叔父が言った。

「もういつかかって来てもおかしくないぞ」

「受信スイッチ？　どこをどうやればいいんです、そんなもの最初から入れとけばいいじゃないですか」

「貸してみろ」叔父が僕の手から奪い取り、言い訳をした。「こいつは綾が、おふくろのを借りてきたんだ」

僕は受信スイッチのＯＮになった携帯電話を渡されてまた嫌な予感にとらえられた。

「叔父さん……」

叔父がかつて僕の父親が愛用した革のトランクを引きあげて地面に置いた。現金の詰まったジュラルミンのトランクだと二つでもまるごと収まりそうな、その容量の大きさに目をつけて僕が準備したのだ。叔父がトランクの蓋《ふた》を開けて中から衣類と仮面と武器と懐中電灯とロープと粘着テープを取り出した。そのとき僕の右手で携帯電話が鳴り響いた。

「来たな」

叔父はラルフ・ローレンのポロシャツを脱いで用意した純白の無地のＴシャツに着替えた。

「電話に出ろ、英雄、ここから先はもう叔父さんと呼ぶな」

僕は携帯電話を耳にあてた。聞きおぼえのある女の声が言った。

「もしもし綾？　綾なんでしょ？　違うの？」

僕は無言で送話ボタンを切り、ため息をついた。

「叔父さん、やっぱりあの子を巻き添えにするのはまずいですよ、いま頃、言いつけを守ってバイパスの電話ボックスの中でずっと見張ってるわけでしょう、それもまずい、通りがかりの車だって変に思うに違いないし」

「道端で長電話する娘がめずらしいか」ドラえもんの面を額のところで止めて叔父が振り返った。「電話は何と言ってるんだ」

「綾の母親からですよ、叔父さん」

「叔父さんはやめろと言ってるだろ」

「母親が娘を探してるんです、これは借りてきたんじゃなくて、あの子が黙って……」

再び携帯電話が鳴り始めた。さっきと同じ声が一方的に喋《しゃべ》った。

「綾？　綾じゃないの？　どなたか存じませんけれどね、その電話はあたしのもので、娘が黙って持ち出したんですよ、綾！　そこにいるんでしょ？」

僕は再び電話を切り、再びため息をついた。

あたりがしんと静まり返った。電話のコールが響くたびに田園地帯の夜の静けさが『いや増す』ような気がする。聞き耳を立てているのは夏の虫ばかりではないような不安がつのる。綾を使っての叔父の慎重な作戦はおそらく裏目の結果を招くだろう。

「また母親からです。何だかいやな予感がしませんか」

「しないな。綾のことなら、本人も全部承知の上だ」

「でも、相手はまだ小学生なんですよ」

「またか」叔父は片手にピストルを握り、反対側の肩に何重にも巻いたロープを掛けた。

「おまえの頭の中はどこまで標準仕様にできてるんだ、まったく、おまえがあの姉きの血を分けた息子だとは信じられないぜ、小学生がだめなら何ならいいんだ、中学生まで待てばいいのか、そんなふうに強盗のマニュアルに書いてあるのか？　何を言ってももう手遅れだ、さっさと準備をしろ」

叔父がくるりと背を向け、坂道を上りはじめた。

後を追う前に三たび電話が鳴った。同じ声だ。闇《やみ》の中で、どこか遠くからわれわれをなじる不吉な声だ。

「もしもし？……酔助さん？　あなた、酔助さんなのね？　黙ってないで何か言って、なんてことなの、これは……、綾ちゃん！　そばにいるの？　お願い、酔助さん、綾を電話に出して」

僕は三たび電話を切り、こんどは舌打ちをして叔父の立てた慎重な、というよりも余計な作戦を呪《のろ》った。半袖《はんそで》のワイシャツにネクタイという夏場の役人のユニホームの上から紺のトレーナーを被《かぶ》り、ドラえもんの相棒の面を後頭部にゴムをまわしてつけた。空になった父の遺品のトワンクを車に積み直した。運転席に戻ってライトを落とした。完全に近い闇が降りた。

片手に忌まわしい携帯電話を握ったまま暗い坂道を上りながら考えた。考えている途中で四度目の電話がかかった。聞き覚えのない声が「みどりさん？　ヨウコだよーん」と脳天気な声で喋り出した。それ以上聞く必要はない。

とにかく、一度綾《あや》が電話をかけてくればいい、そうすればこっちとむこうをそのまま接続状態にして、他からの電話を受けつけずにすむ。どうして最初からそこまで考えて作戦を立てなかったのだ。心の中で叔父《おじ》に毒づいた。そのくらいの知恵が浮かばないのか。

「電話はまだか」カーブ・ミラーのそばで懐中電灯を照らして叔父がむかえた。

「ばんばんかかってますよ、よそから、きっと肝心のときには僕はヨウコって女と話中だと思いますね」

「それでいい」叔父が懐中電灯を下へ向けた。「そのくらい気のきいたことが言えればだいじょうぶだ」

懐中電灯の明りが消えると坂道のカーブ付近は完全な闇につつまれた。想像通りだ。上空の星がこれ以上ないほどくっきりと輝いている。いやな予感を一時忘れてひしゃく型の七つ星を探した。このあたりがもっと開けて、町内会の有志が街灯の付け替えを議題にする頃には、今夜のわれわれの犯行は町史に残る未解決事件として語り草になっている、僕は自分にそう言い聞かせた。

五度目の待ちかねた電話がつながった。

「切るな」僕は綾の声にかぶせて言った。「もうその電話は切るな」

「ヒデオ君、落ち着いて」綾が言い返した。「いま踏み切りのほうに車が二台曲がった、どっちもマジェスタじゃない、だから坂を上ってくるかどうかは……」

「わかった、そのまま待て」僕は綾からの情報を叔父に伝えた。マジェスタというのがわれわれのカモの運転する国産車の車種名である。叔父が懐中電灯を点《つ》け、腕時計を照らすのを見て僕はまた電話にむかった。

「いいか、電話を切っちゃだめだ」

「なんで？」

「僕はきみのママと長話をするつもりはないからさ、なんでもいいから切るな、言いつけを守らないと寄宿舎に入れるぞ」

「キシュクシャって何よ」

「お金はあといくら持ってる」

「百円玉がこれだけ」電話口で手の中のコインを鳴らす音がした。あの小さな手に何枚握れるというのだ。

「なんできみはテレホンカードを使わないんだ、一万円のテレホンカードくらい用意する知恵も浮かばなかったのか」

「だって、百円玉のほうが手っ取り早いし、そんなの一万円も買って、使い切れなかったらもったいないじゃん」

「ほう、きみの老後は楽しみだな」

　そこで電話が切られたので僕は舌打ちをした。

　心配した通りまたじきに呼出音が鳴り響いた。折り返し綾がかけてきたとは思えないので携帯電話を叔父に渡した。叔父はいったん耳元に運び、一言も喋らないまま回線を切っ綾の母親か母親の知り合いのヨウコからの電話に違いなかった。綾が伝えてきた二台の車は坂を上って来ない。そろそろ時間が気になり出した。叔父からまた携帯電話を受け取り、腕時計に目をこらすと八時四十五分になろうとしていた。

それからもう五分、時は静かに流れた。

「来ますかね」僕は焦《じ》れて尋ねた。

「来るさ」叔父が答えた。「決まってるだろ」

こんなときにタバコが喫《す》えれば楽なのだが、吸殻の処理を考えると我慢するしかなかった。最終確認のつもりで、額に載せていた面を被《かぶ》ってみた。ドラえもんの親しい相棒の顔をかたどった仮面なのだが、視界をよくするため、目のあたりを広く刳《く》り貫く細工をしてある。叔父のほうも同様である。だから漫画のキャラクターの顔つきはかなり印象が変わっている。あるいはわれわれのカモの目には、ドラえもんとのび太のコンビ強盗には映らないかもしれない。

「来ませんね」僕は仮面越しにこもった声で言った。

「来るさ」叔父がドラえもんの仮面をつけた。

「叔父さん、もしうまくいったら、その金を持ってどこへ行くんです？」

「ドラえもんだ、のび太くん」

「あの子も連れて行くのかい？　ドラえもん」

「ああ」

「あの子のママが心配してるよ」

「やめろ、英雄」

「叔父さん」言いながら電話が鳴り出すのに気づいていた。これがもし綾以外からの電話だったらこの計画は失敗する、咄嗟《とっさ》に賭《か》けをして僕は続けた。「母親は叔父さんと綾のことに気づいてますよ」

「マジェスタだよ」電話は綾からだった。「いまそっちに行った」

「マジェスタです」僕は叔父に伝え、電話に指令した。「こんどこそ切るなよ、こんど勝手に切ったら帰りは乗せてやらないぞ」

「いいか、のび太くん」叔父が懐中電灯を消して僕に渡した。「しゃきっとしろよ。きっとうまくいく、ドラえもんを信頼してベストをつくせ」

　僕は携帯電話をトレーナーの下のワイシャツのポケットに入れ、曲り角のほぼ中央まで進み出た。坂道の幅は二台の車がゆったりすれ違えるくらいの広さだが、まさか道の真ん中にうずくまっている人間を見つけて、それを器用に避けながら上り続けるドライバーもいないだろう。十中八九、車は止まる、叔父と僕の考えは結局その方法にたどり着いた。遮蔽物《しゃへいぶつ》を置くことも考えないではなかったが、持ち運びの点を考えると人間が道をふさぐのがシンプルで最上である。

　だが実際にうずくまってみると冷や汗ものだった。たとえばもしわれわれのカモがよそ見でもして、ライトが照らす先の僕に気づかなかったらどうなるのだ。だがいまさらそんな心配をしてどうなる。汗が滲《にじ》み出て、下着のシャツがじっとり湿っているのがわかった。トレーナーの重ね着のアイデアも失敗だったかもしれない。今後は改良すべき点がいくつかある。そんな馬鹿なことを考えているうちにカーブ・ミラーが上ってくる車のライトの反射で光った。ここに一人、急に具合を悪くした人間が倒れこんでいる、頼むから車を止めろ、降りて来て声をかけろ、僕は両膝《りょうひざ》を地面につき祈る姿勢で顔を地面に伏せた。

僕の予感よりもはるかに距離は短かった。マジェスタと僕との間の距離のことだ。2メートルもなかった。もう十センチでも縮まっていたら僕は脇《わき》へ飛びのいていたかもしれない。まあそれでもかなりの確率で車は止まったと思われるが、いずれにしても、われわれのシンプルなアイデアは実を結んだ。マジェスタは坂の途中にうずくまった人間の2メートル手前で停止した。そしてドアの開く音。カモが降り立つ気配。僕は懐中電灯を握りしめ顔を伏せたまま動かなかった。

「おい……」カモはそう言ったきり口をつぐんだ。同じ方向からくぐもった声が聞こえた。

「これはピストルだ、命が惜しかったら声を出すな」

緊張の瞬間というやつだった。映画やテレビドラマで耳にタコができるほど聞き飽きたこの手の脅しに、果たして人が本当におとなしく従うものかどうか僕はかねがね疑問視していたのだ。

「えっ？」とカモは聞き返した。

そのときには僕はもう起き上がって、懐中電灯で叔父の右手の先を照らしてカモの注意をうながしていた。

「これはピストルだ」叔父はめげずに繰り返した。「わかるな？　命が、惜しかったら、声を出すなと言ってるんだ、わかったのか？」

「はい」カモが弱々しく返事をした。

「声を出すなと言っただろ」叔父が無茶を言って責めた。

僕は叔父がデパートかどこかで手に入れてきたモデルガンをそれ以上照らすのはやめて、カモの顔つきをうかがった。男は期待した以上に怯《おび》えていた。表情からそれは間違いなかった。だが同時に僕けひどい手違いに気づいた。

「叔父……」

思わずそう呼びかけそうになって『すんでのこと』に堪えた。

「ドラえもん、こいつは違う、社長じゃない」ライトを点けたまま止まっている車の車種を確認した。マジェスタだった。「どういうことなんだ」

「どういうことなんだ」叔父がピストルを男の脇腹に押し付けた。

半袖《はんそで》のワイシャツにネクタイ姿の男は震える指でメガネに触れようとしたのか、上げかけた腕を叔父に払われ困り果てた顔になった。県庁舎内でいくらでも見つけられそうな外見の男だった。年は僕とそう変わらないだろう。

「のび太くん、それよか金だ、ジュラルミンのトランクを」と叔父が言ったときには僕はマジェスタのドアに手をかけていた。

「社長はどうした」叔父《おじ》の詰問する声が聞こえた。返事はない。

「どうしたと聞いてるんだ」

「声、出してもいいんですか」男は少し居直った模様だった。

「なめやがると撃つぞ、この野郎」

「社長……ですか？」

車内にジュラルミンのトランクは見つからなかった。座席の下を探り、後ろのトランク・ルームまで開いてみたが発見できなかった。ただし、後部座席の隅に旅行鞄《かばん》なら置いてあった。ありふれた合成皮革の旅行鞄だった。僕は試しにジッパーを引いて両手で口を開いてみた。その作業の直前にかろうじて胸元で叫ぶ声を聞き取った。もし聞き取るのが1秒でも遅れれば、それっきり永遠に綾《あや》の声など耳には入らなかったかもしれない。

僕は後部座席に半身を乗り入れたまま、もどかしい思いでトレーナーの下から携帯電話を摑《つか》み出した。

「聞いてるの？　ヒデオ君？」

「のび太だ」

「車がまた一台そっちに行った」

「どのくらい前」

「もし坂を上ってればすぐそこに来てるよ」

「ドラえもん」僕は叫びながらマジェスタの運転席に乗り込んだ。

勘のいい相棒が異変をさとったのを見て、ハンドブレーキを解除し、車を後退させ、上りにむかって左端ぎりぎりに止めた。ボディが左側の土手に擦れる音がした。エンジンを切りライトを消した。叔父が後部座席に男を押し込み、続いて乗り込んで来てドアを閉めた。時間の無駄かもしれない、そう冷静に思う間もなくカーブ・ミラーが下からの光をとらえた。

ヘッドライトの光の帯は、車内で身を伏せたわれわれの頭上を嘗《な》めるように走り抜けた。一台の車の気配がすぐ右横に迫り、カーブでアクセルをふかし直して坂の上へ遠ざかった。まもなく尾を引いて音が消え、静寂が戻った。そうやって危機を乗り越えると、僕は身体じゅうの血が騒ぐのを感じつつ運転席で身を起こした。血は騒いだが冷静沈着だった。生まれてはじめてと言っていいくらいに僕は自分の判断力、運動能力、反射神経、幸運、その他一切合切を信頼できた。

「ドラえもん」僕は後ろの相棒に声をかけた。「きみの慎重な作戦が功を奏した」

「言っただろ、のび太くん」叔父が答えた。「だが問題は金だ、くそ、社長は今夜飲み会らしい。そいでこいつが代わりに」

「ドラえもん、その鞄だ、きみが押さえつけてる男が抱いてる」

「鞄？」

僕は車を降り、後部座席のドアを開けてやった。叔父が鞄を奪い取って外に出てきた。

「僕らはついてますよ、こんなにつきすぎていいのかってくらいに、そいつはまるでニワトリだ、縛りあげる必要もないでしょう」

「たまげたな」叔父が鞄の中身をあらためた。「こんなやつに金を運ばせて、てめえは飲み会か」

「変り種はいるんですよ」

「ここまでとはな」叔父が鞄のジッパーを閉めた。「さっさとずらかろうぜ」

「その前に電話を」

「電話？」

「そいつの胸のポケット、携帯電話がのぞいてます、いくらニワトリでも一一〇番くらいはできる」

叔父が携帯電話を奪おうとして軽い揉《も》み合いになった。『らちがあかない』ので僕が代わって車内に半身を入れ、男の顔を一度はたき、みぞおちを二度も殴りつけた。それくらいは痛めつけたほうがいいと判断したのだ。言い訳するつもりはないが、こぶしに機械的に力がこもったという感じだった。

「のび太くん」ドラえもんが驚いた。「それ以上殴ると死んじゃうぞ」

「そこで朝までじっとしてろ」僕は男の携帯電話を取り上げて言い聞かせた。「外に出たりしたらほんとに殺すぞ」

みぞおちを殴られたせいで相手は息もできない状態だった。それでもなおかつうなずこうとする意志を見せた。こいつは無害だ。僕は確信した。まさか朝までじっとはしていないだろうが、こいつのせいでわれわれの犯行に足がつく心配は爪《つめ》の先ほどもない。

ドアを閉めて男を押し込めると、持つ物をすべて持って下に止めた車まで叔父と速足になった。車に着くと、トレーナーを脱いで男から奪った携帯電話をくるみ、積み込んであったトランクの中に放った。叔父がドラえもんの面とピストルと使わなかったロープと粘着テープと脱いだTシャツを同様に投げ入れて代わりにポロシャツを摑んだ。続けて僕がのび太の面と懐中電灯と、札束の詰まった旅行鞄を収めて蓋《ふた》を閉じた。最後にトランク・ルームの扉を落として後始末は完了した。ものの一分とかからぬ早業だった。ハンドルを握った手は震えてはいなかった。叔父が後ろの座席に乗り込んでドアを閉めた。来たときよりもさらに手際よく僕は車を出すことができた。

達成感という言葉はこういうときのためにあるのだろう。坂を下り、暗い田舎道を踏み切りのほうへ戻っていく最中にも身体がむずむずして仕方がなかった。僕はできれば歌いながら踊りたいくらいだった。踏み切りでは一時停止の真似ごとすらしなかった。対向車は一台もなかった。バイパスに出る手前の暗がりで待っていた綾を拾った。彼女は来たときとは違って助手席に乗り込んでくると、僕の表情を上手に読み取ってハイ・タッチを求めた。てのひらが勝手に動き、いい音をたてた。いい感触だった。これ以上の気分の高揚はかつて味わったことがなかった。

「相棒、よくやったな」僕は綾の仕事ぶりを評価して、方向指示器を右へむけ車をバイパスに乗せた。

「おまえたちのおかげだ」叔父も認めた。「二人ともいい仕事をした」

「ラクショーだよ」綾がはしゃいでみせた。「でも途中で電話が切れちゃったから、こっちは心配してたんだよ」

「こんどやるときはテレホンカードにしろよ」僕は思い出して胸ポケットの携帯電話を手渡した。「受信スイッチをOFFにするんだ」

「お金はいくらあるの？」綾が聞いた。「一億円？　三人で一生遊んで暮らせるくらい？」

「たぶんね、きみの老後は『安泰』だよ」

「少し急げ」叔父が後ろから指示を出した。「あとは英雄のアリバイだけだ」

だが僕は制限速度以上にはアクセル・ペダルを踏まなかった。ダッシュボードの時計はすでに九時十五分を示していた。このあと予定通りに叔父のマンションに立ち寄るとすれば、九時半までにホテルへ戻るのは不可能だろう。それに、たとえ戻れたとしても、僕のいまの服装は――汗まみれでよれよれになったワイシャツとネクタイ――とても人前に出られる姿ではない。

「もういいんですよ」高揚にやや水が差された。「僕のアリバイのことなんか」

「いや、よくない」叔父は聞かなかった。「それが今夜の一番肝心な点だ」

「一番肝心なのは金をマンションに運び入れることでしょう」

「金の心配はいい、この車に積んどきゃ安全だ、とにかくまっすぐホテルに行け、おれと綾はそこからタクシーでも拾う、あとでおまえの家で落ち合おう」

「でもいまになって予定を変更するのは……」

「ぐずぐず言ってないで、スピードをあげろ、近道でも何でもしてアリバイを成立させるんだ、役人生命を賭《か》けて運転しろ」

「そうだよ」綾がそそのかした。「この車、のろすぎるよ」

そうだ、スピードをあげて近道のコースを取ればまだ間に合うかもしれない。確かに金は叔父のマンションに置くよりもこのまま車に積んで僕の実家に運び入れるほうが安全かもしれない。この汗まみれのワイシャツについてはもし不審に思う人間がいたとしてもどうにか言い繕《つくろ》えるかもしれない。

かもしれないが三つ。『吉と出るか凶と出るか』。躊躇《ちゅうちょ》したのはほんの一瞬だった。僕は最終的に自分の、というよりもその夜われわれの側に味方しているはずの幸運に賭けた。

それが失敗だった。


ホテル裏手の駐車場には九時半前に着いた。

かもしれないがそれで一つだけ証明済みになった。

白線で仕切られた駐車スペースに頭から車を乗り入れたとき、九時半にはまだ二分の余裕があった。他に駐車している車は二三台しかなかった。人影もなかった。僕はキイをひねってエンジンを止めた。取材用のニコンを綾《あや》から受け取ってまた首にかけた。後ろの座席で叔父《おじ》が満足そうに息をついた。そのあと綾が異変を聞きつけた。

「電話が鳴ってるよ」

「電話?」叔父と僕が同時に聞き返した。

「うん、この車の中で電話が鳴ってる」

われわれは耳をすませた。確かにこの車の中のどこかで電話がなっているようだ。

われわれは車を降りて後ろへ回り、トランク・ルームをのぞいた。音が近くなった。父の遺品のトランクの蓋を開き、トレーナーにくるんで押し込んであった携帯電話を取り出して綾に頼んだ。

「止めてくれ、二度と鳴らないように」

「出なくていいの?」

「いいんだよ、お金を取ったあとは普通、犯人と被害者は電話で話したりしないんだ」

「のび太くんの『手ぬかり』だな」叔父が感想を述べた。

「お金見せてよ」綾が携帯電話をいじってから頼んだ。僕が携帯電話をトランクの隅に戻した。叔父が綾のキャップを脱がせてその上に置き、次に鞄《かばん》を引き寄せて口を開いてみせた。そこへ懐中電灯の明りを向けたのは僕で、もちろん自分の目でももう一度確認したかったのである。間違いなく底まで一万円札の札束が詰まっていた。

「英雄」叔父が注意した。「何をやってるんだ、ぼーっとしてないで早く……」

「ええ……」僕はうなずいて、懐中電灯の明りを消した。

だがそのときにはもう手遅れだったのだ。

　叔父が僕の手から懐中電灯を取ってトランクにしまい、そそくさと蓋を閉じた。その様子で背後に誰か人がいることに僕は気づいた。振り向くとそこに壁にきざまれた黒文字のように不吉なシルエットが立っていた。車のトランク・ルームの扉が叔父の手で閉ざされる音がした。

「何をしてるんだ？　そんなところで」

　僕は平野美雪に話しかけた。一瞬、あのコンビニで別れた月曜の晩からずっといままで、彼女に跡をつけられていたような錯覚が起こったがそんなはずはない。

「英雄」後ろから叔父の声に押されて僕は歩きだした。平野美雪のそばを通り抜けようとしたとき、彼女が僕の腕をつかんだ。爪《つめ》がくいこむほどの薄気味の悪い力だった。僕はそれを振り払った。その際に何カ所か爪で皮膚を引き裂かれたような痛みが走った。それにしても、いったいなぜ、この女はここに立っているのだ。

「英雄」叔父の声がした。「パーティに戻れ」

「まだ懲りないのか」僕は言った。「それは何だ」

「ゆるさないって」

　平野美雪がつぶやいた。うわごとのように聞き取りづらい声で。

「あたしはいったわ」

「どうして髪もとかさないでこんなとこに立ってる」僕はさらに言った。「寝起きなのか？　それは何だと聞いてるんだ」

「これは……」

「またか」僕はしまいまで聞かなかった。「またビデオテープみたいに繰り返すのか、リンゴはどこだ」

「英雄」叔父の叱《しか》りつける声が飛んだ。「早く行け、あとのことはおれが」

「叔父さん、気をつけないと、この女は果物ナイフを持ってるんです、月曜からリンゴを探して夢の中をさまよってるんです」

「何をばかなことを言ってるんだ、おまえは」

「一本目のナイフを取り返しに来たのなら車の中だ、叔父さんに頼んで返してもらえ」

僕はそう言い捨てて歩き出した。

「ゆかせない」後ろから平野美雪が呪《のろ》いをかけた。「どこにもゆかせない」

「ヒデオ君」綾が注意した。「誰かこっちに来るよ」

「走れ、英雄」

その前に僕は靴音を聞きつけていた。

一人、そしてまた一人、急ぎの足音がこちらへむかって近づいて来る。いまさらこの恰《かっ》好《こう》で駆け出してみても、ホテルの裏口にたどり着く前にすれ違って記憶にとどめられるだけだ。首から提げたカメラを腰の横にまわし僕は待った。

二人分の靴音のうち、先に現れたのはスーツ姿の男だった。それからやや遅れて、息を切らした女が仕事用のドレスで現れた。二人の顔のどちらにも見覚えがあった。

「これから帰るところなんです」僕から声をかけた。「よかったら送りますよ」

「きみを探してたんだ」俵ケ浦昇が言った。「県庁のほうじゃまだ帰ってないというのでホテルじゅう探しまわった、こんなとこに車を止めてるのか」

「僕に何か？」腰の横のカメラを右手で触れてみた。

「いや、きみに直接用というわけではないんだが」

俵ケ浦昇は隣で息をはずませている女をちらりと見た。

「きみの叔父さんのことでちょっと話が」

「綾があなたの叔父さんと一緒なのよ」綾の母親が言った。「もし綾の身にまちがいでもあったら、あなたにも大いに責任があるのよ、酔助さんはあなたの身内なんだから」

「まちがい？」僕は聞き返した。

「まあ、待て」俵ケ浦昇が押さえた。「僕に話させてくれ、藪《やぶ》から棒にそんなことを言っても鮎川《あゆかわ》君には何のことかわからんだろう、実はね……」

そのときになって彼は僕の背後に佇《たたず》んでいる女に気づいた。

「……美雪ちゃんか？　どうしたんだ、その恰好は」

僕は振り返って俵ケ浦昇の目に映っているのと同じものを見た（叔父と綾は車の陰にひそんでいるのか視界には入らない）。

あらためて見直すと平野美雪の身なりは異常だった。髪をとかし忘れているわりに化粧は普段と同様濃いめだった。相変わらずのワンピースは妙な具合に着崩れているし、おまけに彼女は裸足《はだし》だった。そしてむろん、とどめは彼女の左手に握られているナイフだ。さきほどまでは鞘《さや》つきだったがいまは剝《む》き身《み》だった。

次の言葉で俵ケ浦昇がそのナイフを目に止めたことが明らかになった。

「美雪ちゃん、その手に持ってるのは何だ、何のまねなんだ」

「鮎川さん」

綾の母親が堪えきれずに喋《しゃべ》り出した。

「お店におかしな電話がかかってきたのよ、薄気味悪い女の声で、あなたの叔父さんが綾に悪さをしかけてるっていうの、何も知らないのは母親のあたしだけだって、ほっておけば大変なことになると脅されたの、あたしもいま思えば、久美ちゃんがいきなり東京に帰っちゃったときから妙な胸騒ぎがしてたんだけど、でもまさか、あの酔助さんが……。ねえ鮎川さん、急がないと綾はどこかに連れていかれるかもしれない、あの二人はいま一緒にいるのよ、それは間違いないの、だから酔助さんの立ち回りそうなところをこれから」

「取りみだすんじゃない」俵ケ浦昇が言った。

「取りみださなくてどうするのよ」綾の母親がくってかかった。「綾はあたしの、たった一人きりの娘なのよ」

「きみか、親切な電話をかけたのは」僕は平野美雪に怒りをぶつけた。「そのことを知らせるために僕を探しまわってたのか、その途中で新しいナイフを買ったのか？　最低だ、ここまでとは思わなかった、きみみたいな最低の女は見たこともない」

「はめつよ」平野美雪がまた呪文《じゆもん》をつぶやいた。「みんなはめつよ」

「寝ぼけたことを言ってないで家へ帰れ、帰ってそのみっともない髪をどうにかしろ」

「美雪ちゃん」俵ヶ浦昇がなだめるように声をかけた。「どこか具合でも悪いのか」

「あなたはこの女と綾とどっちが大事なの」綾の母親が癇癪《かんしゃく》をおこした。「この女とあなたは何か関係があるの？」

　僕は二人のほうへ向き直った。

「俵ヶ浦さん、とにかくここでは……」

「ヒデオ君！」綾が叫んだ。

　その声に意表をつかれて振り向いたときにはもう影が迫っていた。

「綾？」と母親が娘の名を口にする声を確かに聞いた。

「あっ」と男が声をのむ気配も感じた。誰かが駆け出す靴音も耳にした。それから反射的に身体をまるめ、うつむいた拍子に白色の光にきらめくナイフの刃を見た。きらめくナイフの刃の切っ先が僕の腹を、ベルトのバックルのわずかに上の部分を、汗に湿ったワイシャツの生地と下着ごと刺し貫くのをこの目で見た。そう思ったとたんに女の頭が僕の胸に激しく衝突し、厖大《ぼうだい》な量の髪の毛が撥《は》ねてまとわりつき視界を黒く塗り潰《つぶ》した。その瞬間に奇妙な思いが頭をかすめた。彼女の髪の匂《にお》いを嗅《か》いだのだ。香料まじりのその匂いには記憶があった。シャワーを浴びたあとだ。彼女は今夜シャワーを浴びたあとで髪をとかし忘れてここへ来たのだ。

女の悲鳴があがった。

綾《あや》の母親の悲鳴に違いなかった。少し大げさすぎる。目の前がまた明るく開けた。女の指でつねられたような疼痛《とうつう》を腹の一点に感じながら僕はその場に崩れ、横むきに倒れ込み、最後に仰向けになって往生した。その姿勢で右手はずっと取材カメラのニコンに触れたままだった。刺された腹を押さえた左手は当然生暖かい血の温度とぬめりを感じていたが、それとは別に、まるで故障した噴水のように血がごぼごぼと噴きあげつづけて止まらない危機的なイメージとも戦わなければならず、実を言えばそれがいちばん辛《つら》かった。

一度だけ、上半身全体に侵攻しつつある高温と猛烈な痛みに耐えながら、同時に勇気を奮い起こして頭を持ち上げワイシャツを染めた血の量を確認した。それほどではない。まだそれほどではないと言い聞かせたが無駄だった。僕はじきに危機的なイメージとの戦いに敗れた。身体の内部が燃えているように熱く、内部から熱い息を吐くたびに血は勢いをつけてどくどくと流れ出る。どうやら僕の運もつきたようだ。この血は止まりそうもない。もはやここまでだ。叔父《おじ》はどこだ、あの金はどうなる、叔父と綾はそれを持ってどこへ逃げのびるのだろう。周囲であわただしく動き回る人の気配がしだいしだいに遠のいてゆく。

後に判明した傷の程度からすればまことに情けない話ではあるのだが、僕は刺されてほんの数分後には完全に気を失っていた。


その後に起こったことについては、聞き書きのほかにかなりの部分で僕の想像がまじることになる。

まず、僕が両手でニコンと刺された腹とを押さえて駐車場の地面に倒れこんだとき、真っ先にそばに駆け寄ったのは叔父だった。僕のワイシャツにじわじわと広がりつつある血の色を見て一番うろたえたのも叔父である。おそらくこのままでは甥《おい》っ子の全身が赤く変色してしまうという恐怖のイメージと戦わなければならなかっただろう。救急車を呼ぼう、とあたりまえの提案を叔父は思いついた。

だがその提案は俵ケ浦昇によって却下された。叔父を脇《わき》に押しやって僕の苦しみ具合と傷の程度を見抜いた彼は、加害者である平野美雪の将来について（あるいは被害者である僕の将来をもふくめて）瞬時にプラス・マイナスの計算をした。見かけによらず機転のきく男なのだ。そしてなおも救急車を呼べと言いつのる叔父を、言いつのりながらその場を動けず鈴村綾が持っていたはずの携帯電話で一一九番する頭も働かなかった叔父を強く諫《いさ》めて——「救急車を待つよりも自分たちでやったほうが早い、近くに知り合いの外科医がいるからそこへ連れて行こう」——傷ついた僕の身体を僕の車の後部座席へと運びこんだ。

叔父はそのまま僕に付き添って隣にすわり、英雄、死ぬなよ、英雄、死ぬなよ、と大声で言い続けた。その声はおぼろげな記憶として僕の耳に残った。一方、俵ケ浦昇はまだ慌てなかった。犯行後、うつろな目つきで脚をM字型に折り畳んで地べたにへたりこんでいた平野美雪をうながすと車の助手席まで歩かせた。また一人で戻って現場に落ちていたナイフを鞘と一緒に拾いあげ、ハンカチにくるんで上着のポケットに入れた。そのあとアスファルトの地面に滴った血の跡に目をこらし、ほとんどどこにもそんなものが見つけられないことを認め、念のために一ヵ所か二ヵ所、血の跡のようなものを靴で擦りあげて目立たなくしてから運転席についた。

鈴村綾はこの間、当然母親に捕獲されていた。勤め先のクラブで匿名の電話をうけた母親は、そこでやっと娘が携帯電話を持ち出していることに気づき、例の僕が無言の応答をした三回分のコンタクトを自分の携帯電話に試みたあと、これはもう女独りの手にはあまると見なして俵ケ浦昇の行先を探し、勤めを早退してホテルのパーティ会場まで駆けつけていたのである。

助手席に呆然自失《ぼうぜんじしつ》の加害者、後ろの座席に失神した被害者と狼狽《ろうばい》したその身内とを乗せ、俵ケ浦昇の運転する車はものの五分とかからずに外科医院の表玄関へ着いた。そこでまた事件が発生する。

街の真ん中にあるその病院は、「酔っ払いなどによるいたずら・事故防止のため」午後九時以降、表玄関のドアをいったん閉ざして、救急患者の受付は玄関横のインターホンでおこなう習慣だった。だがそんな決り事で叔父を、少なくともその晩の叔父を納得させられるわけがない。車を飛び降りた叔父は救急病院の開かないドアに腹をたて、それを叩《たた》きながら怒鳴った。

その音を不審に思った当直の男性職員がインターホンで叔父を咎《とが》めた。

「開けろ」叔父はさらに怒鳴った。「人が刺されて死にそうなんだ、聞こえねえのか」

「右手から入って横へおまわりください」当直の声が答えた。「救急用のランプの灯《とも》ったドアがあります」

「ここは病院だろ」叔父が『言わずもがな』の台詞《せりふ》を叫んだ。「おれは質屋に来てるんじゃねえ、バカヤロウ、人が死にかけてると言ってるんだ、開けろと言ったら開けろ」

「右手から入って横へおまわりください」当直の声がマニュアルを繰り返した。「何と言われてもそこは開けませんよ、決まりですから」

それで叔父の怒りに火がついた。俵ケ浦昇が僕を運び出そうと独りで悪戦苦闘している間に（平野美雪は助手席でまだ我に返っていない）、叔父は玄関前に出しっぱなしにしてあった萎《しな》びた朝顔の植木鉢を二つ、ドアの硝子《ガラス》に叩きつけた。植木鉢は二つとも割れて粉微塵《こなみじん》になった。防犯対策のほどこされた分厚い硝子のドアのほうはびくともしなかった。この時点で叔父に（翌日の夕刊に現にそう書かれたのだが）器物破損の罪が科せられることになった。僕が思うに、植木鉢二つ分とドアに残った僅《わず》かな傷のことを指しているのだろう。

そこへ『業を煮やした』当直の男が（よせばいいのに）玄関まで出てきた。腕におぼえのある男だったに違いない、彼は玄関の鍵《かぎ》を解除して叔父と向き合い、叔父の苦手とする正論を用いて罵《のの》りはじめた。その二人のそばを俵ケ浦昇が僕を抱えて通りすぎ、中へ入ると看護婦に傷の説明をして処置をゆだね、とにかく至急に院長と面談したい旨を申し出た。そしてまた平野美雪の様子を見に外へ出た。すると当直の男は、叔父に股間《こかん》と顔面を蹴《け》りつけられてのたうちまわっている最中だった。ここで叔父に(これも夕刊の記事を参照すると)暴行の容疑が加算された。

そのころ手術室では救急病院らしい段取りの良さで僕の傷の手当てが始まろうとしていた。始まるとすぐにそれは終わった。この時間があまりにも短かったおかげで、叔父は逮捕をまぬがれることになる。

僕の無事を知ると、叔父は自分を訴えると息巻いている当直の男とその取り巻きから離れたところへ俵ヶ浦昇を呼んで、「悪いがこれで失礼する、甥《おい》のことはよろしく頼む」と短く言い残すと風のようにどこかへ消えた。さすがに危機を察したのだ。実際、翌日になって看護婦の一人が、ガーゼのつけ替えのあとで無理やり僕に寮の電話番号のメモを握らせて「いつか飲みにでも誘って」と色目を使ったついでに、「ゆうべのあの騒ぎはあなたの叔父さんだったの、なんだか竜巻がきて通り過ぎたみたいにあっという間だったよね」と苦笑いしてみせたくらいだった。

叔父が姿をくらましてまもなく警察への通報がなされた。やって来た警察は当直の男の(および植木鉢および玄関ドアの)被害の状態だけを調べて、平野美雪には尋問しないどころかその存在も見落として帰った。俵ヶ浦昇から院長経由で、病院内には僕の傷の種類についての箝口令《かんこうれい》が敷かれていたからである。事件のうさん臭さに多少なりとも勘付いたのは警察よりも遅れて現れた地元紙の記者のほうだった。仕事のつながりで僕も顔なじみのその中年の記者が、手っ取り早い取材をこなして翌日の夕刊に見出し2行こみで21行にわたる叔父の記事を書いたわけだが、翌週の月曜になって、庁舎の廊下ですれ違いざまにやけに親密そうに声をかけてきて、次のように僕に語った。

「おたくも気の毒だな、これで一生『冷や飯』を食わされるわけだ、俺も少し勉強させてもらったよ、女にもてるというのも、それはそれでなかなか苦労の多い人生ってことだな」

これはたぶん、俺は真相を知っている、しかし諸般の事情から記事にはしない、したくてもできない、という意味のせいいっぱいの当《あ》て擦《こす》りだったと思う。まあ、その後僕は『冷や飯』を食わされるどころか知事室に呼び付けられ、平野美雪の分と叔父の分と、知事じきじきに三つくらいずつ深い嘆息を聞かされて、とどのつまりは辞職せざるを得ないはめに陥ったわけだが。

話を戻すと、その晩十時過ぎになって叔父にもう一つ罪状が加わることになった。鈴村綾が母親の目を盗んであっさりと逃亡を果たしたのだ。そしてこんどばかりは母親も、俵ケ浦昇に連絡を取るより先に警察に頼る決心を固めた。それは母親にしてみれば正しい選択であったと思う。俵ケ浦昇はその時刻、平野美雪の父親や、知事の関係者筋との事後のとりまとめに忙殺されていて、たとえ綾《あや》の母親が連絡を取ったとしてもそれどころではなかったはずなのだ。

叔父《おじ》と綾がその晩どこで落ち合ったのかは僕にはわからない。だが二人は前々からこういった緊急の場合に備えて特別の計画を用意していたふしがある。そうでなければ、いきなり器物破損と暴行と誘拐と三つの罪で追われる身となった叔父が、最愛のロリータとどこかで別れのまる一昼夜を過ごして、そのうえまんまと逃げおおせるなどという芸当をやってのけられるわけがない。事件の翌々日、鈴村綾の寝顔を実家の自分のベッドの中に発見したとき、僕はまずそんな感想を持った。

まだ夏の朝が明けたばかりの時刻だった。病院の個室のベッドで目覚めた僕は自分の身体が完全に回復していることを認めた。僕の車のキイは前日のうちに、看護婦がキイホルダーごとベッドサイドの台の上に置いてくれているのを知っていた。僕が知っているのはその時点ではそれだけに過ぎなかった。

車のキイが手元にある。それはつまり二つの可能性を示している。一つ、われわれの強奪した獲物はまだ手つかずのまま車に積まれている。二つ、あるいはゆうべの騒ぎにまぎれて、叔父がどこかへトランクごと持ち去ったとも考えられる。いずれにしても警察はまだわれわれに目をつけてはいない。われわれが捜査の対象にあがっていれば、若い看護婦が僕に誘いをかけたり、呑気《のんき》に叔父の話をしている暇に誰かがここに来てもっと殺風景な会話が展開しているはずだし、だいいち警察が車のトランク・ルームを調べたあとで、お大事に、とキイだけ置いていってくれるとは考えられないのだ。

病室の窓から覗《のぞ》くと外はまだ青みがかっていた。僕はスリッパ履きで車のキイだけを持って病室を出た。もっともほかに目につく持物はない。着ていたシャツもズボンも使い物にならない状態で処分されているだろうし、取材カメラと靴はどこかに保管してあるのかもしれないが病室には見当たらない。身につけているパジャマは俵ヶ浦昇の手配で病院側が用意してくれたものだ。

ナース・センターには看護婦が二人いた。目の合った若いほうが廊下へ出て来て、おはよう、と僕に挨拶《あいさつ》した。例の電話番号のメモをくれた看護婦だった。

「靴を探してる」と僕は言った。「ちょっと外を散歩したいんだ」

相手にしてもらえないかと思ったが、彼女は僕を一階の玄関まで案内してくれた。靴は下駄箱の中に入れてあった。素足を革靴のなかにねじ込んで看護婦と一緒に外へ出た。話に聞いていた玄関のドアを点検してみたが、一か所だけ掠《かす》ったような跡が見えるに過ぎなかった。車は道をはさんで病院の向かい側の駐車場に置いてあった。

「一時間だけ」と僕はキイホルダーを示して頼んだ。「朝食までには必ず戻る」

「だいじょうぶよ、そんな深刻な顔して頼まなくても」はたちそこそこの看護婦は答えた。

「刑務所に閉じ込められてるわけじゃないんだし、それにだいいち、二日も入院する傷じゃないんだから」


家に帰り着いたのはそれでもまだ六時前だった。

車庫のシャッターが上がったままになっていたが、二台収納できるスペースにはもう一台の車の姿は見えなかった。自転車が奥の壁に立て掛けるように置いてあるだけだ。僕は車庫の中へ車を頭から乗り入れた。通りに人気がないか一応確認したが、その必要があるのかどうかさえよく分からなかった。ともかく通行人は誰もいない。後部のトランク・ルームの扉を上げた。父の遺品のトランクは二日前の晩と同じようにそこにあった。

それを持ち上げていったん下へ降ろし、傷口の痛みに顔をしかめた。二日も入院する傷じゃないにしてはかなりのものである。

痛みが通り過ぎるまで待ってからトランクを玄関まで運びあげた。キイホルダーの鍵《かぎ》は使う必要がなかった。母が内からドアを開けてくれたからだ。

「あら、英雄君」母は言った。「ちょうどこれから病院へ寄ってみるところだったのよ、お弁当を作ったの、傷はもういいの？」

かつて父の愛用した懐かしいトランクを提げての息子の朝帰りである。その点に母が気づいて、多少なりと感慨をもよおすかと思ったが僕の思い込みに過ぎなかった。そんな『たま』ではないのだ。

「これからって、まだこんな時間ですよ。傷のことは誰から聞いたんです？」

「またあっちへとんぼ返りなのよ、土曜日でしょ？　午後からリーグ戦の試合があるの、それでね、ゆうべタクシー飛ばして帰ってきたんだけど、よかったら英雄君の車を借りられないかと思って、ママの車はあっちであの人が気に入って使ってるのよ、二台あれば応援に出るときなんかに便利だし、ね？　とりあえず新しいのを買うまで、ママに貸しといてよ」

僕はトランクを玄関の中に引きずりこみ、キイホルダーから車のキイだけはずして母に渡した。

「僕のぶんの弁当は置いといてください、自分で持って帰りますから、バスに乗って」

「退院してきたんじゃないの？」

「刺されたんですよ、ナイフで、一日や二日で退院できるはずないでしょう」

「大変だったみたいね、女もいろいろいるからね、気をつけないと。ママ、ほんとはゆっくり話を聞いてあげたいところだけど、今日はなにしろ土曜日でしょ？　それにしても英雄君、趣味の悪いパジャマね、それ」

「この時間ならまだ道もすいてるでしょうね」

「そうね、そうと決まったら早く出かけたほうがいいわね、英雄君、また来月には一度帰れると思うから、くわしい話はそのときにね、これがあなたのお弁当、それからあの子のぶんは台所のテーブルの上に置いてあるから、あとで教えてあげて」

「あの子？」

「綾ちゃんて子、とっても可愛い子ね、お行儀もいいし、ゆうべ遅くに一人で訪ねてきたのよ、そのあと英雄君のあっちのお母さんの弟さんて人からも電話がかかってきて……」

「叔父が？　電話で何を話したんです」

「何をって、英雄君の怪我《けが》のことを教えてくれたのよ」母は玄関のドアに手をかけたままトランクの横腹にトウ・キックを入れた。「何なのこれ、こんなものどっから持ち出して来たの」

「あの子はどこにいるんです?」

「上よ、じゃあママ行くわね、車のことありがとう」

玄関のドアが外側から閉まり、石段を駆け降りる軽快な足音が聞こえた。そしてまもなく母の運転する僕の車が走り去った。

物音が静まり夏の早朝らしい気配が戻ると、僕はトランクを二階へ運ぶ作業に取りかかった。

階段の途中で二度ほど傷の痛みに耐えかねて、淡いブルーの地に赤と黄と白のアルファベット文字をちりばめた柄のパジャマの裾《すそ》で汗を拭《ふ》きながら休憩を取り、数分かけてやっと上まで運びあげることができた。廊下は半分の距離を両手を使って引っぱり、残りの半分は無精して足の裏で小刻みに押し進めた。部屋のドアを開けてみると、僕のベッドの中でタオルケットにくるまって鈴村綾が眠っていた。

正確に、というか正直に状況を説明すると、彼女はタオルケットにくるまるのではなくそれを抱きしめて、こちらに背中を見せるかたちで横向きに休んでいた。背中は濃紺の丈の短いタンクトップがずりあがってウェストのあたりの素肌がのぞいていた。そのもっと下の部分は灰色がかった紺色の、スイミング・スーツを思わせるような切れ込みの深いパンティで被《おお》われていた。横になった彼女の身体は現実よりも十センチか二十センチ長く伸びたように見えた。とくに微妙な角度で折れ曲がった脚の伸び方がいちじるしかった。ウェストのくびれがやや足りない点を除けば、何と言うか、朝っぱらからそんなものを観察するのは目に毒だ、と言いたくなるような見事なディスプレイだった。

　トランクを中に引きずり込み、窓をあけて網戸越しに空気を入れ替えたところで目を覚ます気配があった。

「よう、相棒」僕はトランクの蓋《ふた》を持ちあげて声をかけた。「獲物の分け前を取りに来たのか？」

　びっくりして跳ね起きる、という感じで綾は目覚めた。目覚めてすぐに、ベッドに横座りの姿勢で後ろの壁にもたれかかり、その勢いでポスターの四隅を止めているピンが一つはずれた。綾がピンを拾ってベッドの上に立ち上がり、こちらに尻《しり》を向けてポスターを直そうとした。僕はそこで目をそらした。

　トランクの中の獲物の鞄《かばん》を開くと、おとといの晩のまま札束が詰まっていた。帯封付きの一万円の束が六列、その脇《わき》に向きを横に変えて二列、いずれも底から鞄の口ぎりぎりまで重なっている。透き間に手を入れて一列の高さをざっと確かめると束が十五まで数えられた。つまりおおまかに計算すると一千五百万の列が八つ分の金額ということになる。背中で綾《あや》の声が言った。

「まだ病院で寝てるのかと思ったよ」

「医者は必死で止めたけどな、振り切って帰ってきた」

「誰、このポスターの人」

「落合博満って偉い人だ、プロ野球選手の。それより相棒、きみは老後の年金の心配はしなくていいみたいだぞ」

綾がベッドを降りて僕のそばにしゃがんだ。膝《ひざ》を折ってしゃがんだのを見ると実にコンパクトな印象で、トランクの中にだって軽く収まりそうな身体つきだった。自分からは手を出そうとはしないので、札束を一つ取って握らせてやった。

「好きだよね、ヒデオ君、その老後って言葉」

揃《そろ》えた足の甲の上に百万円をのせて綾は視線を落とした。

「百歳くらいまで生きたい？　あたしはいやだ、酔助もおれはあんまり長生きしたくないって言ってる」

僕は百万円の束を取り上げて鞄に戻し、ジッパーを閉めた。それからトランクの蓋を閉めて、綾にズボンをはくようにうながした。

「映画なんかじゃ普通、お札を部屋じゅうにばらまいたりしてもっと喜ぶもんだぞ」

「あたしは酔助が死んじゃったら心中する、そしたら残ったお金はヒデオ君が使っていい」

綾は机のそばまで歩いて椅子《いす》の背にかけてあったジーンズに脚を通した。爪先《つまさき》立ってはき終わると、机の上のナップサックの口を開けて、厚く折り畳んだ紙を中からつかみ出してこちらに放り、そのまま椅子に腰かけて僕と向かい合った。

「その心中は『後追い心中』と言うべきだろうな」

一応言葉の使い道を正しておいてから、折り畳まれた紙を開いてみると昨日付けの夕刊の頁を破り取ったものだった。ここで僕は一昨日病院の玄関で叔父《おじ》のしでかした暴行事件の記事を読むことになった。だがもちろん、最初に目に飛びこんで来たのはもう一つの、叔父にとってメインの犯行を報じる記事の方である。そっちの方には〝二人組のプロレス強盗〟という見出し付きで、片隅の暴行事件記事の何倍ものスペースがさかれていた。見出しの不正確な表現については、記事をよく読んでみると納得できた。「犯人たちに技をかけられて全治一週間の怪我」を負った二十九歳の男性社員はわれわれのことを、「プロレスラーのかぶるような覆面をかぶった二人組」と呼んでいるのだった。被害金額は一億一千六百万円。「内部事情に通じている」と思われる犯人たちの手掛かりはなし。僕はトランクの上に腰をおろして綾に尋ねた。

「酔助叔父さんはどこに出かけてるんだ？　僕はきみも一緒なんだと思ってた、俵ヶ浦さんが見舞いにきて嘆いてたからな」

「知らない。俵ヶ浦なんか関係ない」

「それは、叔父に知らないと言えと言われたのか、それともほんとに知らないのか」

「ほんとに知らない」綾は答えた。

「それで叔父はきみに、夜中にここへ訪ねてゆけと言ったのか？」

「ねえヒデオ君」綾が質問をはぐらかした。「あたしここに一緒にいちゃだめ？」

「どういう意味だ」

「酔助が迎えにきてくれるまでここにいちゃだめ？」

「叔父はいつ迎えにきてくれる」

「『ほとぼりがさめる』までって、どのくらい待てばいいの？」

「それは長い時間という意味だな、きみが大人になるくらいまでの」

「嘘《うそ》」

「とにかくここにきみが住むのはまずい、うちの母は厳格な人だから」

「ヒデオ君のママとなら仲良くできるよ、絶対誓うよ」案の定、綾は突破口を見つけた。もちろんうちの母となら綾は仲良くできるだろう。「あたし、うちにはもう帰りたくない、酔助やヒデオ君と一緒にいるほうがいい、ママといるより、学校の友達といるよりずっとそっちのほうが生きがいがある」

タバコが喫《す》いたくなったので立ち上がり部屋を歩きまわった。この綾の発言が僕にはよく理解できた。博多にいた小学生時代、叔父と一緒に過ごした「夏休み」や叔父が忽然《こつぜん》と姿を消したあとの子供心に味わった喪失感を思い出せば、それと類似のものとして理解できた。タバコが見つからないので僕はまたトランクにすわり直した。

「なあ、ボニー・パーカー」僕は少し考えて切り出した。「これは三人で組んでやったことだ、三人で力を合わせて、運にも恵まれてうまくいった、でもまだ終わったわけじゃない、せっかくだから最後まできちんとやり遂げようぜ」

「どう？」

「叔父が言うように『ほとぼりがさめる』まで待つのさ、叔父がこの街にいられないのは、この新聞に載ってる小さな記事のほうのせいだ、それときみのせいもある、きみがママのそばに帰らないと叔父はいつまでも警察に追われることになるんだ、きみのママがそうしてくれって警察に電話をかけたんだよ。でも、たぶんまだ間に合う、いまきみが自分から戻りさえすれば、戻ってただの家出だったってことにでもなれば、警察の追っ手は一ねじ緩む、叔父はそのぶん楽に息ができるようになる、どこに隠れていても」

　僕は折り目に沿って畳み直した新聞をベッドの上に放った。

「こんな新聞のことなんかみんなすぐに忘れてしまう、大きな記事のほうも小さな記事のほうも一年も経てば憶《おぼ》えてる人なんか誰もいない、それは間違いない、そのときまでおとなしくして待つのが、僕らが最後まできちんとやり遂げるってことになるんだ」

「ほとぼりって、一年のこと？」

「そうだ」僕は成り行きでうなずいた。「だいたいそのくらいの意味だ、ラクショーだろ？」

「さっきあたしのこと何て呼んだの」

「ボニー・パーカー」

「誰？」

「有名な映画のヒロインだよ、銀行強盗をやるんだ、恋人のクライドと運転手役の男と三人で組んで」

「それは成功する？」

「どっちにしてもそれは映画だ」僕はかわした。「いいか、『ここは我慢のしどころ』という古い言葉がある、古くても意味は分かるだろ、叔父も僕も相棒を裏切るようなまねはしない、ここは我慢するしかないんだ、それが僕らの仕事の最後の仕上げになる。何も言わずにママのところに帰ってろ、そしておとなしく待ってろ、後できっと迎えにくるから、叔父はゆうべきみにそう言ったんだろ？」

　綾は肯定も否定もしなかった。ただ僕の前に投げ出した足の先を交叉《こうさ》させ、両手をヘソの上で組み合わせ、頭を一振りして前髪を払ってみせただけだった。そのあと前歯で下唇をそっと噛《か》んでもみせた。図星のようだった。

「わかってくれたな？」僕はとどめをさした。「ラクショーだな？」

「わかったよ」綾が答えた。「ラクショーだよ」

「心配しなくても、叔父は一年後には元気で現れるさ、きみが大人になるまでだってきっと長生きする、だいたい『後追い心中』なんて言葉を小学生が口にするもんじゃない」

「それはヒデオ君が言ったんだよ」

「話はここまでだ」僕は両手を打ち合わせてトランクを起こした。弾みで腹の傷がきりっと痛んだ。「ちょっと手伝ってくれ」

「どうするの」

「とりあえず押し入れの奥に隠す、中のお面とかロープとかの処分はあとで僕が考える」

「そのままにしとけって酔助が言ってた、この家は誰も怪しまないから」

「そのこともあとでゆっくり考えてみる、終わったら下で母の作ってくれた弁当を食おう、それから病院に戻るついでに途中まで送ってやる」

「また病院に行くの?」

「行かないでどうする、見てただろ、あの女にナイフで刺されたんだぞ、ずぶりと、普通の人間なら立って歩ける状態じゃないんだ」

「ねえ、ヒデオ君」

「何だよ」

「ぜんぜん似合ってないよ、それ、誰が選んだの」

「パジャマか?」

「うん、また入院するならパジャマは替えたほうがいい」


こうして八月二十六日土曜日の早朝、僕らは雀《すずめ》の声を聴きながらわが家の台所でお茶をわかして弁当を食べた。そのあとタクシーを呼び、替えのパジャマを持って僕はひとまず病院へ戻った。鈴村綾は通り道のバス停で降りた。タクシーの運転手の手前、ろくに話もしないまま互いにてのひらを向けあって別れた。

ちなみに僕はその日の夕方には退院を許された。

トランクの中のドラえもんのお面その他については、それから後、僕が自分の考えで少しずつ燃やしたり切り刻んだりしてすべてゴミにした。
ここまでが、昨年夏に起こった事件の顚末《てんまつ》である。

1996　11・9〜10

物語りはまだ終わらない。

事件からおよそ一年と二ヵ月半後、一九九六年十一月九日土曜の夜まで時間を進めよう。急転直下の夜だ。

僕はミロワールのカウンター席でウィスキーを飲んでいる。水割りで飲み続けている。ほかに飲んでいる客はいない。一人だけ僕の左隣の椅子《いす》に、カウンターに顔をうつぶせて唸《うな》っている酔っ払いがいる。

ミロワールのママはたったいま「お手洗いに」立った。

この屋根付き市場風に何十軒もが寄り集まった飲み屋街では、店の一軒一軒がトイレを備え付けているわけではない。客も従業員も等しく通路へ出て屋内『公衆便所』で用を足すことになる。僕はもう三度も往復した。左隣の酔っ払いはさきほど僕から「くれぐれも迷子にならないように」と注意を受けて出てゆき、十数分時間をかけて覚束ない足取りで戻ってきた。たぶんその半分くらいの時間はミロワールの看板を探してさまよっていたに違いない。初めての人間にとっては、このばかでかい建物内の通路はまるで意図的に設けられた迷路に思えるのだ。左隣の酔客と入れ替わりにミロワールのママが店の勝手口から出ていった。今夜はすこし冷える。

ここへ来る前は日本酒を銚子《ちょうし》で四五本飲んだ。その料亭の——スライスした松茸《まつたけ》の土瓶蒸しとか、スライスした松茸の網焼きとか、あとは材料の見当のつけにくい小鉢物をこれでもかと出してくる店のことだが——座敷には俵ヶ浦昇と三ッ森小夜子が同席していた。専務秘書までがなぜその酒席に現れたのかは僕にはよく把握できなかったけれど、俵ヶ浦専務が重い口を開いて切り出した用件の方はあっさりと呑《の》みこみがついた。

「缶詰新聞」の件である。要は発行の見通しが立たないということなのだった。俵ヶ浦専務はその話をしめくくるにあたって次のように言った。

「親父が死ぬか引退でもしてくれれば事は簡単なんだがな、経費のことには目をつむっていくらでもきみの好きにやってもらっていいんだが、でもまあ、いま親父がいなくなればうちの会社は長くないだろうしな、どっちにしてもこの問題は僕の手に余る、そういうわけだ、待たせるだけ待たせておいて申し訳ない、きみへの好意でしたことがかえって『あだ』になった」

料亭を出たところで俵ヶ浦昇とは別れた。

三ッ森小夜子は僕の側に残った。

「あだになった、とはどういう意味だ？」僕は尋ねた。

「無駄な時間を過ごさせてしまったということでしょ」

「やっぱりね」僕は吐息をついた。「会社を辞めてくれという意味だな。僕はクビか？」

「そうね」三ッ森小夜子が答えた。「あたしにはそう聞こえたけど」

「どうしてきみにまで聞かせるんだ」

「それも好意のひとつなんじゃないの？」

「意味がよくわからないな」

「あたしたちの噂《うわさ》を聞いてるのよ。ねえ、どこかでお酒を飲みながら話さない？」

「もう飲んだだろ」

「もっと飲みながら話しましょうよ」三ッ森小夜子が僕の腕を取った。「それとも、こんな夜は独りで飲み明かしたい？」

「そんな演歌みたいな趣味はないよ。スクラブルならやってもいい」

「スクラブルもやってあげるけど、その前にお酒を飲みたい」

「酔って僕に勝てると思ってるのか？」

「どこか静かな店がいいな」三ッ森小夜子が暗示をかけた。いま思えばそうに違いない。

「静かすぎる店なら一軒知ったとこがあるけど」

「そこがいい」

というわけで僕は気まぐれを起こして三ッ森小夜子をミロワールに連れて行くことになった。急転直下というのはそこからの話である。

勝手口の低い扉が開き、腰をかがめてミロワールのママが入ってきた。カウンターの内側の定位置に立ち、目の前に顔をうつぶせている三ッ森小夜子にちらりと視線を落として、

「で、さっきの話の続きだけど」

と蒸し返した。

さっきの話とは、酔っ払った三ッ森小夜子が外の通路をさまよっている間に僕と母と二人で交わした会話、その中でも主に母から教えられた思いがけぬ三ッ森小夜子の告白、つまり僕が三回トイレに立った留守中に彼女が三回に分けて母に述べたという話の内容のことだ。

「もういいんです、その話は」僕は空のグラスを差し出した。「彼女は酔ってるんですよ」

「でも目つきはまともだったよ、ちょっと呂律《ろれつ》がまわらないとこがあったけど」

「だいたい僕は彼女のことはよく知らないんです、普通、よく知りもしない女性と結婚しようなんて考えますか」

「彼女はあんたのことをよく知ってるみたいだね」

「それは僕が話したからですよ」

「へえ」母が水割りを作り直して僕の前に置いた。「あんたが自分の話をするとこを一度見てみたいもんだね、生きてるうちにでも」

「おい」僕は三ッ森小夜子の肩を揺すった。「そろそろ引きあげよう」

「うん？」重ねた両手の上に頰《ほお》をのせて三ッ森小夜子がこちらを見上げた。

「送ってってもらいなさいよ」母が余計な口をはさんだ。「英雄がもっと自分のことを話してくれるかもしれないよ」

「酔いをさましてスクラブルでもやろう」

「いいわよ」三ッ森小夜子が起き上がった。「マリッジ、M・A・R・R・I・A・G・E、結婚、そこから始めましょうよ」

「ほら出た」と母。

「酔ってるよ、きみは。なんで僕のいない隙《すき》に母とばかり話をするんだ」

「酔ってません」三ッ森小夜子が僕の手のひらを取って自分の額にあてた。「どう、これでも酔ってる？」

完璧《かんぺき》に酔っている。

「送ってもらいなさい」母が自分のグラスにビールを注いだ。

「わたしは酔っちゃいない」三ッ森小夜子がその言葉を無視した。「わたしはここで宣言する、わたしはこの男と結婚する」

僕はタバコを取り出して点《つ》けた。母が冷蔵庫からもう一本キリンの小瓶を取り出して注ぎ足した。これは好きで飲んでいるわけではなく単に売り上げのためである。三ッ森小夜子がお辞儀をした。

「さきほどお母さまの許しもいただきました」

「結婚するのにまだ親の許しが要るのか、この国では」

「要るに決まってるでしょう、みんな家族になるんだから、みんなの許しや同意を得なくてどうするの」

「言ったでしょ？」母がつきだしのチーズを一噛《か》みした。「こういう話になるわけよ、どうしたって。あたしは英雄が気に入って連れてきた相手なら、別に反対する理由もないと言ったんだよ」

「どうして急にそんな話をするんだ、しかも僕抜きで」

「急じゃないの、機が熟したのよ、あたしは前々から決めてたの、これはもう従うしかない運命なのよ」

「前々から？」僕は聞きとがめた。「きみは確か前には僕が国松さんと結婚する運命だと言ってなかったか？」

「そんなこと言った覚えはありません」

「国松さん？」母が割って入った。「国松さんなら、もう匙《さじ》を投げたみたいだよ、あんな男、カトリックならとうの昔に破門だって怒ってたもの、何でも、あんたは缶詰会社の専務秘書と婚約して、その上」

「あたしがその噂の専務秘書なんです」

「あらま」母が驚いてみせた。「それはお見それしました。じゃあ、別口さえ片づけば結婚は時間の問題じゃないの」

「ちょっと待て」思わず両手を広げた。僕も少し酔ったようだ。「ちょっと待ってください」

店の扉が開いて新しい客が顔を覗《のぞ》かせた。野球帽をあみだに被《かぶ》った愛嬌《あいきょう》のある赤ら顔の中年だった。上の前歯が二本とも欠けている。シッ、と声をあげて母が片手で追い払う仕草をした。首を傾けた笑顔のまま男は素直に扉を閉めた。おそらくこの界隈《かいわい》でいわくつきの酔っ払いなのだろう。

「あたしはね、あのときから」三ッ森小夜子が言いかけた。

「きみはちょっと待て」牽制《けんせい》して母に尋ねた。「どこで国松さんとそんな話をしたんですか」

「教会だよ」

「教会って、あの清貧が売り物の教会のことですか？　また何で？」

「お互い熱心な信者だから」これみよがしに母が片手で十字を切ってみせた。「日曜のミサで会って帰りに『茶のみ話』もはずむんだよ」

「そんな、いったいいつキリスト教に入信したんです」

「いったいいいつあんたとあたしは別れたと思ってるんだい？」

そんなふうにひねりのきいた言い方をされると僕も返す言葉に困った。博多時代に母の設計した将来の展望がこの店を出したときに完結して、それ以外には何もないと高をくくっていた自分を少し反省し、僕は左隣に向き直った。

「あのときって何のことだ？」

「会社の廊下で初めてすれ違ったときのことよ」三ッ森小夜子がすぐに答えた。

「それはいつだ」僕は聞いた。

「今年の春、あたしがＡＢＣの面接を受けた日のこと、正しく言えばすれ違ったんじゃなくてぶつかったの、あなたが先に道を譲ろうとして右側に寄った、あたしはとっさに左側に寄った、それに気づいてあなたは今度は左に避けようとした、そのときにはあたしは右に動いていた、それを避けようとしてあなたがまた左に動いたけど、あたしも同時に右に動いていた。するとまたあなたは左側に動いて」

「いつぶつかるの」母が尋ねた。僕もいま尋ねようとしたところだった。

「そのあと、あたしがまた右に進もうとしてとうとうぶつかったの、それであたしが会社の紀要とかが入った封筒を落として、あなたが拾ってくれたじゃない、思い出した？」

　思い出しはしなかった。思い出さないかわりに、昨年の春、県庁のエレベーター前での平野美雪との出会いの場面を連想した。その話をいつか三ッ森小夜子に話して聞かせたのも覚えていた。だが、今夜の彼女がいくら酔っているとはいえ、他人の身に起こった出来事を自分の身に起こった出来事と混同して、しかもそれに熱をこめて語るとは思えない。いずれにしろ二つとも僕の身に起こった出来事ではあるし、もうすこし酔いがさめれば思い出せるかもしれない。

「そんなちょっとしたことでね」母がまた余計な相槌《あいづち》を打った。

「そうなの、ちょっとしたことでも閃《ひらめ》くときは閃くんですよね」と三ッ森小夜子が同意を求めた。

「そりゃそうよ、あたしがこの子の父親と出会ったときだってね、あれは後楽園球場のスタンドで……」

「そろそろ帰ろう、もう飲まないほうがいい、僕はクビだけどきみは明日も仕事だろう」

「明日は日曜じゃないの」三ッ森小夜子が僕の手をうるさがった。「はぐらかそうとしてもだめよ、今夜という今夜はこの問題をはっきりさせておきたいの、あたしは」

「クビ?」母が眉《まゆ》をひそめた。「あんたまた失業かい」

「言葉の綾《あや》ですよ、たとえクビになっても会社は困らない、そのくらいの意味です」

「あたしはね」三ッ森小夜子が続けた。「今夜、越前蟹《えちぜんがに》の身をすり潰《つぶ》して山芋《いも》でつないだお餅《もち》を食べたときに大脳に刺激を受けて、はっきりと見えてしまったの、こんどはもう間違えない、あたしが見たのは、あれはきっとあなたとあたしの結婚披露宴だったのよ」

「いつそんなものを食ったんだ」

「英雄」母がたしなめた。「人が真面目に話してるのをいつまでも茶化すもんじゃないよ」

「その披露宴には家族がみんな出席してくれて、あなたのお母さんが二人、叔父《おじ》さんとその若い奥さん、それからお姉さんと、三人の妹さん、弟さんも一人……」

「僕に弟はいないと言ってるだろう」

「でもあたしには見えたのよ」

「いいから、もう飲むなよ」

「そういえば」母が思い出した。「五月《さつき》ちゃんが結婚するそうじゃない」

「五月が？」僕はまた耳を疑った。「あのイルカと一緒に泳いでる五月が？　またどうして」

「どうしてって、それは五月ちゃんとその相手の男に聞いてみないと」

「ほらね」三ッ森小夜子が勝ち誇った。「その相手の人があたしの見たあなたの弟なのよ」

「五月が結婚するのはいいとしても」僕は母に聞いた。「またどうしてその話を知ってるんです」

「本人から電話がかかったのよ」

「どうして」

「どうして、どうしてってカラオケの文句じゃあるまいし、ちっとは自分で考えてから喋《しゃべ》ったらどう」

「でもそんな話、あっちの母からだって聞かされてませんよ」

「知らないんじゃないの？　まだ」

「あなたが留守だったからよ」三ッ森小夜子がかわりに考えた。「あっちのお母さんもずっと留守なんでしょ、報告するのはここしかないじゃない」

「どうしてここにわざわざ報告するんだ」

「こっちのお母さんとも仲良しだからに決まってるでしょ、ねえ？　みんな家族だもの」

「五月ちゃんはこっちにいた頃、水族館の人たちを連れて飲みに来てくれてたんだよ」

「あなたもクビになる前に会社の人を連れてくればよかったのよ」三ッ森小夜子が酔った証拠を見せた。「そうすればこのお店ももっと流行《はや》ったでしょうに」

「きみはもう限界だよ、帰ろう」

「それがいいね」母が僕の側についた。

「お母さん、披露宴にはぜひ来てくださいね、あっちのお母さんとご一緒に」

三ッ森小夜子が立ち上がって握手を求め、母が仕方なく応じた。

「じゃあ、最後に乾杯しましょう」

母も僕も賛同しないのを見て、三ッ森小夜子は首をひねりながら腰をおろした。そして椅子《いす》から滑り落ちた。

「勘定を」

「八万円」

「二万円置きますよ。五月はいつ式を挙げるんです？」

「さあ、暮れには一度こっちに帰るようなことを言ってたけど」

「おい、こんなところで寝るなよ」

「そんなに揺すったら吐いちゃうよ、そのまま連れて帰って寝かせなさい」

「うちはまずいんですよ」

「どうして」

「どうしてって聞かれても」

「別口かい」

「まあ、そんなとこです」

「呆《あき》れた男だね、あんたも」母はタバコをつまんだ手でまた十字を切ってみせた。「このあとが怖いね」

「とにかくタクシーを呼んで下さい」

「今夜何が起こるか見ものだね」


後から考えれば、酔った三ッ森小夜子をタクシーで部屋まで送り届ければことは簡単だったと思う。

あのまるでクエスチョンマークの書き出し部分が発光しているような街灯の立ち並ぶ道を通り抜け、曲がりくねった坂道を上りあがってそこでタクシーに待ってもらい、三ッ森小夜子を抱きかかえて部屋まで運びあげ、ドアの前で彼女のバッグを引っかきまわして鍵《かぎ》を探して中に入り、スクラブルに適した丸テーブルの置いてある台所からまだ一度も覗《のぞ》いたことのない奥の部屋へと侵入して明りをつけてベッドカバーを取り払い、正体をなくした彼女の身体をベッドに横たえてから、「こんな趣味の女だったのか」と寝室の様子を改めて眺めまわし、そのあと台所のテーブルの上に「今夜は楽しかった、鍵はドアの郵便受けの中に入れておく、また電話する」というメモを残して帰りかけ、途中で気が変わってメモの中のどんな意味にも都合よくとれる「また電話する」の部分を削除して新しく書き直して帰ってくればそれですんだのかもしれない。

だが僕はそうしなかった。こちらも酔っていたせいか簡単なはずのことがひどく億劫《おっくう》に思えたのだ。三ッ森小夜子のぐにゃぐにゃになった身体を先にタクシーに押し込むと、僕は深い考えも無しに「ソルールの丘まで」と運転手に行先を告げた。結局、それはそれで正解だったのだが。

わが家の玄関の灯《あか》りはともっていた。中に入ると廊下も廊下の突きあたりの開きっぱなしのドアの先の台所も『皓々《こうこう》と』明るかった。僕はまず三ッ森小夜子のパンプスを脱がせた。彼女は茶系のパンツスーツに身をかためていてパンプスもその系統の色だった。次に僕は自分の黒の革靴を脱いだ。そのあと彼女に半分無意識のジェスチャーでせがまれたのでおんぶして居間のカウチまで運んだ。その部屋の照明も点《つ》ける必要はなかった。ごろりとカウチに仰向けになった三ッ森小夜子が光を嫌って片方の腕で目を覆ったくらいだった。

「あら、帰ってきたの」台所から平野美雪が現れた。白無地のバスローブ姿で、首にかけたバスタオルの端で湿った髪をこすりながら三ッ森小夜子を見下ろした。

「お酒に目薬か何かをまぜて飲ませたの？」

「酒に目薬をまぜて飲ませるとこうなるのか？」

「そう言わない？」

平野美雪はもう一方の手にずん胴のグラスを握っていた。市販の健康酒のような赤い飲み物でそのグラスは満たされていたが、平野美雪が市販の健康酒を飲むとは思えないのでそれは赤ワインに違いなかった。

「ちょっと聞くけど」僕が言いかけたとき玄関のチャイムが鳴った。

「あたしが出るわ」平野美雪がテーブルの上にグラスを置いて玄関へ消えた。しばらくすると男と小声で話し込む声が気配が伝わってきたので、僕はテーブルの端に腰かけて待った。待つ間にグラスの中身を一口飲んでみるとやはりワインだった。三ッ森小夜子が寝返りをうってカウチの背のほうに顔を向けた。

「こんばんは」呑気《のんき》な挨拶《あいさつ》とともに男が平野美雪に連れられて現れた。市販の健康酒を思わせるような深みのある赤のジャケットを着込んでいる。同系色のコンバーティブルを運転していた若者の顔をかすかに思い出した。思い出さなくてもこの男が篠原《しのはら》哲男に違いなかった。

「遠慮しなくていいのよ」平野美雪がカウチの状態を指し示した。「鮎川《あゆかわ》さんてこういう人なの、来るものは拒まずって人なの、言ったでしょ?」

「ちょっと聞くけど」僕は平野美雪に尋ねた。「最近きみは妹からの電話を取らなかったか?」

「妹って鮎川さんの?」

「ああ、イルカに乗って曲芸をやってる妹だ」

気づいた。

「電話を取らなかったかと聞いてるんだ」聞いてるうちに自分でもどうでもいいことだと
「何よそれ」

「電話なら一度取ったけど、種子島《たねがしま》の夏樹《なつき》姉さんかと思った、あなたのこと英雄君て呼んでたから、何時頃帰って来るのかって聞かれたから、最近は二日にいっぺんくらいしか帰って来ないと答えておいたわ」

「今夜も帰って来ないと見て、それでその隙《すき》に彼を呼んだのか」

「そうよ」平野美雪は平然と答えた。

「すいません」篠原哲男が横から謝った。

「バカね、哲男がすいませんて言う必要はないのよ」

「うん、きみがすいませんて言う必要はないんだ」僕も認めた。「この人がうちに男を呼びこんでいることは気づいてたんだ、それが哲男くんだと知って安心したよ、恋人に呼ばれて来ないわけにいかないものな」

「すいません、留守中に何度も」篠原哲男がまた謝った。「一度おめにかかってご挨拶をと思ってたんですが、彼女にもそう言って頼んでたんだけど、なあ?」

「あんたがこの人と会ってどうするのよ」平野美雪がワインをビールのように飲んだ。

「二人で会って何の話をするわけ?」

「鳥と蜜蜂《みつばち》の話に決まってるだろ」僕が答えた。

「何ですか、それ」篠原哲男が好奇心を示した。

「この人はたまに訳のわからない言葉を使うのよ」平野美雪がワインを飲みほして台所へ歩いた。「それで自分ひとり喜んでるのよ」

「別に深い意味はないいんだ」僕は篠原哲男にうなずいてみせた。性教育の初歩、という意味の冗談を言ってみただけなのだ。

「何の話って」篠原哲男が台所に届くように声をあげた。「僕たちの結婚の話に決まってるだろ」

「結婚？」三ッ森小夜子が唸《うな》った。

唸ったあと再び寝返りを打っただけで意識を取り戻した様子は見えなかった。そのときまた玄関のチャイムが鳴った。僕は腕時計に目をこらした。なかなか文字盤が読み取れないでいると、

「もうじき十一時ですよ」耳元で篠原哲男が呟《つぶや》いてくれた。「誰でしょうね、こんな時間に」

鈴村綾《あや》だった。

玄関口に立っているその姿を目にした瞬間、僕は奇跡を見たように思った。

よくよく見れば黒のタートルネックのセーターに黒のタイトスカートという至ってシンプルないでたちに過ぎなかった。装飾品は一切身につけていなかった。左肩にナップサックを背負い、右手にスカートと対の上着を持っているだけだ。それにあのすき焼きの晩か

らまるひと月しか経っていない。だが、今夜の彼女はもう美しい少女といった段階を突き抜けていた。

　そんな表現でも足りないくらいの何かを彼女はお供につき従えて立っていた。それを奇跡と呼びたかった。第一に肌の白さが奇跡的で、当然、栗《くり》色の髪と顔の白さとセーターの黒とのコントラストも奇跡的だった。真ん中で分けられた前髪の幾つかの房になった乱れ具合も、うなじの横から顎《あご》の先へむかって内側へカールした癖毛の跳ね方も、頭と頸《くび》と肩幅との比率もセーターで覆われたせいでかえって浮き出て見える肩骨のまるみも、すらりと伸びた腕の線もすべてが奇跡的に見えた。いっそのこと今夜この家に造物主が降りてきて小さな妖精《ようせい》を置き去ったと言いたいくらいだった。もしそのときアルコールの力を借りていられる状態でなければ、僕はこの中学一年生の女の子を前にしてあがっていたかもしれない。

「現れたな」かろうじて僕は声をかけた。

「『くせ者』みたいに言わないでよ」鈴村綾が答えた。そして僕の背後に『誰何《すいか》』の視線を投げた。「お客さん？」

　振り向くとそこに、鈴村綾の投げた視線によって石と化した篠原哲男が佇《たたず》んでいた。彼の口は「わ」の音を発声しようとして途中でそれも忘れたかのように開かれていた。やはり僕と同じものを目にしたのだ。

「丸山先生はどうした」僕は綾に向き直った。「今夜は一緒じゃないのか」

「洗濯してる間に抜け出してきた」

「洗濯？　こんな夜中にか」

「時間は関係ないの、うちは乾燥機があるから」綾が身を屈《かが》めてくるぶしまでのブーツの紐《ひも》を解いた。「電話はまだかからない？」

「乾燥機が止まっていま洗濯物を畳んでるころじゃないのか？　どっちにしたってもうじきかかってくるさ」

「そうじゃなくて酔助から」

「今夜？　叔父《おじ》から何か連絡が入ったのか？」

「ううん、でも今夜かもしれない」綾がそばに立って僕を見上げた。「うちにいてもそわそわするし、ヒデオ君とこで今夜何か起こりそうな気がする」

「もう半分起こりかけてるんだ」

綾をうながして、石になったままの篠原哲男の横を通り抜けて居間に入った。

「現れたわね」平野美雪が二杯目のワインを飲みながら迎えた。「サリバン先生はどうしたの、一緒じゃないの？」

「ねえ、ヒデオ君」鈴村綾が僕に話しかけた。「この人、サリバン先生が誰だか知らないで喋《しゃべ》ってるんじゃない？」

「その口を『やっとこ』でねじるわよ」平野美雪が天敵をにらみつけた。

「せめてペンチでって言えよ」僕が間に入った。「きみだってまだ若いんだから」

「そっちの人は誰?」鈴村綾がカウチを顎で示した。

「ヒデオ君の今夜のお相手よ」平野美雪が教えた。「目薬をまぜたお酒を飲ませて連れ込んだのよ」

「三ッ森小夜子さんだ」僕が訂正した。「夢占いの達人なんだ、いま夢を見てくれてる」

「毛布をかけてあげたら?」鈴村綾が勧めた。「あれじゃ寒そうだよ、いい夢も見れないよ」

「そうだな、気づかなかった、そうしよう」

「それより二階のベッドにでも連れ込んだほうが早いわよ」平野美雪がつまらぬことを言った。「部屋はいくつも空いてるんだから、あなたとこの娘はお母さんの部屋のベッドで寝たらいいじゃない」

「ヒデオ君、間違えてこの人の養命酒に目薬まぜたんじゃない?」

「ほんとにその口をねじるわよ、ペンチで」

「ワインだよ、輸入物の」僕は注意した。「あんまり大人をかっかさせるなよ」

「悪いのはそっちじゃん」

「あの」篠原哲男が声をかけた。「玄関にまたお客さんですけど」

「誰」僕が聞いた。

「サリバン先生よ、どうせ」平野美雪が二杯目のワインを飲みほした。

「お邪魔します」コートの裾《すそ》をひるがえして丸山れいこ先生が入ってきた。「勝手にあがらせて頂きました、こんばんは、みなさん、ご迷惑おかけします、鮎川《あゆかわ》さん、ほんとに夜分にすみません、お電話をかけてからと思ったんですが、あたし咄嗟《とっさ》のことで慌ててしまって、でもよかった、やっぱりここだったのね綾さん」

「ご迷惑もいいとこよ」平野美雪がぼやいた。「めざわりだから早く連れて帰って」

「そうしたほうがいいようだな」僕も同意した。「丸山先生は洗濯物も畳まないで駆けつけてくれたみたいだし、今夜はきみがいても余計に混乱するだけだ」

「そうなんです」丸山先生が素直にうなずいた。「あたし綾さんの姿が見えないのでうろたえてしまって、洗濯物のことなんかもう」

「ここにすわって、れいこ先生」

鈴村綾が一人掛けのソファを勧めた。そして丸山れいこを無理やり腰かけさせると、周りの大人たちを無視して話しはじめた。

「よく聞いて、先生、あたしに好きな人がいるって話はしたよね、その人は鮎川さんの親《しん》戚《せき》だって話も、それから、あたしたち三人がとても堅い絆《きずな》で結ばれてるってことも話したよね、この鮎川さんはあたしにとって特別な人なの、女にはてんでだらしがないけど、あたしのママが男にだらしないのと同じで、今日だってこうやって二人も女が入りこんで混乱してるでしょ、でも、それを別にすればあたしはこの人を信頼してる、絶対的に信頼してる、ほら、パソコンのキイボードのQの横に必ずWがあるでしょ、それと同じ、あたしがQでこの人がW、いつでもそばにいてくれて安心できる、恋愛とは違うけど、あたしはママと一緒にいるより、この人とこの家で一緒に暮らしたほうがよっぽど楽しいと思ったことさえある、ねえ、れいこ先生、先生にもそんなふうに信頼できる人がいない？　いたら思い浮かべてみて、あたしにとって鮎川さんはその人と同じなの」

「ちょっと待ってね」丸山れいこが片手を挙げた。「いまその人の顔を思い浮かべてみるから」

「勘弁してよ」平野美雪が真っ先に冷めた。「家庭教師が生徒に催眠術をかけられてどうするのよ」

「平野さん」鈴村綾が優しい声を出した。「お願いだから引っ込んでて。あたしは、去年のあの状態から、平野さんがここまで立ち直れたのは立派だって、心の中では評価してるのよ、ほんとよ」

平野美雪が鼻を鳴らし、台所へ三杯目のワインを求めて姿を消した。僕はカウチの三ッ森小夜子の足のそばに空間を見つけて腰をおろした。篠原哲男は隣の一人掛けのソファの背に手を置いて立ったまま、鈴村綾の横顔に見入っていた。続けてみて、と丸山れいこが言った。ソファの肘掛《ひじか》けに尻《しり》をのせて鈴村綾が続けた。

「いま先生が思い浮かべている人は、先生にとって信頼できる特別な人なわけだけど、それにもっと愛が加わるの、あたしに好きな人がいるって話したその人は、もっと特別な人なの、あたしがアルファベットのQならその人はU、ね？　UがなければQで始まる単語は作れないでしょ、Qは Uなしでは生きられないでしょ、あたしはママがいなくてもはっきり言って生きてゆける、あんなママでも死なれたらたぶん泣くとは思うけど、でもそのあとでも生きてゆける、鮎川さんが死んじゃったらもっと辛《つら》くて、一週間くらい泣き続けるかもしれない、でもそのあともなんとか生きてゆけると思う、そばにもっと特別な人がいればね、そのあたしの好きな人さえそばにいてくれたら辛いことはぜんぶ我慢できる、絶対に、でもその人がもしこの世からいなくなったら泣くだけじゃすまないの、どんなに時間が流れてもあたしはもう立ち直れないの、想像できる？　先生、そんな特別な人が世界中に何人もいると思う？」

「たった一人よ」丸山れいこが指を立てた。

「そうだよね、絶対世界中にたった一人だよ、でもあたしはその特別な人ともう一年以上も別れてるんだよ、おたがいに会いたがってるのに会えないでいるんだよ、先生、わかるでしょ？　その人が今夜この街に戻ってくるの」

「今夜とは限らないさ」僕が口をはさんだ。「もうこんな時間だし」

「ううん、あたしは今夜だって気がする」綾《あや》がかぶりを振った。「なんか胸のこの辺がどきどきする、予感だよ、先生、世界中にたった一人しかいない人なんだから、ママなんかより、学校なんかより大切だよね、会ってもいいよね？」

「今夜？」丸山れいこが確認した。「これから？」

「うん、ママから電話がかかっても、ベッドで眠ってるって言ってくれるよね？」

「それはだめよ」丸山れいこが拒否した。

たの？」

「なんで？」綾が肘掛けから跳び降りた。「先生、いままでのあたしの話を聞いてなかっ

「だって綾さんはいつももっと遅くまで起きてるでしょう、簡単に嘘《うそ》だとばれてしまう
わ」

「風邪気味で早く寝たって言えばいい」綾が知恵をつけた。「どうせママはクラブの客と
遊んで帰ってくるんだから」

「帰ってきて、あんたがいないのを見つけたらどうするのよ」平野美雪が話に加わった。

「そうなったら大騒ぎじゃないの、サリバン先生、騙《だま》されちゃだめよ、その子はこのまま
逃げちゃうつもりよ、先生は知らないかもしれないけど、去年だって一度」

「引っ込んでてって言ったでしょ」綾が怒りの声をあげた。「聞こえなかった？　去年の
ことをあんたが覚えてるはずないじゃない」

「何よ」平野美雪が対抗して声をあらげた。「あたしが覚えてることを喋ったら、あんた
たちは『一網打尽』よ」

「イチモウダジン？」丸山れいこが怪訝《けげん》な顔をした。「いまそうおっしゃいました？」

「ちょっと待て」僕が遮った。「もういい、二人ともやめろ、だいたいこんな話をいくら
しても無駄だ、叔父が今夜現れると決まったわけじゃないんだから、そうだろ？」

「オジ？」丸山れいこがよりいっそう怪訝な顔をした。

「その子の特別な人っていうのは鮎川さんの叔父さんなのよ、ろくでなしの中年男よ」平

野美雪が言った。「要するにロリコンなのよ、そんなことも知らずに家庭教師に雇われたわけ?」

「ロリコン?」丸山れいこが考えこむ顔つきになった。

「鮎川さん……」そのとき新しい声が僕を呼んだので皆の注意が集まった。三ッ森小夜子だ。彼女は脚を折り畳みながらむっくり起き上がり、カウチの反対側の端に腰をおろした。

「まだ夢を見てるのかと思ったわ、こっちが現実なのね」

「こっちが悪夢よ」平野美雪がからかった。「醒《さ》めないほうが良かったかもよ」

「……あたしの眼鏡はどこ?」

「きみの眼鏡はバッグの中だ」僕が教えた。「自分ではずして中にしまったんだ、さっきの店で、カウンターに顔を伏せて寝る前に、さっきの店のことは憶《おぼ》えてるか? バッグはいまきみの足元にある」

「水をいただける?」彼女は足元を確認しただけで眼鏡を取り出そうとはしなかった。

「あっちが台所」平野美雪がグラスで方向を示し、三ッ森小夜子が席を立つと入り替わりにカウチの端に腰かけた。

「事情が呑《の》みこめました」丸山れいこが言った。「あたしにもやっと見えてきました。つまり綾さんの特別な人というのが鮎川さんの叔父《おじ》にあたる方なわけね、そのことを綾さんのお母さまはずっとあたしに隠してらしたのね、あんなふうに厳しく見張りを言いつかるからには、何か事情があると思っていたのよ、よく分かりました、つまり、いま平野さんは、綾さんとその男性との年齢差のことで猛烈に反対されているわけですね？」

「何をとぼけたことを言ってるの」平野美雪がグラスをテーブルに置き脚を組んだ。その際バスローブの裾《すそ》が乱れたのであわてて直した。「あたしが問題にしてるのは年齢差のことなんかじゃなくて、その子の年齢のことよ、中学一年生が男と駆け落ちする気でいるのよ、そんなのは恋愛じゃなくて警察沙汰《ざた》だって言ってるのよ」

「綾さん」丸山れいこが綾の手を取った。「本気でその人とどこかへ行くつもりでいるの？」

「行くよ」綾が宣言した。「酔助が迎えに来たらあたしは一緒に行く」

「ほらね」平野美雪が言った。「早く携帯電話で母親と連絡を取りなさいよ」

「電話はあちらからかかって来るんです、十二時くらいに」丸山れいこは左手首を裏返した。「まだ三十分以上あります」

「いまここにロリコン叔父さんが現れたらどうするのよ」平野美雪が脅しをかけた。

「そのロリコンという言葉についてですが」丸山れいこは屈しなかった。「鮎川さん、あたし思うんですけど、その男性と綾さんとの関係はいわゆる世間一般に流布しているロリコンのイメージとは違うんじゃないでしょうか」

「違う」僕はうなずいた。いわゆる世間一般に流布しているロリコンのイメージについての議論はさておき僕は認めた。「違うと思っていい」

「あたし、この綾さんを標準的な中学生として扱うのも、何だか違うんじゃないかという気がするんですよ、お母さまもお母さまでずいぶん変わってらっしゃるけれど、あたしなんかを標準にして考えると割り切れない部分がいくらでも出てきます、小さなことですけど、洗濯ひとつとっても鈴村家とあたしの家とでは考えかたがまったく違います、鈴村家で一緒に生活をしていると、同じ女性は女性でも、女性という言葉の中にあたしたち全員をひっくるめてしまうのがいかに無謀かということがわかります、あたしが中学生だった頃のことを思い出してみると、綾さんはもうはっきり言ってエイリアンです、ライフスタイルがまったく違うんです。鮎川《あゆかわ》さんがパソコンをお使いならおわかりかと思いますが、綾さんとあたしたちとではOSの質から異なるんです」

「あたしたち？」平野美雪が揚げ足を取った。

「わかりますよ」僕がまともな相槌《あいづち》を打った。

「綾さん」丸山れいこがまた綾の手に触れた。「はっきり言って先生はもう疲れちゃったの、綾さんや綾さんのお母さまと暮らしているとあまりにもカルチャーショックが大きすぎてね、どうしても先生にはなじめないの、先生には先生なりに二十三年間親しんできた別の世界があるのよ、そろそろそちらへ戻りたいの、ついでだから言ってしまうけれど、この仕事はもう辞めさせて頂くつもりで、先週からバッグの中にはお母さま宛《あて》のお手紙を用意してあるの」

「早く言えばよかったのに」綾が丸山先生の手を両手に包みこんだ。「洗濯のことだってやりたくないって先生が言えばそれですんだのに」

「わかってるの」丸山先生が感動の面持ちで手を握り返した。「あなたがそう言ってくれるのはわかってたのよ、綾さんはあたしなんかよりずっと強いわ、あたしが二十三年かかってまだ学べないことをたくさん学んでる、もちろん綾さんの知らないこともあたしは知ってるけれどね、あたしのほうが学校のお勉強はたくさんしてるから、でも綾さん、あなたがその人のことを心から特別に思っていると言うのならそれは本当なんでしょう、あたしはその方面のことは苦手だけど、綾さんが自分の気持を見誤ることはないと信じてる、だから本当にその人のことが好きなら、その人のところへゆくといいわ」

「ちょっと、あなたたち何を喋《しゃべ》ってるの」平野美雪がたまらず言った。「いったい何を考えてるの？　その子はまだ十三歳なのよ、その人が好きならその人のとこへ行けですむわけないじゃないの、それは犯罪行為よ」

「今夜、もしその人が現れたら、ゆきなさい」丸山れいこが綾に言った。「本当はお母さまにお手紙を渡して、きちんと辞めた上でのほうが先生としては都合が良かったんだけれど、こんなことは自分の都合じゃ決められないしね、そのときは先生、腹をくくるわ、のちのち裁判にでもなったら、先生はいつでも証言台に立って、いま喋ったようなことを証言するわ、そのせいで就職がふいになっても、それはもうそのときのことよね」

「呆《あき》れてものも言えないわ」平野美雪が言った。「就職がふいになるどころですむわけないじゃないの、行かせたあなたも同罪よ」

「いいじゃないか、美雪」篠原《しのはら》哲男が沈黙を破った。「だって、本人がそうしたがってるんだから、行きたいなら行かせてやろうよ」

　平野美雪がいちど目をつむり、僕のほうを向いた。そして口を開きかけたが結局何も言わなかった。

「まあ、いまそんなことを話してもさ」僕が仲裁に入った。「叔父が今夜現れると決まったわけじゃないんだから」

「叔父さんは今夜現れるわ」三ッ森小夜子が再登場した。わざわざ平野美雪の前を（足を引っこめさせて）通り抜けて、僕の隣に腰をおろした。

「夢占い？」綾《あや》が尋ねた。「ねえ、ヒデオ君、どんな夢を見たのか聞いてみて」

「自分で聞いてみろよ」僕はミロワールでの一件を思うと気が進まなかった。「実を言うと、この人は酔っ払って占いをはずすこともあるんだ」

「電話がかかってくる」三ッ森小夜子が予言した。「もうじき玄関で電話が鳴る」

「ほんとに？」綾が目を輝かせた。

「この方はそういうお仕事を専門にされてるんですか」丸山れいこが僕に聞いた。

「目薬の入れすぎよ」平野美雪が答えた。

「電話だ」篠原哲男が目をまるくして叫んだ。「電話が鳴ってる、ほんとにかかってきた」

　言われなくてもその音に気づいたとたんに僕はカウチから飛び出し、廊下に出て玄関脇《わき》の電話まで走っていた。受話器を取り上げ耳にあてると、いきなりクシャミをする音が聞こえた。

「叔父さん？」僕は言った。「もしもし、叔父さん、英雄です」

「おう、英雄か」叔父の声が言った。「そこで誰かおれの噂《うわさ》をしてなかったか？」

「どこにいるんです？」

「いまこっちに着いたばかりだ」

「駅からかけてるんですね？」

「いや港だ」

「どうして」

「どうしてって船で着いたからに決まってるだろ、落ち着け英雄、あの金はまだそこにあるのか？」

「もちろんです」

「よし、よくやったぞ相棒、去年あげられなかったぶん祝杯をあげようぜ、いまから綾を連れて出て来い」

「叔父さん、行きますからどこからかけてるのか場所を教えてください」

「だから港だって言ってるだろ、いま着いたばかりなんだ、追われる身でうろうろもできないしな、ターミナル・ビルのバーで待ってるから綾を連れて飛んで来い」

「どうして彼女がここにいると思うんです？」

「おまえも相変わらず細かい男だな、そんなこと聞いてどうするんだ、綾はそこにいるのか、いないのか」

「いいます」

「ちょっと代われ」

「叔父《おじ》さん」気配を察して手を伸ばそうとした綾を押さえた。「よく聞いて下さい、十二時までにはそこに行きます、いいですね、ただでさえいまこっちは混乱してるんです、そこから一歩も動かずに待ってて下さいよ」

「わかったよ、のび太くん」叔父は答えた。「金を忘れないでくれよ」

僕は受話器を綾に手渡すと二階への階段を駆けのぼった。

昔の自分の部屋のドアを開けるなり飛び込んだまでは覚えているが、そのあとがよくわからない。気がつくと僕は埃《ほこり》っぽい床の上にトランクを置いて、中の札束を——十束ずつ紐《ひも》で結わえて包装紙でつつんである札束を——脇に寄せて内部にスペースを作り、内張りのチェックの模様の布が何カ所か破れているのをぼんやりと見下ろして、何だかそのぽっかりと空きすぎたスペースを物足りなく感じていた。

僕は順繰りに部屋の中を見渡した。古い週刊誌や月刊誌および『オフィシャル・ベースボール・ガイド』といった大半が野球関係の本で埋まったままの棚（よく探せばABCに入社したとき俵ケ浦専務から貰《もら》った『缶詰入門』が見つかるかもしれない）。電気スタンドとペン立てと卓上カレンダー以外には何も載っていない、埃だけうっすらと積もった机。何カ月も使わないままのベッド。その枕《まくら》元に近い部分に立て掛けてある高校時代のバット。そのバットと同じくらい昔から壁にピンナップしてある落合博満《おちあいひろみつ》のポスター。戸が半開きになっていて中を覗《のぞ》ける押し入れには冬が来るたびに出してまた春にしまうことを何度も繰り返してきた夏樹《なつき》姉や五月《さつき》とお揃《そろ》いのストーブの箱、その上に無造作に置かれている堅くなってもう使い物にならないはずの昔のグラブ、探せばやはり昔のヘルメットやユニフォームも見つかるかもしれない。そしてあとはもうこの部屋のドア、開いたままのドア、のそばに立つ三ッ森小夜子。

「今夜はいろんなことが起こるわ」彼女の声を聞いて我に返った。「一回、酔ってどこかに連れ込まれるような体験をしてみたいと思ってたのよ」

僕はトランクの蓋《ふた》を閉めて留め金をかけた。

「もちろん、本気でそんなこと望んでいたわけじゃないけど、まさか自分が正体をなくすまで酔えるなんてね、今日の今日まで知らなかった、自分じしんにも高をくくるものじゃないわね、それは何？」

「見たとおりトランクだよ」

「その中に入ってたのは何？」

「缶詰にするハムの塊だ、この中で寝かせて熟成させてるんだ」

「どうしてそんなにたくさんの現金を銀行に預けないの？」

「頼むよ」僕はため息をついた。「いまは見逃してくれ、あとできちんと説明する、これから最後の仕上げなんだ」

「約束して、ぜんぶよ、隠してることを残らず話してよ」

「うん」

トランクを提げて三ッ森小夜子の横を通り抜けようとした。三ッ森小夜子が僕の上着の裾《すそ》を捕まえた。

「思い出したわ、女の約束にはとりあえず、うん、と答えろって夏樹姉さんに仕込まれてるのよね」

「わかったよ」僕はまたため息をついた。「約束するよ」

下へ降りると鈴村綾はもうブーツを履き終えていた。そばには手首にハンドバッグをぶら提げた丸山れいこが寄り添い、一方、階段の上り口のところには平野美雪と篠原《しのはら》哲男が顔を揃えていた。いまから靴を履いてトランクを外に運び出す、それまで誰も一言も喋《しゃべ》るな、僕は心の中でそう祈った。

「こんなまねが許されると思ってるの？」まず平野美雪が喋り出した。「あなたたちはみんな犯罪の片棒をかついでるのよ」

「余計なお節介はもうやめろよ」次に篠原哲男が喋った。「本人が行きたがってるんだ、美雪がいくら言っても無駄だよ」

「あたしもそう思います」今度は丸山れいこだった。「無駄です、綾さんに何をどう言い聞かせても、あたしがいちばん良くわかってます、綾さんは自分で考えて、自分の判断で行動できる女の子です。ねえ、綾さん、お願いがあるの、あたしもその酔助さんて人に一目会ってみたい」

そのあたりで僕は革靴を履き終わっていた。トランクを持ち上げようとしたとき、鈴村綾の順番をとばして平野美雪がまた発言した。

「あなたたちは何もしらないだろうけど、そのトランクの中には……」

「ヒデオ君」綾が追いかけた。「丸山先生なら連れてって紹介してもかまわないよね」

「あたしも行くわ」三ッ森小夜子がパンプスを履き、これで玄関側が四人に増えた。

「丸山先生」僕がドアを開けて言った。「先生の車を使わせていただけますね?」

「それはかまいませんけど、でも、そんな大きなトランクあたしの車に積めるかしら」

「丸山先生の車はケイだよ」綾が言った。

「鮎川《あゆかわ》さん」振り向くと、篠原哲男がポケットから車のキイを取り出したところだった。

「お貸しします。僕のなら後ろの座席に積めると思いますよ」

「哲男、そのトランクの中にはね」また平野美雪が言いかけた。

「そのかわり」篠原哲男がキイを放った。「鮎川さんが帰ってくるまでここで留守番させてもらいますよ、美雪のことで一度きちんと話をつけておきたいんです」

「じゃあ、きみは丸山先生の車に乗せてもらえ」僕はキイを片手に綾に指示を与えた。

「先に外に出て待ってろ、僕はこの人たちに一言挨拶《あいさつ》してから行く」

「何よ、挨拶って」綾と丸山先生を見送ってから平野美雪が呟《つぶや》いた。

僕はトランクを持ち上げて挨拶の中身を練った。三ッ森小夜子がドアを開けて僕を通すために押さえてくれた。

「あなた、三ッ森さんとか言ったわね」平野美雪がそっちへからんだ。「この男がどんな男か正体がわかってつきあってるの？」

「ええ」三ッ森小夜子が答えた。

「この男は犯罪者なのよ」

「ええ、そうみたいね」三ッ森小夜子がまた答えた。「でもその話はまだ、あとで本人からくわしく聞いてみないと」

「ええ、そうみたいね？　あなた頭がすこし変なんじゃないの？」

「きみも同類だ」僕は言った。「僕らのことを変り者の犯罪者グループみたいに一方的に非難するな」

「そうだよ」篠原哲男が大きくうなずいた。「美雪は自分のやってることが普通だと思ってるのか、他人の家に勝手に一カ月も住みついて、僕という婚約者がいながら、いったい何を考えてるんだ」

婚約者を他人の家に住みつかせてきみはいったい何を考えてたんだ、という質問も同時に成立しそうだったが、この際、篠原哲男の言葉で平野美雪がおとなしくなってくれるのなら余計な口ははさまないのが得策だろう。

「ごまかしよ」平野美雪はねばった。「この人は正真正銘の犯罪をごまかそうとしてるのよ」

「わかった、きみの言ってることが正しいのは認める」僕は言った。

「全面的に認める、喋りたかったら何でも喋ればいい、きみが喋れば僕は逃げるだけだ、叔父と一緒にどこまでも逃げてやる、二度とこの家には戻らない、この街にも戻らない、彼の車もいただいてゆく、実を言えば僕は前々から追われる身に憧《あこが》れてたんだ、ピンクレディーの歌にウォンテッドってあっただろう、あの言葉の響きに憧れてたんだ、きみが喋ってくれればその夢がかなう、この家は土産にくれてやる、きみたちが住め、二人で達者に暮らせ、ただ哲男君に一言だけ言っておく、これは篠原煎餅《せんべい》店の暖簾《のれん》にかかわるアドバイスだ、くれぐれも果物ナイフには気をつけろ、リンゴが欲しくなったら自分で皮を剝《む》いて食べろ」

「どういう意味なんだ？」篠原哲男が婚約者に尋ねた。「果物ナイフに気をつけろって」

「言ったでしょ」平野美雪がやけになった。「この人はときどきこんなふうに訳のわかんないことを喋り出すのよ、もう、頭が変になりそう」

「ヒデオ君！」外から綾《あや》の声が呼んだ。「何やってるのよ、酔助が待ちくたびれちゃうよ」

「いま行く！　それから、もし母や夏樹姉さんから連絡があったら、英雄はただ旅に出たとでも伝えてくれ、できれば身内を悲しませたくない」

「わかったわよ」平野美雪がバスローブの襟元を合わせて言った。「行きなさいよ、どこにでも、そうしたいのなら好きなようにすればいいわ、たとえ誘拐罪であなたたちが裁判にかけられても、あたしは絶対証言台には立たないわよ、早く、寒くて風邪をひきそうだからそこを閉めて出てってよ」

僕はトランクを持ち踵《きびす》を返して外へ出た。

すぐに三ッ森小夜子が追いかけてきて石段を降りながら、果物ナイフのことを持ち出すのは彼女に気の毒よ、と僕を責めた。そして車のキイを持ったほうの僕の腕に腕を絡めた。眼鏡をかけないから足元がおぼつかないのだ。

「ついて来たら巻き添えをくうかもしれないぞ」

「いいわよ、そうなったら一緒に逃げましょう」

「ちょっと聞くけど」石段を降り切る前に尋ねてみた。「酔って正体をなくす以前のことはどのくらい憶《おぼ》えてる」

「ほとんど忘れちゃった」彼女はあっさりと答えた。「あっちのお母さんに変なことを言ったりしなかったかしら」

「たいしたことは言ってないと思うよ」

「嫌われてない？」

「だいじょうぶ」

「そう」

彼女のうなずく気配があった。

「じゃあ披露宴にも出席して頂けるわね」

こうして僕の物語りはささやかなハッピイ・エンディングを迎えることになる。世間の標準的な見方に立てばそれを幸福な結末と呼ぶのは大いに語弊があるかもしれないけれど、まあ、この際世間の標準のことは置いておこう。

叔父《おじ》と僕との再会の模様についてはもうくだくだと説明はしない。ここまで何度か語ってきた再会の例にもれずといったところである。想像してもらえればいい。それから叔父と鈴村綾との再会の瞬間、どう見ても仲の良い親子にしか見えない抱擁の仕方、そのあと三ッ森小夜子と丸山先生をまじえて交わされた挨拶の様子、なかでも丸山れいこ先生の自己紹介に始まる叔父とのぜんぜん嚙《か》み合わない会話、等についてもおおよそ見当がつくと思うので省略する。その見当で間違いない。

ともかく、われわれ五人組はフェリー乗場の建物の最上階にあるバーの片隅で——どういう趣味なのか最初に入ったときには古いジャズ、それが終わると次に山口百恵のヒット曲がかかっていた『洋風居酒屋』のテーブルで——時間にすればほんの二十分か三十分、おのおの一杯ずつの飲み物を手に、比較的（わが家にいたときに比べれば断然）心穏やかな時を過ごした。その間、ちょうど十二時に丸山先生のハンドバッグの中で携帯電話が鳴った。もちろん鈴村綾の母親からの定時連絡である。その電話は綾が自分で取った。

「丸山先生はあたしといると頭痛に悩まされると嘆いて出て行った、もう限界だって、あとから辞表を郵便で送ると言ってた。うん、あたしは別になんでもない、いまから歯を磨いて寝る」

そんなふうなことを喋《しゃべ》り、電話を切ったあとで、隣で固唾《かたず》を呑んでいた家庭教師の肩をたたいてまた知恵を授けた。

「ママが帰って来るまえに、荷物まとめて出ちゃえばいいのよ、ラクショーだってば」

付け加えることが二三ある。

その酒場を出たあと、先に軽自動車を運転して帰る丸山先生と綾が別れを惜しんでいる最中に、叔父が僕を車のそばに呼んだ。

車というのは、叔父がフェリーを二度乗り継いではるばる小樽《おたる》港から運んできた愛車のことで、車種は（この点でかなり僕は叔父の趣味を疑ったのだが）なんとトヨタのクラウン・マジェスタだった。どうやら叔父はいま札幌《さっぽろ》に仮の住まいを構えていて、十年前と同様にとまではいかないまでもなかなかの羽振りらしく、おまけにこの一年と二カ月半の間には運転教習所に通う余裕すらあったようなのだ。口ぶりから察すると帰路はフェリーを使わず、綾と二人で日本列島縦断のドライブを敢行する計画を暖めているふうだが、それにしても、いったい追われる身の人間がどうやって教習所に通ったり運転免許を取得できたりするというのだろうか。

「相棒として言わせてもらえば」叔父は僕の肩に腕をまわして切り出した。「結婚にあたってまず大事なのは相手の女が健康かどうかという点だ、それから女に借金がないかどうかもチェックしろ、その二つがクリアできなかったら女房にするのは諦《あきら》めたほうがいい」

「何ですかいきなり」

「あの『麦藁《むぎわら》』みたいに地味な女と結婚するんだろ？」

「どうしてそう思うんです？」

「どうしてもこうしてもあるか、おれはあの女から披露宴に招待されたんだよ」

「いつ」

「おまえがトイレに立ったときだ、それとおまえがバーの勘定を払ってるときも念を押された」

「酔ってるんですよ、彼女は」

「あれで酔ってたら、素面《しらふ》のときは壁に溶けこんで見えにくいだろ」

「そんなに地味ですかね、彼女。今夜のスーツなんか結構いかしてるでしょう」

「英雄」叔父は腕をはずしてタバコを点《つ》けた。「あれが結構いかしてるとおまえの目に見えるのはな、それなりの理由があるからなんだ、おまえは野球ばっかりやってたから知らないだろうが、昔の日本の諺《ことわざ》にも、恋は思案のなんとかってのがあってな」

「英語の諺にもいくつかありますけどね」

「いいんだよ、おまえの知ったかぶりは、おれに喋らせろ。だいたい英雄、おまえには蟻《あり》みたいにこつこつ働いて女房子供を養う能が備わってるのか？　結局、おまえは父親の血をひいてるんだ、おれの血だって多少は流れてる、去年の夏を思い出してみろ、どんな事が起こって、自分が最後には何を取ったか考えてみろ」

「そのことなんですけどね、叔父さん」僕もタバコを点けた。「僕が叔父さんの身内だってことは否定しませんが、でも、あの夢の話は、僕にはどうも……」

「何の話だ」

「追われる夢の話をしてくれたでしょう、その夢と現実を総取っ替えしたいって話ですよ、僕にはどうもぴんとこないんです、正直に言うと、僕がときどき見てうなされる夢は大家族の夢なんです、前の母や今の母や、姉や妹やその連れ合いたちや、叔父さんまで一緒になって一つ屋根の下で暮らしてる、うるさくてかなわない夢です、もちろんその夢と現実とを取り替えたいなんて思わないですけどね、でも僕は何かに追われる夢を定期的に見たりはしないし、当然それが現実になればなんて思ったこともない、少なくともその点では叔父さんとは違ってるんですよ」

　丸山先生が控え目にクラクションを鳴らし、窓から一度手を振って軽自動車を発進させた。綾はそれを見送ってもすぐにはこちらへ寄って来なかった。男どうしの別れの場に遠慮でもしたのか、篠原《しのはら》哲男から借りてきた例のイタ車のそばで、三ッ森小夜子と並んで言葉をかわしている。

「それで」叔父が言った。「おまえはあの女と結婚して、そのうなされる夢をちょっとだけ現実に近づけてみようってわけか」

「それはまだ決めてはいませんけどね」

「決めてはいないが、ぼちぼち考え始めてるんだな」

叔父がタバコを投げ捨てて愛車の後部座席に身を乗り入れ、さきほど積み終えたトランクを開いて中から札束の塊を掴《つか》み出した。

「ほら、一つだけ持ってけ」叔父は無愛想に言った。「おまえの取り分だ、そういう『料簡《りょうけん》』でいるなら大金はかえって邪魔だろう、この一千万で十分だ、銀行に預けて『いざというとき』のために使え」

「要りませんよ」僕は前から考えていた通りに答えた。「『いざというときのため』の金なら、まだ阿佐谷《あさがや》で貰《もら》ったときの分が残ってます」

「いいから持ってろ」叔父が押しつけた。「何が起こるかわからないだろ、また女に刺されて深手を負ったら入院費に使え、一千万もありゃピストルで撃たれたっていい医者が雇える」

「叔父さん」

「何だ」

「これは一千万じゃなくて、端数の六百万のほうの束ですよ」

「それで上等だ、まちがいで子供ができたら教育費に使え」

「子供なんて、そんな」

「おまえは何をいまさら照れてるんだ？」

「違いますよ、彼女とはまだそこまでの関係じゃないと言ってるんです」

「ほう、おまえのユーモアのセンスも洗練されたもんだな、役人臭さが抜けたぞ」

「そう思いたいなら、どうぞ」

「それにしても」叔父《おじ》は嘆息してみせた。「よりによって、あんな『おが屑《くず》』みたいに地味な女とな」

「メロンと女の中身は見かけじゃわかりにくい、別にかばうわけじゃないけど」

「それを言うなら西瓜《すいか》だろ」

「英語じゃたしかメロンです」

「またか、おまえのそのインテリぶった物の言い方は誰に似たんだ？」

「インク壺《つぼ》の匂《にお》いがする、そう言うらしいですよ、僕みたいな知ったかぶりのことを。教育者とかによくあるタイプじゃないですかね」

「隔世遺伝だな、おれの死んだ親父似だ、たぶん」


きりがない。

次が最後のエピソードだ。

だがその前に、別れの瞬間はあっさりと過ぎ去った。叔父の運転するマジェスタと僕の運転するアルファ・ロメオと車を連ねて駐車場を出て、次の曲り角で僕たちは左折、叔父たちはそのまま直進というポイントまで来た。交通量も少ない道だし当然僕はそこでスピードを緩め、いったん停車して決めの挨拶《あいさつ》をかわしてから互いの行く道へ別れるのだと思っていた。叔父にはともかく鈴村綾《あや》に対しては特に、記憶に残るような台詞《せりふ》でも車越しに投げてやろうと構えてもいたのである。

で、僕は車を左の車線へ寄せてマジェスタを追い抜き、曲り角の手前でブレーキを踏んだ。その右横をクラクションを二度、三度と鳴らしつつ叔父の車は疾走して行った。確かに信号は青だった。あっという間に尾灯は遠ざかった。右側の車線を走り抜けるマジェスタの窓から、てのひらをこちらに突き出した綾の姿を、一秒の何分の一かの時間で記憶にとどめられただけだった。なにしろ僕は左ハンドルの運転席で油断していたので、実はその記憶に残った綾のポーズすら本物かどうか定かでないくらいだった。ちなみに、キャッチボールもままならない運動神経から判断して僕は叔父の運転を危ぶんでいたのだが、あの追い抜き返し方をみると本人は相当の自信をもっている模様だった。たぶん教習所とか警察の試験場とか、そういった標準的な施設とは程遠いところで免許証は手に入れたのだろう。

そのあと我に返った僕はアルファ・ロメオを三ッ森小夜子のマンションへ向けた。わが家へ戻ってあのどことなく『とんでる』カップルと顔を合わせるのも億劫《おっくう》な気がしたし、綾の母親や俵ケ浦昇から緊急の電話がかかってくる恐れもある。他に行くあてもないので、結局、三ッ森小夜子にうながされて物語りの約束を果たすことにした。

およそ二ヵ月半前の夏の終わりに、スクラブルの勝負のはてに夜明かしをした同じ台所で、今度は丸テーブルの中央に六百万円の札束を（どこに置きようもないのでとりあえず）載せての物語りには小一時間かかった。例の調子で彼女がコーヒーをいれる手間も含めて小一時間ですんだのは、要するにあの現金強奪にまつわる一件以外はすでに彼女に語りつくしていたということである。幾つかの細かい質問をはさみながら、昨年八月二十六日早朝の場面までを聞き終えると、彼女はこんなふうに感想を述べた。

「驚いた人ね、平野さんが言ったように、あたしは本当に犯罪の片棒をかついでしまったわけじゃないの」

「片棒をかついだというのは大げさだよ、万が一、この事件が明るみに出たとしても、きみの名前があがる可能性はゼロに近いと思うよ」

「まあそれはいいわ、あなたが事実を話してくれたことのほうを評価する、ご褒美にコーヒーのお代わりをいれてサンドイッチを作ってあげる」

それでわれわれは六百万の現金を前にして、二杯目のコーヒーとキュウリとツナのサンドイッチの夜食をとることになった。

「ところで、鮎川《あゆかわ》さん」その食事の終わりがけに三ッ森小夜子が疑いを持った。「もう一つ、あたしに隠していることがあるでしょう」

「別にいまさら隠すつもりなんかないよ、彼女のことなら想像がつくと思ったから敢《あ》えて喋《しゃべ》らなかっただけだ」

「何の話をしてるの？」

「救急病院の看護婦さんの話だろ？　電話番号のメモをくれた。去年、県庁を辞めてぶらぶらしてたころに三回か四回くらいは会ったよ、でもそのあとすぐ彼女の転勤が決まって」

「あのね」三ッ森小夜子は部屋に入ったときからかけていた眼鏡をはずして目頭をマッサージした。「あたしはカサノバの回想録の代筆をする気はないのよ、それはおじいさんになってからあなたが自分で書けばいいわ」

「違うのか？」

「さっきあの家の二階で、あなた、トランクを開けてお金のほかに何か詰めるものがないか探してたでしょう、あのときあなたは我を失って、ほんの一瞬かもしれないけれど、叔父さんと綾ちゃんと一緒に逃げようと本気で考えたでしょう」

「まさかね」

「嘘《うそ》をついてもだめよ、あたしは見たんだから、この目で、二度も」

「どうやって二度も見たんだ？」と聞き返すそばから僕は察していた。「……一度目は夢の中で、二度目が現実に、という意味か、つまりあのときのきみは二度目を現実に見るために二階にあがって来たのか」

「そうよ」三ッ森小夜子は答えた。「あなたが思い直すのを二度見るために二階にあがったのよ」

「思い直す」僕はテーブルに寝かせてあった六百万の札束を縦にして立てた。「どんなふうに」

「僕にはこの三ッ森小夜子という新しい相棒がいる、一緒にいると心が穏やかになれて楽しい時間が過ごせる相棒がいる、この女を残してどこかへ逃げようなんて僕は何を血迷ってるんだ、それに僕はまだ彼女に物語りの全部を語りつくしてもいない」

「おい、暗示にかけるのはもうよしてくれよ」

「暗示なんかじゃなくて、あなたが現実にそう思ったのよ、自分がアルファベットのQならあたしはUだとすでに気づきかけてるはずよ、Qを生かすためにはどうしてもUが不可欠だと」

「そのアルファベットの比喩《ひゆ》は僕が最初に考えついたんだ、いまや女性の間で大流行してるみたいだけどね、パテントは僕にある」

「じゃあ自分で考えたのを使うわ」三ッ森小夜子はいつもの小鳥のような飲み方でコーヒーを啜《すす》って考えた。「二人で砂場に入ってお城を作りましょう」

「何だよそれは」

「二人で組んで今度は銀行を襲いましょう」

「どういう意味なんだ？」

「結婚しましょう」

「まあ、それなら意味が通じる。こういうのはどうだ？　二人でドリス・デイのレコードを聴いて〝ケ・セラ・セラ〟の合唱を練習しよう」

「どんな意味？」

「結婚はともかく、しばらく一緒に暮らしてみないか、ここは手狭だからむこうの僕の家ででも、夜は毎日二人でスクラブルをやろう、掃除と洗濯と晩飯の支度は交替制にする、朝食は当分の間僕が作ってもいい、そのかわりきみは毎朝、食卓で前の晩に見た夢の話をする、それを参考にして僕はぼちぼち職探しでも始める、もしくは、警察の手入れがあるようなら早めに逃亡の準備にとりかかる、どうだい？」

　室内の静けさをあらためて意識するほどの長い間、三ッ森小夜子は何かこの話に『からくり』でも探すような疑り深い目で僕を見ていた。それから眼鏡をかけ直して、結局その場では何も答えなかった。

「すまないけど」僕が頼んだ。「換気扇をまわして、灰皿を貸してくれないか、くれぐれも落ち着いて」

　三ッ森小夜子が席を立ち、換気扇のスイッチを入れ、食器棚の戸を開けた。

「ただ、一緒に暮らすにしてもその前に」と言いかけたとき、彼女の手の中で紺色の瀬戸物が踊るのが見えた。「言っただろ、落ち着いてって。きみは緊張すると物をファンブルして落とす癖があるんだから」

「ただ何？」テーブルにつくと彼女は背筋を伸ばして質問を投げかけた。「一緒に暮らすにしてもその前に？」

「少しきみの話を聞いておきたい、僕はきみの素性について何も知らないからな、だいたいきみは何者なんだ、どこから来てどんなコネで俵ヶ浦専務の秘書になった、まずその話だ、相棒ならそのくらい聞いておいてもかまわないだろう？」

「その話をするとうんと長くなるのよ」

「僕はぜんぜん平気だよ、コーヒーは二杯も飲んだしタバコもある、秋の夜は長い」

「あたしの祖父が打検師だったという話はいつかしたわね？　そのあたりから始めてもいい？」

「どうぞ」

「ほんとにいい？　きっと驚くことがいっぱい出てくると思うわよ」

「覚悟はできてるよ」僕はタバコをくわえ、テーブルの中央の札束をまた横に寝かせた。

「始めてくれ」

「じゃあ始めるわ」三ッ森小夜子が言った。「話はまず一九四六年までさかのぼるの」

こうして彼女の長い物語りの序章が始まった。


やはりきりがない。

いま一九九六年十一月十日、日曜の午前三時をまわったところである。

この時点ではまだ、三ッ森小夜子の長い物語りの内容についてはなにもわかってはいない。

僕と彼女の二人組の未来についても確かなことは何も言えない。

同様に、酔助叔父《おじ》と鈴村綾《あや》の危うげな未来についても、たとえば綾の母親の糾弾によって叔父が裁判にかけられる日が来るのかどうか、あるいは彼ら二人組の逃避行に手を貸したわれわれが、丸山れいこ先生がすでに覚悟を決めているように、その裁判で証言台に立つ日が訪れるのかどうかも、いまのところは何ひとつわかっていない。

解説

北上次郎

佐藤正午について語るのは大変難しい。たとえば本書『取り扱い注意』にしても、これをどう紹介したらいいのか。物語構造を分析するだけなら話は簡単だ。これは1996年の夏から秋までの話である。そこに、その1年前、1995年の春から夏までの話が回想として挿入される。もう少し遡《さかのぼ》る回想もあるけれどメインはこの二つ。ね、簡単だ。ところがもっとその内容に入り込んで紹介しようとすると途端に難しくなる。1996年の話は、異性にもてまくる主人公鮎川英雄の生活が（義姉の指導よろしくそうなった経緯も含めて）語られ、それを実証するかのように次々と女性が登場してくる。義姉夏樹の言葉を借りれば、この鮎川英雄は「きみは女の子には親切にされても男の子には敬遠されてきたのよね、これからもずっとそうなると思うよ、女性はきみの才能の匂《にお》いを嗅《か》ぎつけて集まってくるの、そして男性はきみの才能をねたんで迫害しようとするの」という青年であるから、そのもて方も尋常ではない。その生活が語られる。それが1996年の話だ。こう整理してみるとわかりやすそうに聞こえるかもしれないが、実はそうではない。それは後述するとして、その1年前の話は、叔父《おじ》酔助と組んだ「強盗」と「少女誘拐」の話だ。このヨースケ叔父は「叔父の顔のきく店は千葉だけではなく都内にも神奈川県にもいくらでもあった。叔父がそれらの店と具体的にどんなふうに係《かか》わっているのか、何本の金のなる木をどこでどう育《はぐく》んでいるのか、僕には想像もつかなかったけれど、なにしろ叔父のポケットには二つ折りにしたむきだしの札束が常にうなっていた」と景気のいいときは英雄を遊びに連れ歩き、ふと気がつくと風のようにいなくなっている風来坊だ。その姉、つまり英雄の母に言わせると「女にとっちゃ害虫みたいな男だよ」と手厳しく、「見てごらん、あのこはきっとまた騒ぎを起こすから、そうなっていちばん迷惑するのは、こんどはあんたなんだよ」と英雄との交際を面白く思っていない。つまり、このヨースケ叔父、わかりやすく言ってしまえば、一族のはみだしもの、といった位置づけといっていい。こうして「できることなら夢と現実の人生を総取っ替えしてみてもいい、おれは実は前々からそう思ってたんだ」と言うコースケ叔父にひきずられて強盗計画が始まっていく（1年前の話ですよ）。

えっ？　わかりやすいですか？　ここまでの紹介がわかりやすい印象を与えたのなら、それは私がストーリーを紹介しているにすぎないからだ。それにかなり省略もしている。実はこれほどわかりやすくない。というのは、1年前の回想が随所に挿入されていく構成についてはすでに説明しているが、その回想は主人公が登場人物の一人に語る形式になっているから、そこに意図的な省略もあったりするのだ。ストレートな挿入ではけっしてない。結構、ねじくれている。1年前に本当に何があったのかは最後まで読まないとわからない仕掛けになっている。1996年の「現在」の話にしても、冒頭は、主人公が「バケツ型に大きく開いた襟ぐり」の女性から口説かれるパーティーの場面で幕が開くが、その帰りにタクシーに乗ると、私の部屋に寄っていかないかと「こぢんまりした顔には縁なしの眼鏡」をかけ、「髪をきっちり後ろで結った」専務秘書に誘われ、今夜あの子の部屋に行くと遠からず彼女と結婚することになると未来を予言される。1年前から行方不明の叔父についても「戻ってくるわ」と断言され、その叔父について主人公が秘書に話しだすというのがプロローグである。どうして行方不明になったのかというと、事件を起こしたからだと主人公は説明する。こうして叔父の「少女誘拐未遂」事件がいきなり冒頭で明らかにされる。実に巧みな導入部といっていいが、しかしその内実はなかなか明かされない。

佐藤正午は導入部のうまさでは定評があり、たとえば作品集『夏の情婦』に収録の短編「傘を探す」は「夢のなかで三晩つづけて姉を抱いたことがある」という1行から始まる。話は飛んでしまうが、この短編は佐藤正午の短編のなかで私の好きなベスト3の一つだ。姉の亭主の傘を借りたものの、それをなくしてしまい、語り手の「おれ」がそれを探すだけの話だが、巧みな人物造形とともに、やり場のない苛立《いらだ》ちと青春の不安定さを鮮やかに描いて忘れ難い。話はどんどん飛んでいくが、この短編のなかに、樹村《きむら》みのりの「おとうと」という漫画の話が出てくる。初対面の男と結婚した姉に、弟がその決心の理由を尋ねる話だ。この漫画を引用するということは、つまり、結婚する理由とは何か、がこの短編のモチーフになっているということだ。それを短い枚数できっちりと描いているところに、この作者の非凡な才能がある。

長編『恋を数えて』の冒頭の1行「賭《か》け事をする男とだけは一緒になるな。それが母の遺言でした」も忘れ難い。まったく、この作者は最初の1行が秀逸だ。そのためにいつも物語にすっと案内される。こちらは、ヒロイン秋子の恋の遍歴を描く恋愛小説で、一人称一視点は佐藤正午の場合、珍しくなくても、「ですます」調で通したのが異色。内容的には正統派のロマンス小説だ。この長編の人物造形の秀逸さは特筆に値する。この長編だけでなく、いつもそうなのだが、佐藤正午はこういう正統派の小説も書ける作家であることをこの長編は見事に証明している。もちろん、そこに安住しない点が、この作家らしいところではあるのだが、それを別の言葉で言えば、ひねくれもの、頑固作家ともいう。ストレートに描いても、これだけの傑作を書けるならそれでいいじゃないか、と私などは言いたくなる。

一つだけ書いておけば、『恋を数えて』の冒頭近くに、「尾崎恒夫が千円と一万円のまざった札束を二つ折りにして無造作にズボンのポケットに入れ、取り出しては勘定を支払うのに気づいたのは店の外で会うようになってからです」という箇所が出てくる。ヒロイン秋子が、財布を持たない男の「だらしなさの匂い」を好ましく思うくだりだ。「そういえば父も兄も、財布を持つ男ではなかったと思い当たったのはずっと後になってからでした」という文章が続いているが、人物造形の秀逸さとはこういうことだ。ヨースケ叔父も絶対に財布を持たない男である。

『個人教授』のラストに出てくる教授の言葉もここに並べておく。

「きみに一つだけ忠告しておこう。考えるな。きみの手が届かないところまで昇ろうなどと考えるな。女は不可解である。他人は不可解である。不可解な人間に向って弱音を吐いたところで始まらない。きみが悩もうと、迷おうと、気弱く感じようと勝手だが、自分以外の人間に解き方を訊《たず》ねるな。大学出のプライドなど捨てて、単純に不可解な存在を認めることだ。手の届かない場所を知ることだ。決して、二度と、他人に頼るな。私を、私以外の誰をも、このさき教授と呼ぶな。——以上をもって別れの挨拶《あいさつ》に代える」

佐藤正午の小説はいつもそうなのだが、絶妙な台詞《せりふ》の向こう側に、その人間が世界をどう見ているのか、という姿勢が隠されている。本書に則して語れば、俵ヶ浦昇の「セックスは好意にも勝てない」という言葉が象徴的だが、時にはこういうアフォリズムにもそれは現れている。それを随所にちりばめて、あたかも騙《だま》し絵のように話を進めるのが佐藤正午なのだ。だから、テーマやモチーフがいつも見えにくい。というよりも、この作家は確信犯だ。いつもあえて見えにくくする。構成に凝り、台詞に凝るのも、そのためといっていい。近年の傑作『ジャンプ』も、おそらく編集者がつけたと思われる秀逸な帯の惹句《じゃっく》がなければ、あのテーマにたどりついた読者はもっと少なかったのではないか。一般的な分類をすれば、だから佐藤正午は技巧派だ。理解されることをあえて求めないという孤高の技巧派だ。したがって、ストーリーを追うだけでは、いつまでたってもこの作家の魅力にたどりつけない。

他の作品を語ることで、この長編の美点を語ることに代えたいという意図でここまで書いてきたのだが、これでご理解いただけただろうか。最後に一つだけ書いておけば、テーマがストーリーの表面にないからこそ、物語がねじれていて、構成が凝りに凝っているからこそ、佐藤正午の小説を読み解いたときの快感は大きい。近年の傑作『ジャンプ』の興奮はおそらくそういうことだったと思う。すなわち、読書のだいご味が佐藤正午の作品にはいつも横溢《おういつ》しているのだ。その意味で、本書はもっとも佐藤正午らしい作品と言えるかもしれない。

本書は平成八年十二月、小社より刊行された
単行本を文庫化したものです。

取《と》り扱《あつか》い注意《ちゅうい》

佐藤正午《さとうしょうご》

平成13年 7月25日　初版発行
令和7年 7月10日　5版発行

発行者●山下直久

発行●株式会社KADOKAWA
〒102-8177　東京都千代田区富士見2-13-3
電話　0570-002-301(ナビダイヤル)

角川文庫 12047

印刷所●株式会社KADOKAWA
製本所●株式会社KADOKAWA

表紙画●和田三造

ISBN978-4-04-359301-9　C0193

角川文庫発刊に際して

角　川　源　義

第二次世界大戦の敗北は、軍事力の敗北であった以上に、私たちの若い文化力の敗退であった。私たちの文化が戦争に対して如何に無力であり、単なるあだ花に過ぎなかったかを、私たちは身を以て体験し痛感した。西洋近代文化の摂取にとって、明治以後八十年の歳月は決して短かすぎたとは言えない。にもかかわらず、近代文化の伝統を確立し、自由な批判と柔軟な良識に富む文化層として自らを形成することに私たちは失敗して来た。そしてこれは、各層への文化の普及滲透を任務とする出版人の責任でもあった。

一九四五年以来、私たちは再び振出しに戻り、第一歩から踏み出すことを余儀なくされた。これは大きな不幸ではあるが、反面、これまでの混沌・未熟・歪曲の中にあった我が国の文化に秩序と確たる基礎を齎らすためには絶好の機会でもある。角川書店は、このような祖国の文化的危機にあたり、微力をも顧みず再建の礎石たるべき抱負と決意とをもって出発したが、ここに創立以来の念願を果すべく角川文庫を発刊する。これまで刊行されたあらゆる全集叢書文庫類の長所と短所とを検討し、古今東西の不朽の典籍を、良心的編集のもとに、廉価に、そして書架にふさわしい美本として、多くのひとびとに提供しようとする。しかし私たちは徒らに百科全書的な知識のジレッタントを作ることを目的とせず、あくまで祖国の文化に秩序と再建への道を示し、この文庫を角川書店の栄ある事業として、今後永久に継続発展せしめ、学芸と教養との殿堂として大成せんことを期したい。多くの読書子の愛情ある忠言と支持とによって、この希望と抱負とを完遂せしめられんことを願う。

一九四九年五月三日